biblio

Micromégas

La Princesse de Babylone

Voltaire

Notes, questionnaires et synthèses
par Véronique LE QUINTREC,
agrégée de Lettres modernes,
professeur en lycée

Crédits photographiques
pp. 4, 5, 8, 9, 26, 36, 39 : photos Photothèque Hachette. **p. 46 :** photo Musee d'Histoire Contemporaine, B.D.I.C., Paris, France / Archives Charmet / The Bridgeman Art Library. **p. 48 :** photo Photothèque Hachette. **pp. 49, 76, 79, 158, 161 :** détail d'une illustration pour l'édition de 1778 de *La Princesse de Babylone* publiée avec d'autres contes de Voltaire, photo Photothèque Hachette. **pp. 58, 70, 75 :** photos Photothèque Hachette. **p. 88 :** photo Bibliothèque Nationale de France. **p. 160 :** photo Photothèque Hachette. **p. 168 :** illustration appartenant au Musée Victor Hugo, à Paris, photo AKG.

Conception graphique
Couverture : *Audrey Izern*
Intérieur : *ELSE*

Édition
Fabrice Pinel

Mise en page
MCP

ISBN 978-2-01-169696-0

Sommaire

Dossier pédagogique : www.hachette-education.com

Voltaire (1694-1778) en négligé,
tenue du matin avant la prise de la perruque.
Gravure de Jean Huler.

PRÉSENTATION

C'est un philosophe vieillissant mais toujours aussi actif et énergique qui écrit les contes philosophiques, rapidement, avec facilité, avant tout pour distraire sa cour et s'amuser lui-même, mais aussi pour exprimer son impulsivité et clamer ses colères. Car Voltaire n'est pas un écrivain tiède, Voltaire n'est pas prudent : c'est un auteur engagé qui a mis son action en accord avec ses idées. Quand il rédige une première version de *Micromégas*, en 1739, c'est un coup d'essai, son premier conte philosophique, genre qu'il invente mais qu'il ne nomme pas ainsi. Voltaire le destine à son correspondant favori, Frédéric II de Prusse, qui a bien ri de cette « *bagatelle* » ; on imagine aussi que la lecture de ces quelques pages qui confrontent, au cours d'un voyage interplanétaire, géants et humains a dû amuser la compagnie qui se réunissait autour de Voltaire et de Mme du Châtelet à Cirey. Quoi qu'il en soit, quand le texte est publié officiellement en 1752, le succès est immédiat et international. Comment ne pas être séduit par cette leçon de sciences et de

Gravure pour *Micromégas* datée de 1778.

philosophie mise à la portée de tous et d'une drôlerie pleine de finesse ?
Quant à *La Princesse de Babylone*, conte publié en 1768, sa parution fut moins fracassante mais fit pourtant l'objet de nombreuses imitations et transformations. Ce drôle de conte de fées philosophique, qui flatte le goût du temps pour l'Orient et le merveilleux*, nous entraîne aujourd'hui encore très gaiement sur les pas d'une princesse embarquée dans une incroyable course à travers l'Asie et l'Europe pour retrouver celui qu'elle aime. Autant d'étapes pleines d'aventures et de suspense pour les deux jeunes gens qui ne cessent de se manquer, et, surtout, autant d'enseignements philosophiques. Car la juxtaposition des pays permet à Voltaire de caricaturer en quelques coups de plume acerbes les défauts de certains d'entre eux pour mieux les opposer aux pays modèles qui témoignent que, comme le pensait Voltaire, le paradis peut être sur Terre à condition que les hommes y mettent de la bonne volonté.
Toute sa vie, Voltaire a inlassablement écrit, mais la production qu'il méprisait le plus – les contes philosophiques – est aussi celle qui lui survit avec le plus d'éclat. Les revendications qu'il y exprime restent d'actualité, qui réclament plus de tolérance et moins d'orgueil, moins de fanatisme et plus de justice. Le tout présenté avec un enthousiasme et une ironie* qui ne vieillissent pas.

* *Cf.* Lexique.

Micromégas

La Princesse de Babylone

Voltaire

Voltaire à la table de Frédéric II de Prusse, gravure de A. Vogel d'après Menzel.

Micromégas

HISTOIRE PHILOSOPHIQUE

Chapitre premier

Voyage d'un habitant du monde de l'étoile Sirius[1] dans la planète de Saturne[2]

Dans une de ces planètes qui tournent autour de l'étoile nommée Sirius, il y avait un jeune homme de beaucoup d'esprit, que j'ai eu l'honneur de connaître dans le dernier voyage qu'il fit sur notre petite fourmilière ; il s'appelait Micromégas[3], nom qui 5 convient fort à tous les grands. Il avait huit lieues[4] de haut :

notes

1. **Sirius :** système double d'étoiles appartenant à la constellation du Grand Chien. L'étoile bleue est la plus brillante du ciel.
2. **Saturne :** la plus grosse planète du système solaire après Jupiter. Elle est entourée d'un système d'anneaux.
3. **Micromégas :** nom formé à partir de deux racines grecques, la première signifiant « petit » et la seconde « grand ».
4. 1 lieue équivaut à 4 km environ (la mesure de 8 lieues diffère donc de celle de 24 000 pieds).

j'entends, par huit lieues, vingt-quatre mille pas géométriques[1] de cinq pieds[2] chacun.

Quelques algébristes[3], gens toujours utiles au public, prendront sur-le-champ la plume, et trouveront que, puisque monsieur
10 Micromégas, habitant du pays de Sirius, a de la tête aux pieds vingt-quatre mille pas, qui font cent vingt mille pieds de roi[4], et que nous autres, citoyens de la terre, nous n'avons guère que cinq pieds, et que notre globe a neuf mille lieues de tour, ils trouveront, dis-je, qu'il faut absolument que le globe qui l'a produit ait
15 au juste[5] vingt et un millions six cent mille fois plus de circonférence que notre petite terre. Rien n'est plus simple et plus ordinaire dans la nature. Les États de quelques souverains d'Allemagne ou d'Italie, dont on peut faire le tour en une demi-heure, comparés à l'empire de Turquie, de Moscovie[6] ou de la Chine,
20 ne sont qu'une très faible image des prodigieuses différences que la nature a mises dans tous les êtres.

La taille de Son Excellence[7] étant de la hauteur que j'ai dite, tous nos sculpteurs et tous nos peintres conviendront sans peine que sa ceinture peut avoir cinquante mille pieds de roi de tour :
25 ce qui fait une très jolie proportion[8].

Quant à son esprit, c'est un des plus cultivés que nous ayons ; il sait beaucoup de choses ; il en a inventé quelques-unes ; il n'avait pas encore deux cent cinquante ans, et il étudiait, selon la coutume, au collège de jésuites[9] de sa planète, lorsqu'il devina,
30 par la force de son esprit, plus de cinquante propositions

notes

1. Le pas géométrique est égal à 1,62 m.
2. Micromégas mesure un peu moins de 39 km (1 pied vaut 32,4 cm).
3. **algébristes** : spécialistes du « *calcul des grandeurs en général* » (*Dictionnaire de l'Académie*, 1762). Les calculs qui précèdent et qui suivent ont pu être inspirés à Voltaire par le mathématicien et philosophe Christian von Wolff, disciple de Leibniz, moqué par Voltaire parce qu'il cherchait à évaluer la taille des habitants de Jupiter en se référant à celle des géants de la Bible.
4. **pieds de roi** : autre appellation du « pied », qui correspond à la même unité de mesure.
5. **au juste** : exactement.
6. **Moscovie** : ici, Empire russe.
7. **Son Excellence** : titre donné aux ambassadeurs.
8. **proportion** : dimension.
9. Les jésuites sont des religieux qui s'occupaient tout particulièrement de l'éducation et que Voltaire déteste.

d'Euclide[1]. C'est dix-huit de plus que Blaise Pascal, lequel, après en avoir deviné trente-deux en se jouant[2], à ce que dit sa sœur, devint depuis un géomètre assez médiocre, et un fort mauvais métaphysicien[3]. Vers les quatre cent cinquante ans, au sortir de
35 l'enfance, il disséqua beaucoup de ces petits insectes qui n'ont pas cent pieds de diamètre, et qui se dérobent aux microscopes ordinaires ; il en composa un livre fort curieux[4], mais qui lui fit quelques affaires[5]. Le muphti[6] de son pays, grand vétillard[7], et fort ignorant, trouva dans son livre des propositions suspectes,
40 malsonnantes[8], téméraires[9], hérétiques[10], sentant l'hérésie, et le poursuivit vivement[11] : il s'agissait de savoir si la forme substantielle[12] des puces de Sirius était de même nature que celle des colimaçons[13]. Micromégas se défendit avec esprit ; il mit les femmes de son côté ; le procès dura deux cent vingt ans. Enfin le
45 muphti fit condamner le livre par des jurisconsultes[14] qui ne l'avaient pas lu, et l'auteur eut ordre de ne paraître à la Cour de huit cents années.[15]

Il ne fut que médiocrement[16] affligé d'être banni d'une Cour qui n'était remplie que de tracasseries et de petitesses[17]. Il fit une

notes

1. **propositions d'Euclide** : principes d'Euclide, mathématicien des IVe et IIIe siècles avant J.-C., qui rassembla dans *Éléments de géométrie* toutes les connaissances mathématiques de l'Antiquité.
2. **en se jouant** : en jouant, en s'amusant.
3. Blaise Pascal (1623-1662) est un brillant mathématicien et écrivain français. D'après le récit que fait sa sœur, il découvrit par lui-même à l'âge de 12 ans des lois mathématiques. Voltaire lui reproche sa foi et donc son goût pour la « *métaphysique* » que lui-même a en horreur car il s'agit de l'étude de ce qui dépasse la nature et ne peut donc être connu de manière certaine et rationnelle.
4. **fort curieux** : très intéressant.
5. **lui fit quelques affaires** : lui valut des ennuis. Voltaire pense sans doute à la condamnation de ses *Lettres philosophiques* par l'archevêque de Paris.
6. **muphti** : mufti, chef religieux musulman. Voltaire fait allusion à plusieurs religions pour toutes les dénoncer.
7. **vétillard** : personne qui s'arrête à des vétilles, c'est-à-dire à des choses de peu d'importance.
8. **malsonnantes** : choquantes.
9. **téméraires** : se dit d'« *une proposition trop hardie, de laquelle on peut tirer des inductions contraires à la véritable doctrine* » (*Dictionnaire de l'Académie*, 1762).
10. L'hérésie est ce qui est jugé par l'Église contraire à la doctrine d'une religion. Dans certains pays d'Europe, les hérétiques étaient souvent condamnés au bûcher par l'Inquisition.
11. Il s'agit de poursuites en justice.
12. **forme substantielle** : ce qui fait l'essence, la nature d'une chose.
13. **colimaçons** : escargots.
14. **jurisconsultes** : hommes de loi.
15. Tout ce passage est une allusion à l'absence de liberté d'expression à l'époque de Voltaire.
16. **médiocrement** : peu.
17. **petitesses** : bassesses.

chanson fort plaisante[1] contre le muphti, dont celui-ci ne s'embarrassa guère[2] ; et il se mit à voyager de planète en planète, pour achever de se former *l'esprit et le cœur*, comme l'on dit[3]. Ceux qui ne voyagent qu'en chaise de poste[4] ou en berline[5] seront sans doute étonnés des équipages de là-haut : car nous autres, sur notre petit tas de boue, nous ne concevons rien au-delà de nos usages. Notre voyageur connaissait merveilleusement[6] les lois de la gravitation, et toutes les forces attractives et répulsives[7]. Il s'en servait si à propos que, tantôt à l'aide d'un rayon du soleil, tantôt par la commodité[8] d'une comète, il allait de globe en globe, lui et les siens, comme un oiseau voltige de branche en branche. Il parcourut la voie lactée[9] en peu de temps, et je suis obligé d'avouer qu'il ne vit jamais à travers les étoiles dont elle est semée ce beau ciel empyrée[10] que l'illustre vicaire Derham[11] se vante d'avoir vu au bout de sa lunette. Ce n'est pas que je prétende que Monsieur Derham ait mal vu, à Dieu ne plaise ! mais Micromégas était sur les lieux, c'est un bon observateur, et je ne veux contredire personne. Micromégas, après avoir bien tourné, arriva dans le globe de Saturne. Quelque accoutumé qu'il fût[12] à voir des choses nouvelles, il ne put d'abord, en voyant la petitesse du globe et de ses habitants, se défendre[13] de ce sourire de supériorité qui échappe quelquefois aux plus sages[14]. Car enfin Saturne n'est

notes

1. plaisante : amusante et spirituelle.
2. ne s'embarrassa guère : ne se soucia pas.
3. L'expression est un cliché de l'époque, souvent raillé par Voltaire.
4. chaise de poste : voiture légère à deux roues tirée par un ou deux chevaux.
5. berline : voiture robuste et fermée, à quatre roues et tirée par plusieurs chevaux. Elle avait été conçue à Berlin – d'où son nom.
6. merveilleusement : admirablement.
7. gravitation, [...] forces attractives et répulsives : allusion au système de Newton pour lequel se passionnait Voltaire et que ce dernier vulgarisa en 1737 dans ses *Éléments de la philosophie de Newton.* Il s'agit des lois physiques d'attraction des corps en fonction de leur gravité, c'est-à-dire de leur masse.
8. commodité : moyen.
9. voie lactée : galaxie dans laquelle se trouve le système solaire – donc la Terre et les hommes et toutes les étoiles visibles à l'œil nu.
10. ciel empyrée : la plus haute partie du ciel, « *le séjour des bienheureux* » selon le *Dictionnaire de l'Académie* (1762), c'est-à-dire le paradis.
11. William Derham (1657-1735), homme d'Église et savant anglais dont le nom est associé aux premières mesures de la vitesse du son. Mais Voltaire se moque ici de lui car il prétendit avoir aperçu le paradis avec sa lunette astronomique.
12. Quelque accoutumé qu'il fût : bien qu'accoutumé.
13. se défendre : s'empêcher.
14. sages : savants et donc raisonnables.

guère que neuf cents fois plus gros que la terre, et les citoyens de ce pays-là sont des nains qui n'ont que mille toises[1] de haut ou environ. Il s'en moqua un peu d'abord avec ses gens[2], à peu près
75 comme un musicien italien se met à rire de la musique de Lulli[3] quand il vient en France. Mais comme le Sirien avait un bon esprit, il comprit bien vite qu'un être pensant peut fort bien n'être pas ridicule pour n'avoir[4] que six mille pieds de haut. Il se familiarisa[5] avec les Saturniens, après les avoir étonnés[6]. Il lia une
80 étroite amitié avec le secrétaire de l'Académie de Saturne[7], homme de beaucoup d'esprit, qui n'avait à la vérité rien inventé, mais qui rendait un fort bon compte des inventions des autres, et qui faisait passablement[8] de petits vers, et de grands calculs. Je rapporterai ici, pour la satisfaction des lecteurs, une conversation
85 singulière[9] que Micromégas eut un jour avec M. le secrétaire.

Chapitre II

Conversation de l'habitant de Sirius avec celui de Saturne

Après que Son Excellence se fut couchée, et que le secrétaire se fut approché de son visage : « Il faut avouer, dit Micromégas, que la nature est bien variée. – Oui, dit le Saturnien ; la nature est comme un parterre dont les fleurs… – Ah ! dit l'autre, laissez là

notes

1. La toise est une mesure de longueur qui équivaut à 6 pieds, soit près de 2 m.
2. gens : domestiques.
3. Jean-Baptiste Lully ou Lulli (1632-1687), musicien français d'origine italienne qui collabora avec Molière et brilla à la cour de Louis XIV. Il est considéré comme le créateur de l'opéra français et Voltaire lui voue une grande admiration. Une querelle opposant les tenants de l'opéra français à ceux de l'opéra italien agite les intellectuels et les mélomanes français au XVIIIe siècle.
4. pour n'avoir : même s'il n'a.
5. se familiarisa : sympathisa.
6. étonnés : sens très fort de « stupéfaits ».
7. secrétaire de l'Académie de Saturne : allusion à Fontenelle (1657-1757), secrétaire perpétuel de l'Académie des sciences, neveu de Pierre Corneille et auteur des *Entretiens sur la pluralité des mondes* (1686). D'après l'édition de Kehl, « *il fut fort blessé du rôle qu'il jouait dans ce roman* ».
8. passablement : pas trop mal.
9. singulière : en particulier.

90 votre parterre. – Elle est, reprit le secrétaire, comme une assemblée de blondes et de brunes, dont les parures... – Eh ! qu'ai-je à faire de vos brunes ? dit l'autre. – Elle est donc comme une galerie de peintures dont les traits...[1] – Eh non ! dit le voyageur ; encore une fois, la nature est comme la nature. Pourquoi lui
95 chercher des comparaisons ? – Pour vous plaire, répondit le secrétaire. – Je ne veux point qu'on me plaise, répondit le voyageur ; je veux qu'on m'instruise : commencez d'abord par me dire combien les hommes de votre globe ont de sens[2]. – Nous en avons soixante et douze, dit l'académicien ; et nous nous
100 plaignons tous les jours du peu[3]. Notre imagination va au-delà de nos besoins ; nous trouvons qu'avec nos soixante et douze sens, notre anneau, nos cinq lunes[4], nous sommes trop bornés[5] ; et, malgré toute notre curiosité et le nombre assez grand de passions[6] qui résultent de nos soixante et douze sens, nous avons tout le
105 temps de nous ennuyer[7]. – Je le crois bien, dit Micromégas ; car dans notre globe nous avons près de mille sens, et il nous reste encore je ne sais quel désir vague, je ne sais quelle inquiétude[8], qui nous avertit sans cesse que nous sommes peu de chose, et qu'il y a des êtres beaucoup plus parfaits. J'ai un peu voyagé ; j'ai vu des
110 mortels fort au-dessous de nous ; j'en ai vu de fort supérieurs ; mais je n'en ai vu aucuns qui n'aient plus de désirs que de vrais besoins, et plus de besoins que de satisfaction. J'arriverai peut-être un jour au pays où il ne manque rien ; mais jusqu'à présent personne ne m'a donné de nouvelles positives[9] de ce pays-là. » Le
115 Saturnien et le Sirien s'épuisèrent alors en conjectures[10] ; mais,

notes

1. Voltaire se moque du style de Fontenelle qui procède par comparaisons, en particulier dans l'ouvrage cité plus haut.
2. La question d'un sixième sens est déjà posée par Montaigne ; on retrouve le débat chez Fontenelle.
3. **du peu** : qu'il y en ait aussi peu.
4. Du temps de Voltaire, on ne connaissait que cinq satellites de Saturne ; on en a découvert une dizaine d'autres depuis.
5. **bornés** : limités.
6. À l'époque de Voltaire, on considère que c'est la curiosité qui fait la vie intellectuelle et les passions la vie affective.
7. **de nous ennuyer** : d'éprouver un sentiment de vide intérieur.
8. **inquiétude** : caractéristique de la condition humaine (on pourrait parler d'« angoisse existentielle ») selon Voltaire et... Blaise Pascal.
9. **positives** : fondées sur l'expérience.
10. **conjectures** : suppositions.

après beaucoup de raisonnements fort ingénieux et fort incertains, il en fallut revenir aux faits. « Combien de temps vivez-vous ? dit le Sirien. – Ah ! bien peu, répliqua le petit homme de Saturne. – C'est tout comme chez nous, dit le Sirien ; nous nous
120 plaignons toujours du peu. Il faut que ce soit[1] une loi universelle de la nature. – Hélas ! nous ne vivons, dit le Saturnien, que cinq cents grandes révolutions[2] du soleil. (Cela revient à quinze mille ans ou environ, à compter à notre manière.) Vous voyez bien que c'est mourir presque au moment que l'on est né ; notre existence
125 est un point, notre durée un instant, notre globe un atome[3]. À peine a-t-on commencé à s'instruire un peu que la mort arrive avant qu'on ait de l'expérience. Pour moi, je n'ose faire aucuns projets[4] ; je me trouve comme une goutte d'eau dans un océan immense. Je suis honteux, surtout devant vous, de la figure
130 ridicule que je fais dans ce monde[5]. »

Micromégas lui repartit[6] : « Si vous n'étiez pas philosophe, je craindrais de vous affliger en vous apprenant que notre vie est sept cents fois plus longue que la vôtre ; mais vous savez trop bien que quand il faut rendre son corps aux éléments, et ranimer la nature
135 sous une autre forme, ce qui s'appelle mourir ; quand ce moment de métamorphose[7] est venu, avoir vécu une éternité, ou avoir vécu un jour, c'est précisément la même chose[8]. J'ai été dans les pays où l'on vit mille fois plus longtemps que chez moi, et j'ai trouvé qu'on y murmurait[9] encore. Mais il y a partout des gens de
140 bon sens qui savent prendre leur parti et remercier l'auteur de la nature. Il a répandu sur cet univers une profusion de variétés avec

notes

1. Il faut que ce soit : c'est sans aucun doute.
2. révolutions : retours d'un astre au point d'où il est parti. Mais c'est une indication fantaisiste car on ne sait pas encore comment se déplace le Soleil.
3. Le mot *atome* revient souvent dans le texte pour désigner « l'infiniment petit ». Au XVIIIe siècle, on le pensait indivisible.
4. Au XVIIIe siècle, *aucun* et le nom qu'il détermine se mettent plus souvent au pluriel qu'aujourd'hui.
5. la figure [...] que je fais dans ce monde : ce que je représente.
6. repartit : répondit.
7. métamorphose : transformation liée à la théorie matérialiste. *« Rien ne se perd, rien ne se crée, tout se transforme »*, affirme le chimiste Lavoisier au XVIIIe siècle.
8. Idée que l'on trouve déjà chez Montaigne.
9. on y murmurait : on s'y plaignait.

une espèce d'uniformité admirable. Par exemple tous les êtres pensants sont différents, et tous se ressemblent au fond par le don de la pensée et des désirs. La matière[1] est partout étendue ; mais
145 elle a dans chaque globe des propriétés diverses. Combien comptez-vous de ces propriétés diverses dans votre matière ? – Si vous parlez de ces propriétés, dit le Saturnien, sans lesquelles nous croyons que ce globe ne pourrait subsister tel qu'il est, nous en comptons trois cents, comme l'étendue, l'impénétrabilité, la
150 mobilité, la gravitation, la divisibilité, et le reste. – Apparemment, répliqua le voyageur, que ce petit nombre suffit aux vues que le Créateur avait sur votre petite habitation[2]. J'admire en tout sa sagesse ; je vois partout des différences, mais aussi partout des proportions[3]. Votre globe est petit, vos habitants le sont aussi ;
155 vous avez peu de sensations ; votre matière a peu de propriétés ; tout cela est l'ouvrage de la Providence[4]. De quelle couleur est votre soleil bien examiné[5] ? – D'un blanc fort jaunâtre, dit le Saturnien ; et quand nous divisons un de ses rayons, nous trouvons qu'il contient sept couleurs[6]. – Notre soleil tire sur le
160 rouge[7], dit le Sirien, et nous avons trente-neuf couleurs primitives[8]. Il n'y a pas un soleil, parmi tous ceux dont j'ai approché, qui se ressemble, comme chez vous il n'y a pas un visage qui ne soit différent de tous les autres. »

Après plusieurs questions de cette nature, il s'informa combien
165 de substances[9] essentiellement différentes on comptait dans Saturne. Il apprit qu'on n'en comptait qu'une trentaine, comme Dieu, l'espace, la matière, les êtres étendus qui sentent, les êtres étendus qui sentent et qui pensent, les êtres pensants qui n'ont point d'étendue, ceux qui se pénètrent, ceux qui ne se pénètrent

notes

1. Concept philosophique et scientifique, la matière est la substance qui constitue toute chose. Aristote, philosophe grec du IVe siècle avant J.-C., la définit par ses « *propriétés* ».
2. votre petite habitation : votre planète.
3. proportions : rapports harmonieux, comme c'est expliqué ensuite.
4. Providence : sage gouvernement de Dieu sur sa Création.
5. bien examiné : tout bien observé.
6. Les travaux de Newton sur la division de la lumière étaient très récents à l'époque où Voltaire écrit ce conte.
7. Les Anciens considéraient que la couleur de Sirius se rapprochait du rouge.
8. primitives : primaires.
9. substances : matières caractérisées par leurs propriétés.

170 pas, et le reste. Le Sirien, chez qui on en comptait trois cents, et qui en avait découvert trois mille autres dans ses voyages, étonna prodigieusement le philosophe de Saturne. Enfin, après s'être communiqué l'un à l'autre un peu de ce qu'ils savaient et beaucoup de ce qu'ils ne savaient pas, après avoir raisonné 175 pendant une révolution du soleil[1], ils résolurent de faire ensemble un petit voyage philosophique[2].

Chapitre III
Voyage des deux habitants de Sirius et de Saturne

Nos deux philosophes étaient prêts à s'embarquer dans l'atmosphère de Saturne avec une fort jolie provision d'instruments mathématiques, lorsque la maîtresse du Saturnien, qui en eut des 180 nouvelles[3], vint en larmes faire ses remontrances[4]. C'était une jolie petite brune qui n'avait que six cent soixante toises, mais qui réparait[5] par bien des agréments la petitesse de sa taille. « Ah ! cruel[6] ! s'écria-t-elle, après t'avoir résisté quinze cents ans, lorsque enfin je commençais à me rendre, quand j'ai à peine passé 185 cent ans entre tes bras, tu me quittes pour aller voyager avec un géant d'un autre monde ; va, tu n'es qu'un curieux[7], tu n'as jamais eu d'amour : si tu étais un vrai Saturnien, tu serais fidèle. Où vas-tu courir ? Que veux-tu ? Nos cinq lunes sont moins

notes

1. **une révolution du soleil** : d'après les connaissances de l'époque, à peu près 30 ans.
2. **voyage philosophique** : voyage qui a pour objet la découverte et la connaissance, comme celui que font Usbek et Rica, en Europe, dans les *Lettres persanes* de Montesquieu, publiées en 1721.
3. **qui en eut des nouvelles** : qui en apprit la nouvelle.
4. **remontrances** : reproches et protestations.
5. **réparait** : compensait.
6. **cruel** : insensible (mot couramment utilisé dans le langage amoureux de l'époque).
7. **un curieux** : une personne préoccupée par le désir d'apprendre.

errantes que toi, notre anneau est moins changeant. Voilà qui
190 est fait[1], je n'aimerai jamais plus personne. » Le philosophe l'embrassa[2], pleura avec elle, tout philosophe qu'il était ; et la dame, après s'être pâmée[3], alla se consoler avec un petit-maître[4] du pays.

Cependant nos deux curieux partirent ; ils sautèrent d'abord
195 sur l'anneau, qu'ils trouvèrent assez plat, comme l'a fort bien deviné un illustre habitant de notre petit globe[5] ; de là ils allèrent de lune en lune[6]. Une comète passait tout auprès de la dernière ; ils s'élancèrent sur elle avec leurs domestiques et leurs instruments. Quand ils eurent fait environ cent cinquante millions de
200 lieues, ils rencontrèrent les satellites de Jupiter. Ils passèrent dans Jupiter même, et y restèrent une année, pendant laquelle ils apprirent de fort beaux secrets qui seraient actuellement sous presse[7] sans messieurs les inquisiteurs[8], qui ont trouvé quelques propositions un peu dures[9]. Mais j'en ai lu le manuscrit dans la
205 bibliothèque de l'illustre archevêque de...[10], qui m'a laissé voir ses livres avec cette générosité et cette bonté qu'on ne saurait assez louer.

Mais revenons à nos voyageurs. En sortant de Jupiter, ils traversèrent un espace d'environ cent millions de lieues, et ils
210 côtoyèrent la planète de Mars, qui, comme on sait, est cinq fois plus petite que notre petit globe ; ils virent deux lunes[11] qui servent à cette planète, et qui ont échappé aux regards de nos

notes

1. fait : définitif.
2. l'embrassa : la prit dans ses bras.
3. s'être pâmée : avoir été vivement émue, jusqu'à l'évanouissement.
4. petit-maître : jeune homme élégant, maniéré et prétentieux.
5. Il s'agit de Christiaan Huygens (1629-1695), astronome néerlandais qui découvrit et étudia les anneaux de Saturne.
6. de lune en lune : de planète en planète.
7. sous presse : imprimés et publiés.
8. inquisiteurs : juges du tribunal de l'Inquisition qui existait dans certains pays, comme le Portugal (*cf.* le chapitre VI de *Candide*), pour réprimer ce qui semblait contraire à la doctrine catholique.
9. un peu dures : irrecevables.
10. Allusion à un homme d'Église libre penseur, autrement dit libertin, peut-être le cardinal de Tencin, frère de la femme de lettres Mme de Tencin.
11. Les deux satellites de Mars n'ont été découverts qu'en 1877 ; Voltaire, qui ne pouvait donc les connaître, reprend ce qu'il avait lu dans *Les Voyages de Gulliver* (1726) de Jonathan Swift.

astronomes. Je sais bien que le père Castel[1] écrira, et même assez plaisamment, contre l'existence de ces deux lunes ; mais je m'en
215 rapporte à ceux qui raisonnent par analogie[2]. Ces bons philosophes-là savent combien il serait difficile que Mars, qui est si loin du soleil, se passât à moins de deux lunes[3]. Quoi qu'il en soit, nos gens trouvèrent cela si petit qu'ils craignirent de n'y pas trouver de quoi coucher, et ils passèrent leur chemin comme
220 deux voyageurs qui dédaignent un mauvais cabaret[4] de village et poussent jusqu'à la ville voisine. Mais le Sirien et son compagnon se repentirent bientôt. Ils allèrent longtemps, et ne trouvèrent rien. Enfin ils aperçurent une petite lueur : c'était la terre ; cela fit pitié à des gens qui venaient de Jupiter. Cependant, de peur de se
225 repentir une seconde fois, ils résolurent de débarquer. Ils passèrent sur la queue de la comète, et, trouvant une aurore boréale[5] toute prête, ils se mirent dedans, et arrivèrent à terre sur le bord septentrional[6] de la mer Baltique[7], le cinq juillet mil sept cent trente-sept, nouveau style[8].

notes

1. Père Castel (1688-1757), savant jésuite, inventeur du « clavecin pour les yeux » (1725), avait critiqué Newton dans le *Journal de Trévoux* (1738).
2. **analogie :** ressemblance entre plusieurs choses, de laquelle on peut déduire une similitude.
3. **se passât à moins de deux lunes :** se contentât de passer à moins de deux satellites.
4. **cabaret :** auberge.
5. **aurore boréale :** phénomène lumineux que l'on observe au pôle Nord.
6. **septentrional :** nord.
7. **mer Baltique :** mer intérieure de l'Atlantique qui borde, au nord, la Finlande, la Suède et la Russie (aujourd'hui l'Estonie, la Lettonie et la Lituanie).
8. **nouveau style :** il s'agit du calendrier grégorien, appliqué en France depuis 1582, par opposition au calendrier julien, encore en vigueur en Angleterre. Le décalage était de 11 jours. La modification étant assez récente, il fallait encore indiquer si la date était en ancien ou en nouveau style. La date indiquée correspond à celle du naufrage de Maupertuis, géomètre et mathématicien français parti en Laponie avec Celsius.

Chapitre IV
Ce qui leur arrive sur le globe de la terre

230 Après s'être reposés quelque temps, ils mangèrent à leur déjeuner[1] deux montagnes, que leurs gens leur apprêtèrent assez proprement[2]. Ensuite ils voulurent reconnaître[3] le petit pays où ils étaient. Ils allèrent d'abord du nord au sud. Les pas ordinaires du Sirien et de ses gens étaient d'environ trente mille pieds de 235 roi ; le nain de Saturne suivait de loin en haletant ; or il fallait qu'il fît environ douze pas, quand l'autre faisait une enjambée : figurez-vous (s'il est permis de faire de telles comparaisons) un très petit chien de manchon[4] qui suivrait un capitaine des gardes du roi de Prusse[5].

240 Comme ces étrangers-là vont assez vite, ils eurent fait le tour du globe en trente-six heures ; le soleil, à la vérité, ou plutôt la terre, fait un pareil voyage en une journée ; mais il faut songer qu'on va bien plus à son aise quand on tourne sur son axe que quand on marche sur ses pieds. Les voilà donc revenus d'où ils étaient partis, 245 après avoir vu cette mare, presque imperceptible pour eux, qu'on nomme *la Méditerranée*, et cet autre petit étang qui, sous le nom du *grand Océan*[6], entoure la taupinière[7]. Le nain n'en avait eu jamais qu'à mi-jambe, et à peine l'autre avait-il mouillé son talon. Ils firent tout ce qu'ils purent en allant et en revenant dessus et 250 dessous[8] pour tâcher d'apercevoir si ce globe était habité ou non. Ils se baissèrent, ils se couchèrent, ils tâtèrent partout ; mais leurs

notes

1. **déjeuner** : petit déjeuner.
2. **apprêtèrent assez proprement** : préparèrent de manière astucieuse.
3. **reconnaître** : partir en reconnaissance.
4. **chien de manchon** : chien si petit qu'il peut tenir dans un manchon, c'est-à-dire un cylindre de fourrure dans lequel les dames glissaient les mains pour les protéger du froid.
5. Les gardes du roi de Prusse étaient connus pour leur haute taille (*cf.* le recrutement du personnage éponyme dans *Candide*).
6. ***grand Océan*** : ensemble des océans (Atlantique, Pacifique, Indien...).
7. **taupinière** : partie émergée de la Terre.
8. **revenant dessus et dessous** : allant d'un Pôle à un autre.

yeux et leurs mains n'étant point proportionnés aux petits êtres qui rampent ici, ils ne reçurent pas la moindre sensation qui pût leur faire soupçonner que nous et nos confrères les autres
255 habitants de ce globe avons l'honneur d'exister.

Le nain, qui jugeait quelquefois un peu trop vite, décida d'abord qu'il n'y avait personne sur la terre. Sa première raison était qu'il n'avait vu personne. Micromégas lui fit sentir poliment que c'était raisonner assez mal : « Car, disait-il, vous ne voyez pas
260 avec vos petits yeux certaines étoiles de la cinquantième grandeur[1] que j'aperçois très distinctement ; concluez-vous de là que ces étoiles n'existent pas ? – Mais, dit le nain, j'ai bien tâté[2]. – Mais, répondit l'autre, vous avez mal senti. – Mais, dit le nain, ce globe-ci est si mal construit, cela est si irrégulier et d'une forme
265 qui me paraît si ridicule[3] ! tout semble être ici dans le chaos : voyez-vous ces petits ruisseaux dont aucun ne va de droit fil[4], ces étangs qui ne sont ni ronds, ni carrés, ni ovales, ni sous aucune forme régulière ; tous ces petits grains pointus dont ce globe est hérissé, et qui m'ont écorché les pieds ? (Il voulait parler des
270 montagnes.) Remarquez-vous encore la forme de tout le globe, comme il est plat aux pôles[5], comme il tourne autour du soleil d'une manière gauche, de façon que les climats des pôles sont nécessairement incultes[6] ? En vérité, ce qui fait que je pense qu'il n'y a ici personne, c'est qu'il me paraît que des gens de bon sens
275 ne voudraient pas y demeurer. – Eh bien, dit Micromégas, ce ne sont peut-être pas non plus des gens de bon sens qui l'habitent. Mais enfin il y a quelque apparence que ceci n'est pas fait pour rien. Tout vous paraît irrégulier ici, dites-vous, parce que tout est

notes

1. Les étoiles sont classées selon leur éclat. Seules les 6 premières grandeurs d'étoiles sont visibles à l'œil nu.
2. tâté : essayé.
3. L'idée revient plusieurs fois, et à différentes époques, sous la plume de Voltaire.
4. droit fil : tout droit.
5. Un débat avait opposé pendant un demi-siècle Cassini, qui prétendait que la Terre était ovale, à Newton, qui pensait que les Pôles étaient plats, aplatissement qui se trouva confirmé par les expéditions de La Condamine au Pérou, en 1735, et de Maupertuis en Laponie, en 1736-1737.
6. incultes : qui ne sont pas cultivés, stériles.

tiré au cordeau[1] dans Saturne et dans Jupiter. Eh ! c'est peut-être
280 par cette raison-là même qu'il y a ici un peu de confusion. Ne vous ai-je pas dit que dans mes voyages j'avais toujours remarqué de la variété ? » Le Saturnien répliqua à toutes ces raisons. La dispute[2] n'eût jamais fini, si par bonheur Micromégas, en s'échauffant à parler, n'eût cassé le fil de son collier de diamants.
285 Les diamants tombèrent ; c'étaient de jolis petits carats[3] assez inégaux, dont les plus gros pesaient quatre cents livres[4], et les plus petits cinquante. Le nain en ramassa quelques-uns ; il s'aperçut, en les approchant de ses yeux, que ces diamants, de la façon dont ils étaient taillés, étaient d'excellents microscopes. Il prit donc un
290 petit microscope de cent soixante pieds[5] de diamètre, qu'il appliqua à sa prunelle[6] ; et Micromégas en choisit un de deux mille cinq cents pieds. Ils étaient excellents ; mais d'abord on ne vit rien par leur secours[7] : il fallait s'ajuster[8]. Enfin l'habitant de Saturne vit quelque chose d'imperceptible qui remuait entre
295 deux eaux[9] dans la mer Baltique : c'était une baleine. Il la prit avec le petit doigt fort adroitement ; et la mettant sur l'ongle de son pouce, il la fit voir au Sirien, qui se mit à rire pour la seconde fois de l'excès de petitesse dont étaient les habitants de notre globe. Le Saturnien, convaincu que notre monde est habité,
300 s'imagina bien vite qu'il ne l'était que par des baleines ; et comme il était grand raisonneur, il voulut deviner d'où un si petit atome tirait son mouvement, s'il avait des idées, une volonté, une liberté[10]. Micromégas y fut fort embarrassé ; il examina l'animal fort patiemment, et le résultat de l'examen fut qu'il n'y avait pas
305 moyen de croire qu'une âme fût logée là. Les deux voyageurs inclinaient donc à penser qu'il n'y a point d'esprit dans notre

notes

1. **tiré au cordeau** : mesuré et aligné grâce à une petite corde qu'on tire, c'est-à-dire « net et parfaitement régulier ».
2. **dispute** : débat.
3. Le carat est l'unité de masse utilisée pour les diamants, égale à 0,2 g.
4. La livre est une unité de masse variable selon les provinces à l'époque de Voltaire mais fixée aujourd'hui à 500 g (unité non officielle).
5. 1 pied équivalant à 32 cm environ, le « *petit microscope* » fait donc à peu près 51 m de diamètre.
6. **prunelle** : œil.
7. **par leur secours** : grâce à eux.
8. **s'ajuster** : mettre au point.
9. **entre deux eaux** : sous l'eau.
10. Principaux critères de définition de l'être humain au XVIIIe siècle.

habitation, lorsqu'à l'aide du microscope ils aperçurent quelque chose de plus gros qu'une baleine qui flottait sur la mer Baltique. On sait que dans ce temps-là même une volée[1] de philosophes
310 revenait du cercle polaire, sous lequel ils avaient été faire des observations dont personne ne s'était avisé jusqu'alors[2]. Les gazettes[3] dirent que leur vaisseau échoua aux côtes de Botnie[4] et qu'ils eurent bien de la peine à se sauver ; mais on ne sait jamais dans ce monde le dessous des cartes. Je vais raconter ingénument[5]
315 comme la chose se passa, sans y rien mettre du mien, ce qui n'est pas un petit effort pour un historien.

Chapitre V
Expériences et raisonnements des deux voyageurs

Micromégas étendit la main tout doucement vers l'endroit où l'objet paraissait, et avançant deux doigts et les retirant par la crainte de se tromper, puis les ouvrant et les serrant, il saisit fort
320 adroitement le vaisseau qui portait ces messieurs, et le mit encore[6] sur son ongle, sans le trop presser, de peur de l'écraser. « Voici un animal bien différent du premier », dit le nain de Saturne ; le Sirien mit le prétendu animal dans le creux de sa main. Les passagers et les gens de l'équipage, qui s'étaient crus enlevés par
325 un ouragan, et qui se croyaient sur une espèce de rocher, se mettent tous en mouvement ; les matelots prennent des

notes

1. **une volée :** groupe d'oiseaux et, par image ici, groupe de personnes.
2. Allusion à l'expédition de Maupertuis (1698-1759) en Laponie, en 1736-1737, entreprise pour confirmer les calculs de Newton sur l'aplatissement de la Terre aux Pôles et à laquelle participèrent de nombreux académiciens.
3. **gazettes :** journaux.
4. **Botnie :** golfe formé au nord par la mer Baltique entre la Suède et la Finlande. À son retour vers la France, l'expédition essuya une si violente tempête qu'on crut l'équipage perdu.
5. **ingénument :** avec naïveté, sans artifice.
6. **encore :** également (comme la baleine).

tonneaux de vin, les jettent sur la main de Micromégas, et se précipitent après. Les géomètres prennent leurs quarts de cercle[1], leurs secteurs[2], et des filles lapones[3], et descendent sur les doigts
330 du Sirien. Ils en firent tant qu'il sentit enfin remuer quelque chose qui lui chatouillait les doigts : c'était un bâton ferré qu'on lui enfonçait d'un pied dans l'index ; il jugea, par ce picotement, qu'il était sorti quelque chose du petit animal qu'il tenait ; mais il n'en soupçonna pas d'abord[4] davantage. Le microscope, qui
335 faisait à peine discerner une baleine et un vaisseau, n'avait point de prise[5] sur un être aussi imperceptible que des hommes. Je ne prétends choquer ici la vanité de personne, mais je suis obligé de prier les importants[6] de faire ici une petite remarque avec moi ; c'est qu'en prenant la taille des hommes d'environ cinq pieds,
340 nous ne faisons pas sur la terre une plus grande figure qu'en ferait sur une boule de dix pieds de tour un animal qui aurait à peu près la six cent millième partie d'un pouce en hauteur. Figurez-vous une substance qui pourrait tenir la terre dans sa main, et qui aurait des organes en proportion des nôtres ; et il se peut très bien faire
345 qu'il y ait un grand nombre de ces substances : or concevez, je vous prie, ce qu'elles penseraient de ces batailles qui nous ont valu deux villages qu'il a fallu rendre[7].

Je ne doute pas que, si quelque capitaine des grands grenadiers[8] lit jamais cet ouvrage, il ne hausse de deux grands pieds au moins
350 les bonnets de sa troupe ; mais je l'avertis qu'il aura beau faire, et que lui et les siens ne seront jamais que des infiniment petits.

notes

1. quarts de cercle : arcs de 20 à 30° sur lesquels est fixée une lunette et qui servent à prendre des mesures.
2. secteurs : instruments de mesure des angles.
3. L'expédition de Maupertuis avait ramené du Pôle deux Lapones qui lui valurent un grand succès.
4. d'abord : tout de suite.
5. n'avait point de prise : n'arrivait pas à mettre au point.
6. importants : orgueilleux.
7. Cette remarque s'inscrit dans la dénonciation de l'absurdité de la guerre récurrente chez Voltaire. Les « *deux villages qu'il a fallu rendre* » sont peut-être Kehl et Philippsbourg, pris en 1733 et 1734 puis rendus par la France en 1738, après le traité de Vienne qui mettait fin à la guerre de Succession de Pologne.
8. grenadiers : soldats chargés de lancer des grenades puis, par extension, soldats d'élite. Ils portaient depuis 1730 de grands bonnets à poils.

Quelle adresse merveilleuse[1] ne fallut-il donc pas à notre philosophe de Sirius pour apercevoir les atomes dont je viens de parler ? Quand Leuwenhoek et Hartsoeker[2] virent les premiers,
355 ou crurent voir, la graine dont nous sommes formés, ils ne firent pas à beaucoup près une si étonnante découverte. Quel plaisir sentit Micromégas en voyant remuer ces petites machines[3], en examinant tous leurs tours, en les suivant dans toutes leurs opérations ! comme il s'écria[4] ! comme il mit avec joie un de ses
360 microscopes dans les mains de son compagnon de voyage ! « Je les vois, disaient-ils tous deux à la fois ; ne les voyez-vous pas qui portent des fardeaux, qui se baissent, qui se relèvent ? » En parlant ainsi les mains leur tremblaient, par le plaisir de voir des objets si nouveaux, et par la crainte de les perdre. Le Saturnien, passant
365 d'un excès de défiance à un excès de crédulité, crut apercevoir qu'ils travaillaient à la propagation[5]. « Ah ! disait-il, j'ai pris la nature sur le fait[6]. » Mais il se trompait sur les apparences : ce qui n'arrive que trop, soit qu'on se serve ou non de microscopes.

Chapitre VI
Ce qui leur arriva avec des hommes

Micromégas, bien meilleur observateur que son nain, vit
370 clairement que les atomes se parlaient ; et il le fit remarquer à son compagnon, qui, honteux de s'être mépris sur l'article de la génération[7], ne voulut point croire que de pareilles espèces

notes

1. **merveilleuse** : étonnante et admirable.
2. Antoine van Leeuwenhoek (1632-1723) et Nicolas Hartsoeker (1656-1725), scientifiques hollandais qui firent des recherches sur les spermatozoïdes.
3. **ces petites machines** : les hommes (allusion à Descartes qui a soutenu la théorie des animaux-machines).
4. **s'écria** : poussa de grands cris (peut s'utiliser de manière absolue au XVIIIe siècle).
5. **travaillaient à la propagation** : faisaient l'amour et ainsi participaient à la propagation de l'espèce.
6. Phrase prononcée par Fontenelle pour faire l'éloge d'un savant puis reprise à son propos alors qu'il avait été surpris en galante compagnie.
7. **l'article de la génération** : le sujet de la reproduction.

Fontenelle (1657-1757) par Louis Galloche en 1723.

pussent se communiquer des idées. Il avait le don des langues aussi bien que le Sirien ; il n'entendait point parler nos atomes,
375 et il supposait qu'ils ne parlaient pas. D'ailleurs, comment ces êtres imperceptibles auraient-ils les organes de la voix, et qu'auraient-ils à dire ? Pour parler, il faut penser, ou à peu près ; mais s'ils pensaient, ils auraient donc l'équivalent d'une âme. Or, attribuer l'équivalent d'une âme à cette espèce, cela lui paraissait
380 absurde. « Mais, dit le Sirien, vous avez cru tout à l'heure qu'ils faisaient l'amour[1] ; est-ce que vous croyez qu'on puisse faire l'amour sans penser et sans proférer quelque parole, ou du moins sans se faire entendre[2] ? Supposez-vous d'ailleurs qu'il soit plus difficile de produire un argument qu'un enfant ? Pour moi, l'un
385 et l'autre me paraissent de grands mystères. – Je n'ose plus ni croire ni nier, dit le nain ; je n'ai plus d'opinion. Il faut tâcher d'examiner ces insectes, nous raisonnerons après. – C'est fort bien dit », reprit Micromégas ; et aussitôt il tira une paire de ciseaux dont il se coupa les ongles, et d'une rognure de l'ongle de
390 son pouce, il fit sur-le-champ une espèce de grande trompette parlante[3], comme un vaste entonnoir, dont il mit le tuyau dans son oreille. La circonférence de l'entonnoir enveloppait le vaisseau et tout l'équipage. La voix la plus faible entrait dans les fibres circulaires de l'ongle ; de sorte que, grâce à son industrie[4], le
395 philosophe de là-haut entendit parfaitement le bourdonnement de nos insectes de là-bas. En peu d'heures il parvint à distinguer les paroles, et enfin à entendre le français. Le nain en fit autant, quoique avec plus de difficulté. L'étonnement des voyageurs redoublait à chaque instant. Ils entendaient des mites[5] parler

notes

1. faisaient l'amour : ici, non pas pris dans son sens classique de « parler d'amour » mais dans son sens moderne déjà évoqué dans l'expression « *travaillaient à la propagation* » (*cf.* note 5, p. 25).
2. entendre : comprendre.
3. grande trompette parlante : il s'agit à la fois d'un cornet acoustique et d'un porte-voix.
4. industrie : ingéniosité (sens classique).
5. mites : petits insectes qui vivent au détriment de la laine, de la fourrure ou de denrées alimentaires ; ici, il s'agit des hommes.

400 d'assez bon sens[1] : ce jeu de la nature[2] leur paraissait inexplicable. Vous croyez bien que le Sirien et son nain brûlaient d'impatience de lier conversation avec les atomes ; il craignait que sa voix de tonnerre, et surtout celle de Micromégas, n'assourdît les mites sans en être entendue. Il fallait en diminuer la force. Ils se mirent 405 dans la bouche des espèces de petits cure-dents, dont le bout fort effilé venait donner[3] auprès du vaisseau. Le Sirien tenait le nain sur ses genoux, et le vaisseau avec l'équipage sur un ongle ; il baissait la tête et parlait bas. Enfin, moyennant toutes ces précautions et bien d'autres encore, il commença ainsi son discours :

410 « Insectes invisibles, que la main du Créateur s'est plu à faire naître dans l'abîme de l'infiniment petit, je le remercie de ce qu'il a daigné me découvrir des secrets qui semblaient impénétrables. Peut-être ne daignerait-on pas vous regarder à ma Cour[4] ; mais je ne méprise personne, et je vous offre ma protection. »

415 Si jamais il y a eu quelqu'un d'étonné, ce furent les gens qui entendirent ces paroles. Ils ne pouvaient deviner d'où elles partaient. L'aumônier[5] du vaisseau récita les prières des exorcismes[6], les matelots jurèrent[7], et les philosophes du vaisseau firent un système[8] ; mais quelque système qu'ils fissent, ils ne purent jamais 420 deviner qui leur parlait. Le nain de Saturne, qui avait la voix plus douce que Micromégas, leur apprit alors en peu de mots à quelles espèces[9] ils avaient affaire. Il leur conta le voyage de Saturne, les mit au fait[10] de ce qu'était monsieur Micromégas ; et, après les avoir plaints d'être si petits, il leur demanda s'ils avaient toujours 425 été dans ce misérable[11] état si voisin de l'anéantissement[12],

notes

1. **d'assez bon sens :** de manière assez raisonnable.
2. **jeu de la nature :** expression courante à l'époque pour désigner les phénomènes qu'on ne peut expliquer scientifiquement.
3. **donner :** toucher (sens classique).
4. **ma Cour :** la Cour dont il a été exilé.
5. **aumônier :** prêtre qui exerce sa charge auprès d'une collectivité donnée (ici, les occupants du vaisseau).
6. **prières des exorcismes :** prières pour chasser le Diable.
7. **jurèrent :** insultèrent Dieu.
8. **firent un système :** élaborèrent des hypothèses liées, en apparence, logiquement entre elles et visant à expliquer le phénomène.
9. **quelles espèces :** à quelles sortes d'êtres.
10. **les mit au fait :** les informa.
11. **misérable :** digne de pitié.
12. **anéantissement :** néant.

ce qu'ils faisaient dans un globe qui paraissait appartenir à des baleines, s'ils étaient heureux, s'ils multipliaient[1], s'ils avaient une âme, et cent autres questions de cette nature.

Un raisonneur de la troupe, plus hardi que les autres, et choqué
430 de ce qu'on doutait de son âme, observa l'interlocuteur avec des pinnules[2] braquées sur un quart de cercle, fit deux stations[3], et à la troisième il parla ainsi : « Vous croyez donc, monsieur, parce que vous avez mille toises depuis la tête jusqu'aux pieds, que vous êtes un... – Mille toises ! s'écria le nain ; juste ciel ! d'où peut-il
435 savoir ma hauteur ? mille toises ! Il ne se trompe pas d'un pouce ; quoi ! cet atome m'a mesuré ! Il est géomètre, il connaît ma grandeur ; et moi, qui ne le vois qu'à travers un microscope, je ne connais pas encore la sienne ! – Oui, je vous ai mesuré, dit le physicien, et je mesurerai bien encore votre grand compagnon. »
440 La proposition fut acceptée ; Son Excellence se coucha de son long : car, s'il se fût tenu debout, sa tête eût été trop au-dessus des nuages. Nos philosophes lui plantèrent un grand arbre dans un endroit que le docteur Swift[4] nommerait, mais que je me garderai bien d'appeler par son nom[5], à cause de mon grand respect pour
445 les dames. Puis, par une suite de triangles liés ensemble[6], ils conclurent que ce qu'ils voyaient était en effet un jeune homme de cent vingt mille pieds de roi.

Alors Micromégas prononça ces paroles : « Je vois plus que jamais qu'il ne faut juger de rien sur sa grandeur apparente.
450 Ô Dieu ! qui avez donné une intelligence à des substances qui paraissent si méprisables, l'infiniment petit vous coûte aussi peu que l'infiniment grand ; et, s'il est possible qu'il y ait des êtres plus petits que ceux-ci, ils peuvent encore avoir un esprit supérieur à

notes

1. multipliaient : se reproduisaient.
2. pinnules : petites plaques de cuivre fendues qui permettent de mesurer à distance.
3. stations : arrêts pour faire des observations.
4. Jonathan Swift (1667-1745), écrivain irlandais, auteur des *Voyages de Gulliver* (1726) dont Voltaire s'inspire ici. Dans ses *Lettres philosophiques*, Voltaire, au contraire, l'oppose à Rabelais pour faire l'éloge de sa délicatesse.
5. Périphrase pour éviter d'écrire le mot *cul* que Voltaire déteste.
6. Il s'agit d'un calcul trigonométrique.

ceux de ces superbes animaux que j'ai vus dans le ciel, dont le
455 pied seul couvrirait le globe où je suis descendu. »

Un des philosophes lui répondit qu'il pouvait en toute sûreté croire qu'il est en effet des êtres intelligents beaucoup plus petits que l'homme. Il lui conta, non pas tout ce que Virgile[1] a dit de fabuleux sur les abeilles, mais ce que Swammerdam[2] a découvert,
460 et ce que Réaumur[3] a disséqué. Il lui apprit enfin qu'il y a des animaux qui sont pour les abeilles ce que les abeilles sont pour l'homme, ce que le Sirien lui-même était pour ces animaux si vastes dont il parlait, et ce que ces grands animaux sont pour d'autres substances devant lesquelles ils ne paraissent que comme
465 des atomes. Peu à peu la conversation devint intéressante, et Micromégas parla ainsi.

passage analysé

Chapitre VII
Conversation avec les hommes

« Ô atomes intelligents, dans qui l'Être éternel s'est plu à vous manifester son adresse et sa puissance, vous devez sans doute goûter des joies bien pures sur votre globe : car, ayant si peu de
470 matière, et paraissant tout esprit, vous devez passer votre vie à aimer et à penser ; c'est la véritable vie des esprits. Je n'ai vu nulle part le vrai bonheur ; mais il est ici, sans doute. » À ce discours, tous les philosophes secouèrent la tête ; et l'un d'eux, plus franc que les autres, avoua de bonne foi que, si l'on en excepte un petit
475 nombre d'habitants fort peu considérés[4], tout le reste est un

notes

1. Virgile (70-19 av. J.-C.), poète latin dont l'influence sur la littérature occidentale a été immense et qui a consacré des vers, de peu de valeur scientifique selon Voltaire, à la vie des abeilles dans *Les Géorgiques*.

2. Jan Swammerdam (1637-1680), savant hollandais qui a écrit la *Bible de la nature ou l'Histoire des insectes* où il classe les insectes en fonction de leurs métamorphoses.

3. Réaumur (1683-1757), scientifique français qui s'est intéressé également aux insectes.

4. Il s'agit des philosophes.

assemblage de fous, de méchants[1] et de malheureux[2]. « Nous avons plus de matière qu'il ne nous en faut, dit-il, pour faire beaucoup de mal, si le mal vient de la matière ; et trop d'esprit, si le mal vient de l'esprit. Savez-vous bien, par exemple, qu'à
480 l'heure que je vous parle, il y a cent mille fous de notre espèce, couverts de chapeaux, qui tuent cent mille autres animaux couverts d'un turban[3], ou qui sont massacrés par eux, et que, presque par toute la terre, c'est ainsi qu'on en use de temps immémorial[4] ? » Le Sirien frémit, et demanda quel pouvait être le
485 sujet de ces horribles querelles entre de si chétifs[5] animaux. « Il s'agit, dit le philosophe, de quelque tas de boue[6] grand comme votre talon. Ce n'est pas qu'aucun de ces millions d'hommes qui se font égorger prétende un fétu[7] sur ce tas de boue. Il ne s'agit que de savoir s'il appartiendra à un certain homme qu'on nomme
490 *Sultan*, ou à un autre qu'on nomme, je ne sais pourquoi, *César*[8]. Ni l'un ni l'autre n'a jamais vu ni ne verra jamais le petit coin de terre dont il s'agit ; et presque aucun de ces animaux qui s'égorgent mutuellement n'a jamais vu l'animal[9] pour lequel ils s'égorgent.

495 – Ah ! malheureux ! s'écria le Sirien avec indignation, peut-on concevoir cet excès de rage forcenée ! Il me prend envie de faire trois pas, et d'écraser de trois coups de pied toute cette fourmilière d'assassins ridicules. – Ne vous en donnez pas la peine, lui répondit-on ; ils travaillent assez à leur ruine. Sachez qu'au bout
500 de dix ans il ne reste jamais la centième partie de ces misérables ; sachez que, quand même ils n'auraient pas tiré l'épée, la faim, la fatigue ou l'intempérance[10] les emportent presque tous.

passage analysé

notes

1. **méchants** : portés vers le mal.
2. **malheureux** : touchés par le mal.
3. Allusion à la guerre austro-turque (1736-1739) qui opposa les Russes et les Autrichiens (les « chapeaux ») aux Turcs (les « turbans ») à propos de la Crimée, presqu'île sur la mer Noire.
4. **immémorial** : qui remonte à une époque sortie de la mémoire tellement elle est ancienne.
5. **chétifs** : petits et fragiles.
6. **quelque tas de boue** : il s'agit de la Crimée.
7. **prétende un fétu** : ait la moindre prétention (à l'époque féodale, la remise d'un fétu de paille symbolisait la remise d'un fief, d'un domaine).
8. ***César*** : titre des empereurs romains.
9. **l'animal** : le souverain.
10. **l'intempérance** : les excès.

D'ailleurs, ce n'est pas eux qu'il faut punir, ce sont ces barbares sédentaires[1] qui du fond de leur cabinet[2] ordonnent, dans le
505 temps de leur digestion, le massacre d'un million d'hommes, et qui ensuite en font remercier Dieu solennellement[3]. » Le voyageur se sentait ému de pitié pour la petite race humaine, dans laquelle il découvrait de si étonnants contrastes. « Puisque vous êtes du petit nombre des sages, dit-il à ces messieurs, et qu'appa-
510 remment vous ne tuez personne pour de l'argent, dites-moi, je vous en prie, à quoi vous vous occupez. – Nous disséquons des mouches[4], dit le philosophe, nous mesurons des lignes, nous assemblons des nombres ; nous sommes d'accord sur deux ou trois points que nous entendons, et nous disputons[5] sur deux ou
515 trois mille que nous n'entendons pas. » Il prit aussitôt fantaisie au Sirien et au Saturnien d'interroger ces atomes pensants, pour savoir les choses dont ils convenaient[6]. « Combien comptez-vous, dit-il, de l'étoile de la Canicule[7] à la grande étoile des Gémeaux[8] ? » Ils répondirent tous à la fois : « Trente-deux degrés
520 et demi. – Combien comptez-vous d'ici à la lune ? – Soixante demi-diamètres de la terre en nombre rond. – Combien pèse votre air ? » Il croyait les attraper, mais tous lui dirent que l'air pèse environ neuf cents fois moins qu'un pareil volume de l'eau la plus légère, et dix-neuf cents fois moins que l'or de ducat[9]. Le
525 petit nain de Saturne, étonné de leurs réponses, fut tenté de prendre pour des sorciers ces mêmes gens auxquels il avait refusé une âme un quart d'heure auparavant.

Enfin Micromégas leur dit : « Puisque vous savez si bien ce qui est hors de vous, sans doute vous savez encore mieux ce qui est
530 en dedans. Dites-moi ce que c'est que votre âme, et comment

passage analysé

notes

1. **sédentaires** : qui demeurent assis.
2. **cabinet** : pièce isolée où l'on travaille.
3. Le lien entre la guerre et la religion est souvent dénoncé par Voltaire.
4. Allusion aux travaux de Réaumur qui observa les insectes.
5. **disputons** : débattons.
6. **dont ils convenaient** : sur lesquelles ils étaient d'accord.
7. **étoile de la Canicule** : autre nom de Sirius.
8. Les deux principales étoiles de la constellation des Gémeaux sont Castor et Pollux.
9. **l'or de ducat** : le meilleur or, utilisé pour dorer. Un ducat est une pièce de monnaie d'or fin.

vous formez vos idées. » Les philosophes parlèrent tous à la fois comme auparavant ; mais ils furent tous de différents avis. Le plus vieux citait Aristote, l'autre prononçait le nom de Descartes ; celui-ci, de Malebranche ; cet autre, de Leibnitz ; cet autre, de
535 Locke[1]. Un vieux péripatéticien[2] dit tout haut avec confiance : « L'âme est une *entéléchie*[3], et une raison par qui elle a la puissance d'être ce qu'elle est. C'est ce que déclare expressément Aristote, page 633 de l'édition du Louvre. 'Εντελεχεῖα ἐστι[4], etc. – Je n'entends pas trop bien le grec, dit le géant. – Ni moi non plus,
540 dit la mite philosophique. – Pourquoi donc, reprit le Sirien, citez-vous un certain Aristote en grec ? – C'est, répliqua le savant, qu'il faut bien citer ce qu'on ne comprend point du tout dans la langue qu'on entend le moins. »

Le cartésien[5] prit la parole, et dit : « L'âme est un esprit pur qui
545 a reçu dans le ventre de sa mère toutes les idées métaphysiques, et qui, en sortant de là, est obligée d'aller à l'école, et d'apprendre tout de nouveau ce qu'elle a si bien su, et qu'elle ne saura plus. – Ce n'était donc pas la peine, répondit l'animal de huit lieues, que ton âme fût si savante dans le ventre de ta mère, pour être si
550 ignorante quand tu aurais de la barbe au menton. Mais qu'entends-tu par esprit ? – Que me demandez-vous là ? dit le raisonneur ; je n'en ai point d'idée ; on dit que ce n'est pas de la matière. – Mais sais-tu au moins ce que c'est que de la matière ? – Très bien, répondit l'homme. Par exemple cette pierre est grise
555 et d'une telle forme, elle a ses trois dimensions, elle est pesante et divisible. – Eh bien ! dit le Sirien, cette chose qui te paraît être divisible, pesante et grise, me dirais-tu bien ce que c'est ? Tu vois

notes

1. Aristote (IVe s. av. J.-C.), Descartes (XVIIe siècle), Malebranche, Leibniz (sans *t*, contrairement à ce qu'écrit Voltaire) et Locke (XVIIIe siècle tous les trois) sont des philosophes soutenant des théories très différentes sur l'âme et sur lesquelles s'appuient les hommes du navire.
2. péripatéticien : disciple d'Aristote.
3. *entéléchie* : substance ayant la possibilité de se développer jusqu'à la perfection.
4. « *Entélécheia esti* » : « C'est une forme parfaite ». Le personnage cite Aristote.
5. cartésien : disciple de Descartes. Voltaire n'est pas d'accord avec sa théorie des « *idées innées* », selon laquelle l'âme arrive dans le corps pourvue de toutes les connaissances métaphysiques (Dieu, l'espace, l'infini, etc.) qu'elle oublie en naissant.

quelques attributs ; mais le fond de la chose, le connais-tu ? – Non, dit l'autre. – Tu ne sais donc point ce que c'est que la
560 matière. »

Alors monsieur Micromégas, adressant la parole à un autre sage qu'il tenait sur son pouce, lui demanda ce que c'était que son âme, et ce qu'elle faisait. « Rien du tout, répondit le philosophe malebranchiste[1] ; c'est Dieu qui fait tout pour moi : je vois tout
565 en lui, je fais tout en lui ; c'est lui qui fait tout sans que je m'en mêle[2]. – Autant vaudrait ne pas être, reprit le sage de Sirius. Et toi, mon ami, dit-il à un Leibnizien[3] qui était là, qu'est-ce que ton âme ? – C'est, répondit le Leibnizien, une aiguille qui montre les heures pendant que mon corps carillonne, ou bien, si vous
570 voulez, c'est elle qui carillonne pendant que mon corps montre l'heure ; ou bien mon âme est le miroir de l'univers, et mon corps est la bordure du miroir : cela est clair. »

Un petit partisan de Locke était là tout auprès ; et quand on lui eut enfin adressé la parole : « Je ne sais pas, dit-il, comment je
575 pense, mais je sais que je n'ai jamais pensé qu'à l'occasion de mes sens. Qu'il y ait des substances immatérielles et intelligentes, c'est de quoi je ne doute pas ; mais qu'il soit impossible à Dieu de communiquer la pensée à la matière, c'est de quoi je doute fort. Je révère la puissance éternelle ; il ne m'appartient pas de la
580 borner[4] : je n'affirme rien ; je me contente de croire qu'il y a plus de choses possibles qu'on ne pense. »

L'animal de Sirius sourit : il ne trouva pas celui-là le moins sage ; et le nain de Saturne aurait embrassé le sectateur[5] de Locke sans l'extrême disproportion[6]. Mais il y avait là, par malheur, un

notes

1. Disciple de Malebranche qui développe l'idée de la « *vision en Dieu* ».
2. Allusion à la doctrine de l'occasionnalisme soutenue par Malebranche, selon laquelle Dieu seul dirige tout.
3. leibnizien : partisan de Leibniz. Ce philosophe utilise l'image de la montre et du miroir pour affirmer que l'âme est un microcosme qui reflète le macrocosme et qu'il y a donc une harmonie préétablie.
4. borner : limiter. Selon Locke, l'homme n'est pas en mesure de définir « *la puissance éternelle* » ; il doit rester modeste. Voltaire est aussi de cet avis.
5. sectateur : partisan.
6. sans l'extrême disproportion : sans la grande différence de taille.

585 petit animalcule[1] en bonnet carré[2] qui coupa la parole à tous les animalcules philosophes ; il dit qu'il savait tout le secret, que cela se trouvait dans la *Somme* de saint Thomas[3] ; il regarda de haut en bas les deux habitants célestes ; il leur soutint que leurs personnes, leurs mondes, leurs soleils, leurs étoiles, tout était fait uniquement 590 pour l'homme. À ce discours, nos deux voyageurs se laissèrent aller l'un sur l'autre en étouffant de ce rire inextinguible[4] qui, selon Homère, est le partage des dieux[5] : leurs épaules et leurs ventres allaient et venaient, et dans ces convulsions le vaisseau, que le Sirien avait sur son ongle, tomba dans une poche de la 595 culotte[6] du Saturnien. Ces deux bonnes gens le cherchèrent longtemps ; enfin ils retrouvèrent l'équipage, et le rajustèrent fort proprement[7]. Le Sirien reprit les petites mites ; il leur parla encore avec beaucoup de bonté, quoiqu'il fût un peu fâché dans le fond du cœur de voir que les infiniment petits eussent un 600 orgueil presque infiniment grand. Il leur promit de leur faire un beau livre de philosophie écrit fort menu[8] pour leur usage, et que, dans ce livre, ils verraient le bout[9] des choses. Effectivement, il leur donna ce volume avant son départ : on le porta à Paris à l'Académie des sciences ; mais, quand le secrétaire[10] l'eut ouvert, 605 il ne vit rien qu'un livre tout blanc : « Ah ! dit-il, je m'en étais bien douté. »

notes

1. **animalcule :** animal minuscule.
2. **bonnet carré :** coiffure des théologiens de la Sorbonne.
3. Saint Thomas d'Aquin, théologien et philosophe italien du XIIIe siècle, auteur de la *Somme théologique*. Voltaire lui reproche de prétendre que tout a été formé par Dieu en fonction de l'homme. Le thomisme était la doctrine officielle de la Sorbonne.
4. **inextinguible :** qu'on ne peut faire cesser.
5. Homère, *Iliade* (I, v. 599).
6. **culotte :** pantalon qui s'arrête aux genoux et que l'on portait à l'époque de Voltaire.
7. **le rajustèrent fort proprement :** le remirent en ordre adroitement.
8. **fort menu :** très serré.
9. **le bout :** le sens, les fins dernières.
10. Il s'agit de Fontenelle. En 1737, il a 80 ans.

« Je n'ai vu nulle part le vrai bonheur »

Lecture analytique de l'extrait, p. 29, l. 448, à p. 33, l. 532.

L'extrait retenu est constitué des deux derniers paragraphes du chapitre VI (« Ce qui leur arrive avec des hommes ») et du début du chapitre VII (« Conversation avec les hommes »). Ces deux derniers chapitres du conte sont étroitement liés, puisque le premier se ferme sur une conversation, au moment même où Micromégas s'apprête à parler, et que le second s'ouvre précisément sur les paroles du géant. L'habitant de Sirius et son compagnon, le Saturnien, arrivent au bout de leur voyage et Voltaire au but de sa démonstration. Le voyage philosophique de Micromégas et de son compagnon les a menés à découvrir la Terre à la fin du chapitre III, *« ce globe* [...] *mal construit »* sur lequel *« des gens de bon sens ne voudraient pas* [...] *demeurer »* (chap. IV). Pourtant, ces deux voyageurs ont découvert *« une volée de philosophes »*, membres d'une expédition au pôle Nord, avec lesquels, par un astucieux stratagème, ils sont parvenus à entrer en communication. C'était bien là l'intention de Voltaire que de s'amuser à confronter le philosophe étranger, géant et intergalactique, à notre tout petit monde et, avec non moins de verve, de nous restituer la rencontre burlesque* entre *« les insectes invisibles »* et le philosophe démesuré.

La conversation ayant été engagée sur des sujets divers, et notamment celui de l'âme, Micromégas, stupéfait de découvrir que les Terriens sont capables de calculer la taille d'un Saturnien et d'un Sirien, aborde quelques sujets philosophiques comme le relativisme, l'origine du Mal, la tolérance, toutes questions qui passionnent Voltaire. Même si ces points sont traités de manière plaisante, la réflexion est extrêmement sérieuse et illustre la pensée des Lumières. Il est donc intéressant

* *Cf.* Lexique.

Extrait, p. 29, l. 448, à p. 33, l. 532.

d'étudier en quoi le passage est révélateur du conte philosophique et comment, grâce à un art consommé du récit, il parvient à instruire en amusant. Car c'est sous le signe de la caricature qu'est placé ici le débat d'idées.

L'art du récit

❶ Relevez les connecteurs temporels. Comment progresse le récit ?
❷ Relevez les personnages en présence. Comment sont-ils successivement nommés ? Commentez votre réponse. Étudiez les variations du singulier au pluriel.
❸ Relevez les verbes de parole. Pourquoi sont-ils importants ?
❹ Repérez les passages de discours* dans le texte. Quels types de discours distinguez-vous ?
❺ Comment les dialogues participent-ils à l'évolution du récit ? Qu'apportent-ils à la narration ?
❻ Comment se manifestent les sentiments de Micromégas ?

La caricature* au service de la satire*

❼ Relevez les périphrases* ou les approximations qui désignent les hommes. Pourquoi et par qui sont-ils nommés de cette façon ?
❽ Comment Micromégas décrit-il les hommes lors de sa seconde prise de parole au discours direct (l. 495-498) ? Quelle conséquence en déduit-il ?
❾ Montrez l'importance des exagérations. En quoi ont-elles une valeur critique ?
❿ Quelles expressions montrent l'absurdité du comportement des hommes ?
⓫ De quelle manière le monde des hommes est-il miniaturisé ? Quel effet cela produit-il ?
⓬ Sur quels autres procédés repose l'humour du texte ?
⓭ En quoi Micromégas paraît-il à la fois philosophe et naïf ?

* *Cf.* Lexique.

La leçon philosophique

⑭ À quels moments du texte apparaît l'enthousiasme scientifique caractéristique des philosophes des Lumières ?
⑮ Pourquoi « *peu à peu la conversation devint*[-elle] *intéressante* » ? Quel est le problème posé ?
⑯ De quelle manière l'intolérance se trouve-t-elle critiquée ?
⑰ Quels aspects de la guerre se trouvent dénoncés ?
⑱ Quelle vision de l'homme apparaît, au bout du compte, dans l'ensemble de l'extrait ?
⑲ Définissez la notion de relativisme*. Quelle partie du texte aborde le sujet ? Pourquoi cette notion est-elle importante dans l'élaboration de la philosophie des Lumières ?
⑳ Définissez la notion de métaphysique*. À quel moment du texte y est-il fait allusion ? Commentez la réaction des « philosophes ».

* *Cf.* Lexique.

Voltaire, l'apôtre de la tolérance

Lectures croisées et travaux d'écriture

L'une des constantes de l'œuvre de Voltaire, si diverse et si étendue dans le temps, a été de promouvoir la tolérance en un siècle où les abus de pouvoir sont la règle et où le sort fait, en France, aux protestants, après la révocation de l'édit de Nantes, est terrible. Voltaire, un temps exilé en Angleterre, a pu connaître les bienfaits d'un régime beaucoup plus tolérant que celui de son pays. Son *Traité sur la tolérance* (1763), rédigé à l'occasion de l'affaire Calas, est l'œuvre qui présente de la manière la plus conséquente la lutte de Voltaire contre tous les fanatismes, lutte qu'il nomme, par ailleurs, *« enthousiasme »*, la plaçant ainsi sous l'égide de la volonté d'un dieu bon, le dieu du déiste qu'il est. À partir de 1762, Voltaire signait ses lettres d'un belliqueux *« Écrasons l'infâme »*, en abrégé *(« Écrelinf »)*, emblématique de la radicalisation de sa lutte contre tous les fanatismes guerriers, religieux, qui briment la liberté d'expression. Mais dès 1738, date de son *Discours sur l'homme*, il exprimait en poésie sa recherche d'une sagesse tolérante et possible à l'homme.

Texte A : Extrait des chapitres VI et VII de *Micromégas* de Voltaire (p. 29, l. 448, à p. 33, l. 532)

Texte B : Voltaire, *Lettres philosophiques*

Les **Lettres philosophiques** ***sont nées de l'exil de Voltaire en Angleterre de 1726 à 1729. Elles présentent un tableau d'ensemble d'une Angleterre regardée d'une manière prétendument naïve par le philosophe français. Abordant des thèmes très divers, ces lettres prônent la liberté dans tous les domaines. Elles débutent par quatre lettres sur les quakers, une des sectes les plus singulières du pays qui en compte beaucoup. C'est l'occasion de présenter une nation où des pratiques et des opinions extravagantes jouissent pourtant d'une grande tolérance.***

Après un repas sain et frugal[1] qui commença et qui finit par une prière à Dieu, je me mis à interroger mon homme[2]. Je débutai par la question que de bons catholiques ont faite plus d'une fois aux huguenots[3]. « Mon cher monsieur, lui dis-je, êtes-vous baptisé ? – Non, me répondit le quaker, et mes confrères ne le sont point. – Comment morbleu, repris-je, vous n'êtes donc pas chrétiens ? – Mon fils, repartit-il d'un ton doux, ne jure point, nous sommes chrétiens, et tâchons d'être bons chrétiens ; mais nous ne pensons pas que le christianisme consiste à jeter de l'eau froide sur la tête, avec un peu de sel. – Eh ! ventrebleu, repris-je, outré de cette impiété, vous avez donc oublié que Jésus-Christ fut baptisé par Jean ? – Ami, point de jurements, encore un coup, dit le bénin[4] quaker. Le Christ reçut le baptême de Jean, mais il ne baptisa jamais personne ; nous ne sommes pas les disciples de Jean mais du Christ. – Hélas ! dis-je, comme vous seriez brûlé en pays d'Inquisition[5], pauvre homme... Eh ! pour l'amour de Dieu que je vous baptise, et que je vous fasse chrétien. – S'il ne fallait que cela pour condescendre à ta faiblesse, nous le ferions volontiers, repartit-il gravement, nous ne condamnons personne pour user de la cérémonie du baptême, mais nous croyons que ceux qui professent une religion toute sainte et toute spirituelle doivent s'abstenir autant qu'ils le peuvent des cérémonies judaïques[6]. – En voici bien d'un autre, m'écriai-je, des cérémonies judaïques ? – Oui, mon fils, continua-t-il, et si judaïques que plusieurs Juifs encore aujourd'hui usent quelquefois du baptême de Jean. Consulte l'Antiquité, elle t'apprendra que Jean ne fit que renouveler cette pratique, laquelle était en usage longtemps avant lui parmi les Hébreux. »

Voltaire, *Lettres philosophiques,* extrait de la lettre I, « Sur les quakers », 1734.

1. **frugal :** sobre.
2 **mon homme :** *« un des plus célèbres quakers d'Angleterre ».*
3. **huguenots :** protestants.
4. **bénin :** inoffensif.
5. **Inquisition :** tribunal religieux qui, entre le XIIIe et le XVIIIe siècle, réprima les hérétiques dans certains États catholiques et notamment en Espagne.
6. **judaïques :** pratiquées par les juifs.

Texte C : Voltaire, *Discours sur l'homme*

Même si la poésie de Voltaire est un peu oubliée aujourd'hui au profit de son œuvre de combat, il n'en reste pas moins que l'écrivain affectionnait ce genre autant que le théâtre et qu'il a d'ailleurs dominé le siècle de Louis XV dans tous les genres et les registres littéraires. Ainsi, les pièces que Voltaire réunit sous le titre de* Discours sur l'homme *– au départ de simples épîtres* destinées à Frédéric II de Prusse, despote éclairé* et protecteur de

* Cf. Lexique

Voltaire – sont considérées par ses contemporains comme le chef-d'œuvre de la poésie philosophique du XVIII*^e^ *siècle. Le texte qui suit propose une méditation sur le sens et la valeur de la vie humaine, loin pourtant des angoisses métaphysiques* qui tourmenteront les romantiques un peu plus d'un demi-siècle plus tard, car ici l'acceptation d'une vie imparfaite mais réglée par la tolérance suffit au bonheur de l'homme.

Mais, pour nous, fléchissons sous un sort tout contraire.
Contentons-nous des biens qui nous sont destinés,
Passagers comme nous, et comme nous bornés
Sans rechercher en vain ce que peut notre maître,
Ce que fut notre monde et ce qu'il devrait être,
Observons ce qu'il est, et recueillons le fruit
Des trésors qu'il renferme et des biens qu'il produit.
[...]
C'est ainsi que ma muse avec simplicité
Sur des tons différents chantait la vérité,
Lorsque, de la nature éclaircissant les voiles,
Nos Français à Quito[1] cherchaient d'autres étoiles ;
Que Clairaut, Maupertuis, entourés de glaçons,
D'un secteur à lunette étonnaient les Lapons,
Tandis que, d'une main stérilement vantée,
Le hardi Vaucanson[2], rival de Prométhée[3],
Semblait, de la nature imitant les ressorts,
Prendre le feu des cieux pour animer les corps.
Pour moi, loin des cités, sur les bords du Permesse[4]
Je suivais la nature, et cherchais la sagesse ;
Et des bords de la sphère où s'emporta Milton,
Et de ceux de l'abîme où pénétra Newton,
Je les[5] voyais franchir leur carrière infinie ;
Amant de tous les arts et de tout grand génie,
Implacable ennemi du calomniateur,
Du fanatique absurde, et du vil délateur ;
Ami sans artifice, auteur sans jalousie ;
Adorateur d'un Dieu, mais sans hypocrisie ;
Dans un corps languissant de cent maux attaqué,
Gardant un esprit libre, à l'étude appliqué,

* *Cf.* Lexique

Et sachant qu'ici-bas la félicité pure
Ne fut jamais permise à l'humaine nature.

Voltaire, *Discours sur l'homme*, extrait du chapitre VI, 1738.

1. Allusion à l'expédition de La Condamine en Amérique du Sud, chargé de recherches astronomiques.
2. Vaucanson a fabriqué en 1735 ses premiers automates.
3. Prométhée fut cruellement puni pour avoir dérobé le feu aux dieux et l'avoir apporté aux humains.
4. **Permesse** : rivière de Grèce où les poètes anciens puisaient leur inspiration.
5. Milton, poète anglais, et Newton, le célèbre physicien : Voltaire les admirait tous les deux.

Texte D : Voltaire, *Traité sur la tolérance*

Le* Traité sur la tolérance *témoigne de la cohérence des idées de Voltaire et de son action. Ce traité est largement dominé par l'affaire Calas à laquelle Voltaire s'intéresse d'abord pour condamner l'erreur judiciaire. Il va personnellement mener une enquête pour démêler pourquoi le protestant Jean Calas a été accusé du meurtre de son fils et supplicié. En 1765, au bout des trois années que le philosophe a passées à se battre infatigablement, Jean Calas est réhabilité, grâce, en partie, au* Traité sur la tolérance. *Voltaire a compris que l'injustice s'était doublée d'une profonde intolérance : plus qu'un meurtrier présumé, c'est un protestant que l'on a condamné à mort, sur la foi de rumeurs haineuses, relayées par une foule fanatique. C'est donc l'intolérance au quotidien que dénonce aussi Voltaire.

Il paraissait impossible que Jean Calas, vieillard de soixante-huit ans, qui avait depuis longtemps les jambes enflées et faibles, eût seul étranglé et pendu un fils âgé de vingt-huit ans, qui était d'une force au-dessus de l'ordinaire ; il fallait absolument qu'il eût été assisté dans cette exécution par sa femme, par son fils Pierre Calas, par Lavaisse[1] et par la servante. Ils ne s'étaient pas quittés un seul moment le soir de cette fatale aventure. Mais cette supposition était encore aussi absurde que l'autre : car comment une servante zélée catholique aurait-elle pu souffrir que des huguenots assassinassent un jeune homme élevé par elle pour le punir d'aimer la religion de cette servante ? Comment Lavaisse serait-il venu exprès de Bordeaux pour étrangler son ami dont il ignorait la conversion prétendue ? Comment une mère tendre aurait-elle mis les mains sur son fils ? Comment tous ensemble auraient-ils pu étrangler un jeune homme aussi robuste qu'eux tous, sans un combat long et violent, sans des cris affreux qui auraient appelé tout le voisinage, sans des coups réitérés, sans des meurtrissures, sans des habits déchirés ?

Il était évident que, si le parricide[2] avait pu être commis, tous les accusés étaient également coupables, parce qu'ils ne s'étaient pas quittés d'un moment ; il était évident qu'ils ne l'étaient pas ; il était évident que le père seul ne pouvait l'être ; et, cependant, l'arrêt condamna ce père seul à expirer sur la roue[3].

Le motif de l'arrêt était aussi inconcevable que tout le reste. Les juges qui étaient décidés pour le supplice de Jean Calas persuadèrent aux autres que ce vieillard faible ne pourrait résister aux tourments[4], et qu'il avouerait sous les coups des bourreaux son crime et celui de ses complices. Ils furent confondus, quand ce vieillard, en mourant sur la roue, prit Dieu à témoin de son innocence, et le conjura de pardonner à ses juges.

Ils furent obligés de rendre un second arrêt contradictoire avec le premier, d'élargir[5] la mère, son fils Pierre, le jeune Lavaisse et la servante ; mais un des conseillers leur ayant fait sentir que cet arrêt démentait l'autre, qu'ils se condamnaient eux-mêmes, que, tous les accusés ayant toujours été ensemble dans le temps qu'on supposait le parricide, l'élargissement de tous les survivants prouvait invinciblement l'innocence du père de famille exécuté, ils prirent alors le parti de bannir Pierre Calas son fils. Ce bannissement semblait aussi inconséquent, aussi absurde que tout le reste : car Pierre Calas était coupable ou innocent du parricide ; s'il était coupable, il fallait le rouer comme son père ; s'il était innocent, il ne fallait pas le bannir. Mais les juges, effrayés du supplice du père et de la piété attendrissante avec laquelle il était mort, imaginèrent de sauver leur honneur en laissant croire qu'ils faisaient grâce au fils, comme si ce n'eût pas été une prévarication[6] nouvelle de faire grâce ; et ils crurent que le bannissement de ce jeune homme pauvre et sans appui, étant sans conséquence, n'était pas une grande injustice, après celle qu'ils avaient eu le malheur de commettre.

On commença par menacer Pierre Calas, dans son cachot, de le traiter comme son père s'il n'abjurait[7] pas sa religion. C'est ce que ce jeune homme atteste par serment.

Pierre Calas, en sortant de la ville, rencontra un abbé convertisseur qui le fit rentrer dans Toulouse ; on l'enferma dans un couvent de dominicains, et là on le contraignit à remplir toutes les fonctions de la catholicité : c'était en partie ce qu'on voulait, c'était le prix du sang de son père ; et la religion, qu'on avait cru venger, semblait satisfaite.

On enleva les filles à la mère ; elles furent enfermées dans un couvent. Cette femme, presque arrosée du sang de son mari, ayant tenu son fils aîné mort entre ses bras, voyant l'autre banni, privée de ses filles, dépouillée de tout son bien, était seule dans le monde, sans pain, sans espérance, et mourante de l'excès de son malheur. Quelques personnes, ayant examiné mûrement toutes les circonstances de cette aventure horrible, en furent si frappées qu'elles firent presser la dame Calas, retirée dans une solitude[8], d'oser venir demander justice au pied du trône.

Voltaire, *Traité sur la tolérance*, extrait du chapitre I, « L'affaire Calas », 1763.

1. **Lavaisse** : ami de la victime, invité à souper chez les Calas le soir du drame.
2. **parricide** : meurtre du père.
3. **la roue** : supplice consistant à briser à coups de barre de fer les membres et le corps du condamné puis à l'attacher à une roue de carrosse suspendue, jambes et bras brisés attachés derrière son dos.
4. **tourments** : supplices.
5. **élargir** : libérer.
6. **prévarication** : malversation.
7. **n'abjurait** : ne reniait.
8. **solitude** : lieu solitaire.

Texte E : Voltaire, *Traité sur la tolérance*

Au-delà du cas de Jean Calas, Voltaire s'emploie à mener dans le* Traité sur la tolérance *un combat pour la tolérance. Aux hommes de juger en leur âme et conscience de la culpabilité de Calas. Cette* « Prière à Dieu »*, placée à la fin de l'œuvre, peut étonner de la part du philosophe qui vient de dénoncer un crime commis au nom de la religion ; mais Voltaire n'est pas athée. Toute sa vie, il fut déiste, croyant en un dieu, Être suprême et « grand horloger », qu'il ne convient cependant pas d'adorer selon des rites et des dogmes particuliers, causes de fanatisme et de malheurs. Voltaire plaide pour une religion universelle, fondée sur la raison, qui mettrait ainsi fin à l'intolérance.

Ce n'est donc plus aux hommes que je m'adresse ; c'est à toi, Dieu de tous les êtres, de tous les mondes et de tous les temps : s'il est permis à de faibles créatures perdues dans l'immensité, et imperceptibles au reste de l'univers, d'oser te demander quelque chose, à toi qui as tout donné, à toi dont les décrets sont immuables comme éternels, daigne regarder en pitié les erreurs attachées à notre nature ; que ces erreurs ne fassent point nos calamités. Tu ne nous a point donné un cœur pour nous haïr, et des mains pour nous égorger ; fais que nous nous aidions mutuellement à supporter le fardeau d'une vie pénible et passagère ; que les petites différences entre les vêtements qui couvrent nos débiles[1] corps, entre tous nos langages insuffisants, entre tous nos usages ridicules, entre toutes nos lois imparfaites, entre toutes nos opinions insensées, entre toutes nos conditions si disproportionnées à nos yeux, et si égales devant toi ; que toutes ces petites nuances qui distinguent les atomes appelés *hommes* ne soient pas des signaux de haine et de persécution ; que ceux qui allument des cierges en plein midi pour te célébrer supportent ceux qui se contentent de la lumière de ton soleil ; que ceux qui couvrent leur robe d'une toile blanche pour dire qu'il faut t'aimer ne détestent pas ceux qui disent la même chose sous un manteau de laine noire ; qu'il soit égal de t'adorer dans un jargon formé d'une ancienne langue, ou dans un jargon plus nouveau ; que ceux dont l'habit est teint en rouge ou en violet[2], qui dominent sur une petite parcelle d'un petit tas de la boue de ce monde, et qui possèdent quelques fragments arrondis d'un certain métal, jouissent sans orgueil de ce qu'ils appellent *grandeur* et *richesse*, et que les autres les voient sans envie : car tu sais qu'il y a dans ces vanités ni de quoi envier, ni de quoi s'enorgueillir.

Puissent tous les hommes se souvenir qu'ils sont frères ! Qu'ils aient en horreur la tyrannie exercée sur les âmes, comme ils ont en exécration le brigandage qui ravit par la force le fruit du travail et de l'industrie paisible ! Si les fléaux de la guerre sont inévitables, ne nous haïssons pas, ne nous déchirons pas les uns les autres dans le sein de la paix, et employons l'instant de notre existence à bénir également en mille langages divers, depuis Siam[3] jusqu'à la Californie, ta bonté qui nous a donné cet instant.

Voltaire, *Traité sur la tolérance*, extrait du chapitre XXIII, « Prière à Dieu », 1763.

1. **débiles** : faibles.
2. Les cardinaux (rouge) et les évêques (violet).
3. **Siam** : correspond à la Thaïlande actuelle.

Document : « Plus jamais ça ! » (affiche de 1945)

L'affiche proposée provient de la FNDIRP (Fédération nationale des déportés et internés résistants et patriotes), association fondée en 1945, après la libération des camps, qui porte l'héritage de ceux qui n'en sont pas revenus. En 1945, Jicap signe cette affiche dont le slogan « Plus jamais ça ! » rappelle encore aujourd'hui le **« devoir de mémoire »,** ***expression que Primo Levi*** **(Si c'est un homme)** ***fut le premier à employer.***

Document reproduit page 46.

INTERNÉS ET DÉPORTÉS POLITIQUES
FAMILLES DES INTERNÉS ET DÉPORTÉS POLITIQUES

contre les hommes et les instruments de la trahison
pour la défense de vos intérêts matériels et moraux
pour sauver de l'oubli votre martyre et en faire une arme
pour que nous-mêmes et nos enfants ne revoyions...

plus jamais ça !

TOUS UNIS pour la renaissance de notre patrie
pour une paix féconde par l'union de tous les alliés

adhérez à la
FÉDÉRATION NATIONALE des DÉPORTÉS et INTERNÉS PATRIOTES
10, RUE LEROUX, PARIS 16e

Corpus

Texte A : Extrait des chapitres VI et VII de *Micromégas* de Voltaire (p. 29, l. 448, à p. 33, l. 532).
Texte B : Extrait de la lettre I des *Lettres philosophiques* de Voltaire (pp. 39-40).
Texte C : Extrait du chapitre VI du *Discours sur l'homme* de Voltaire (pp. 40-42).
Texte D : Extrait du chapitre I du *Traité sur la tolérance* de Voltaire (pp. 42-44).
Texte E : Extrait du chapitre XXIII du *Traité sur la tolérance* de Voltaire (pp. 44-45).
Document : « Plus jamais ça ! », affiche de 1945 (pp. 45-46).

Examen des textes et de l'image

❶ Dans le texte B, quels arguments soutient le quaker pour justifier les pratiques religieuses de la secte à laquelle il appartient ?
❷ Étudiez l'évolution de l'attitude du « *je* » dans le texte B.
❸ Quelles sont les conditions du bonheur selon Voltaire (texte C) ?
❹ Quels procédés littéraires présentent le texte D comme le compte rendu d'une enquête ?
❺ Quels éléments montrent le point de vue critique de Voltaire (texte D) ?
❻ En quoi le texte E épouse-t-il la forme de la prière ?
❼ Que représente « *ça* » dans le slogan sur le document ? Comment rapprocher cette affiche du combat de Voltaire contre l'intolérance ?

Travaux d'écriture

Question préliminaire
Par quels procédés les différents documents dénoncent-ils l'intolérance ?

Commentaire

Vous ferez le commentaire de l'extrait du chapitre XXIII du *Traité sur la tolérance* de Voltaire (texte E).

Dissertation

Les propos que tient Voltaire sur la tolérance vous semblent-ils encore d'actualité ? Vous illustrerez votre raisonnement d'exemples précis empruntés aux différents domaines de la culture et, le cas échéant, à l'actualité.

Écriture d'invention

Micromégas revient sur Sirius, à la fin de sa période de bannissement, et fait le récit de ses entretiens avec les hommes devant une Cour médusée.

« Vue du château de Ferney à M. de Voltaire, du côté du Couchant », gravure de F. M. I. Gueverdo d'après J. Signy (1770).

La Princesse de Babylone

I

Le vieux Bélus, roi de Babylone[1], se croyait le premier homme[2] de la terre : car tous ses courtisans le lui disaient, et ses historiographes[3] le lui prouvaient. Ce qui pouvait excuser en lui ce ridicule, c'est qu'en effet ses prédécesseurs avaient bâti Babylone plus de trente mille ans avant lui, et qu'il l'avait embellie. On sait que son palais et son parc, situés à quelques parasanges[4] de Babylone, s'étendaient entre l'Euphrate[5] et le Tigre[6], qui

notes

1. **Babylone :** ville de l'Antiquité, sur les bords de l'Euphrate, dans l'Irak actuel. Les empires assyrien, chaldéen et perse s'y sont succédé pendant trois millénaires avant Jésus-Christ. Voltaire invente une étymologie fantaisiste : Babylone serait « *la ville du père Bel* », *Bel* signifiant « Dieu » et *bab* « père », d'après Voltaire. De là, il tire le nom de Bélus, personnage qu'il imagine.
2. **le premier homme :** l'homme le plus important.
3. **historiographes :** personnes chargées d'écrire l'histoire officielle du souverain et qui ignorent donc le souci d'objectivité propre aux historiens.
4. La parasange est l'unité de mesure des anciens Perses qui équivaut à 5 220 ou 5 400 m, selon les auteurs.
5. **Euphrate :** fleuve d'Asie sur lequel était bâtie Babylone.
6. **Tigre :** fleuve de Mésopotamie. Cette région, « *entre l'Euphrate et le Tigre* », a joué un rôle de premier plan pendant l'Antiquité et est le berceau de nombreuses civilisations.

baignaient ces rivages enchantés. Sa vaste maison, de trois mille pas[1] de façade, s'élevait jusqu'aux nues[2]. La plate-forme était entourée d'une balustrade de marbre blanc de cinquante pieds[3] de hauteur, qui portait les statues colossales de tous les rois et de tous les grands hommes de l'empire. Cette plate-forme, composée de deux rangs de briques couvertes d'une épaisse surface de plomb d'une extrémité à l'autre, était chargée de douze pieds de terre, et sur cette terre on avait élevé des forêts d'oliviers, d'orangers, de citronniers, de palmiers, de gérofliers[4], de cocotiers, de cannelliers[5], qui formaient des allées impénétrables aux rayons du soleil.

Les eaux de l'Euphrate, élevées par des pompes dans cent colonnes creusées, venaient dans ces jardins remplir de vastes bassins de marbre, et, retombant ensuite par d'autres canaux, allaient former dans le parc des cascades de six mille pieds de longueur, et cent mille jets d'eau dont la hauteur pouvait à peine être aperçue : elles retournaient ensuite dans l'Euphrate, dont elles étaient parties. Les jardins de Sémiramis[6], qui étonnèrent l'Asie plusieurs siècles après, n'étaient qu'une faible imitation de ces antiques merveilles : car, du temps de Sémiramis, tout commençait à dégénérer chez les hommes et chez les femmes.

Mais ce qu'il y avait de plus admirable à Babylone, ce qui éclipsait tout le reste, était la fille unique du roi, nommée Formosante[7]. Ce fut d'après ses portraits et ses statues que dans la

notes

1. trois mille pas : près de 4,5 km, le pas équivalant à un petit mètre cinquante.
2. nues : ciel.
3. cinquante pieds : environ 1 600 m, 1 pied équivalant à un peu plus de 32 cm.
4. gérofliers : arbres exotiques qui fournissent des clous de girofle que l'on utilise comme épice.
5. cannelliers : arbustes tropicaux dont l'écorce fournit la cannelle.
6. Sémiramis : reine légendaire d'Assyrie, à qui Voltaire a consacré une tragédie. Elle serait la fondatrice de Babylone et de ses célèbres Jardins suspendus.
7. Voltaire tire le nom de Formosante du latin *formosa*, qui signifie « belle » ; il ajoute un suffixe en *-ante* qui rappelle Bradamante ou Aquilante, personnages de l'Arioste, poète de la Renaissance italienne, très apprécié pour ses comédies et son *Roland furieux*, adapté de *La Chanson de Roland*.

suite des siècles Praxitèle[1] sculpta son Aphrodite[2], et celle qu'on nomma *la Vénus aux belles fesses*. Quelle différence, ô ciel ! de l'original aux copies ! Aussi Bélus était plus fier de sa fille que de son royaume. Elle avait dix-huit ans : il lui fallait un époux digne d'elle ; mais où le trouver ? Un ancien oracle[3] avait ordonné que Formosante ne pourrait appartenir qu'à celui qui tendrait l'arc de Nembrod[4]. Ce Nembrod, le fort chasseur devant le Seigneur, avait laissé un arc de sept pieds babyloniques[5] de haut, d'un bois d'ébène plus dur que le fer du mont Caucase[6] qu'on travaille dans les forges de Derbent[7] ; et nul mortel, depuis Nembrod, n'avait pu bander cet arc merveilleux.

Il était dit encore que le bras qui aurait tendu cet arc tuerait le lion le plus terrible et le plus dangereux qui serait lâché dans le cirque de Babylone. Ce n'était pas tout : le bandeur de l'arc, le vainqueur du lion devait terrasser tous ses rivaux ; mais il devait surtout avoir beaucoup d'esprit, être le plus magnifique[8] des hommes, le plus vertueux, et posséder la chose la plus rare qui fût dans l'univers entier.

Il se présenta trois rois qui osèrent disputer Formosante : le pharaon d'Égypte, le shac[9] des Indes, et le grand kan[10] des Scythes[11]. Bélus assigna le jour, et le lieu du combat à l'extrémité de son parc, dans le vaste espace bordé par les eaux de l'Euphrate

notes

1. Praxitèle : sculpteur grec du IVe s. av. J.-C., qui a introduit le nu féminin dans l'art grec et auquel Voltaire attribue la *Vénus callipyge* (c'est-à-dire « aux belles fesses ») conservée à Naples.
2. Aphrodite : nom grec de Vénus, déesse de la Beauté.
3. oracle : interprète de la parole des dieux.
4. Nembrod, ou Nemrod, est le petit-fils de Noé, cité dans la *Genèse* comme *« un grand chasseur devant l'Éternel »* et qui avait Babylone pour capitale de son royaume.
5. sept pieds babyloniques : expression fantaisiste ; la mesure doit néanmoins correspondre à environ 2,30 m.
6. Caucase : chaîne de montagnes (dont la partie nord se trouve aujourd'hui en Russie) entre la mer Noire et la mer Caspienne.
7. Derbent : port de Russie sur la mer Caspienne.
8. magnifique : généreux.
9. shac : schah, mot persan qui signifie « roi » ; il ne convient donc pas au souverain des Indes.
10. kan : khan, titre que prenaient les souverains mongols, les chefs tartares, et qui passa avec eux dans l'Inde et jusqu'au Moyen-Orient. Il est encore porté par certains chefs religieux islamiques.
11. Scythes : ancien nom des Tartares qui regroupent des peuples divers du Turkestan. Voltaire leur a consacré une tragédie en 1767 où il mettait en scène une princesse confrontée aux mœurs rudes de ces nomades. Pour Voltaire, l'Égypte, les Indes et la Scythie sont le berceau de l'humanité.

et du Tigre réunies. On dressa autour de la lice[1] un amphithéâtre
55 de marbre qui pouvait contenir cinq cent mille spectateurs. Vis-à-vis[2] l'amphithéâtre était le trône du roi, qui devait paraître avec Formosante, accompagnée de toute la cour ; et à droite et à gauche, entre le trône et l'amphithéâtre, étaient d'autres trônes et d'autres sièges pour les trois rois et pour tous les autres souverains
60 qui seraient curieux de venir voir cette auguste[3] cérémonie.

Le roi d'Égypte arriva le premier, monté sur le bœuf Apis[4], et tenant en main le sistre d'Isis[5]. Il était suivi de deux mille prêtres vêtus de robes de lin plus blanches que la neige, de deux mille eunuques[6], de deux mille magiciens, et de deux mille guerriers.

65 Le roi des Indes arriva bientôt après dans un char traîné par douze éléphants. Il avait une suite encore plus nombreuse et plus brillante que le pharaon d'Égypte.

Le dernier qui parut était le roi des Scythes. Il n'avait auprès de lui que des guerriers choisis, armés d'arcs et de flèches. Sa
70 monture était un tigre superbe qu'il avait dompté, et qui était aussi haut que les plus beaux chevaux de Perse[7]. La taille de ce monarque, imposante et majestueuse, effaçait celle de ses rivaux ; ses bras nus, aussi nerveux[8] que blancs, semblaient déjà tendre l'arc de Nembrod.

75 Les trois princes se prosternèrent d'abord devant Bélus et Formosante. Le roi d'Égypte offrit à la princesse les deux plus beaux crocodiles du Nil, deux hippopotames, deux zèbres, deux rats d'Égypte, et deux momies, avec les livres du grand Hermès[9], qu'il croyait être ce qu'il y avait de plus rare sur la terre.

notes

1. **lice** : espace défini pour un tournoi ou une compétition (*cf.* « entrer en lice »).
2. **Vis-à-vis** : en face de (locution utilisée sans préposition devant un nom au XVIIIe siècle).
3. **auguste** : respectable.
4. **Apis** : bœuf sacré que les anciens Égyptiens associaient au Soleil et considéraient comme l'apparence la plus complète de la divinité sous la forme animale. On le retrouve dans un autre conte de Voltaire : *Le Taureau blanc*.
5. **sistre d'Isis** : sorte de crécelle utilisée pour les rites consacrés à Isis, sœur et épouse du dieu Osiris.
6. **eunuques** : hommes castrés qui gardaient les femmes dans les harems.
7. **Perse** : nom ancien de l'Iran.
8. **nerveux** : musclés.
9. **Hermès** : dieu grec, dit « le très grand ». Il fut assimilé au dieu égyptien Thot, inventeur des Arts et des Sciences.

Le roi des Indes lui offrit cent éléphants qui portaient chacun une tour de bois doré, et mit à ses pieds le *Veidam*[1], écrit de la main de Xaca[2] lui-même.

Le roi des Scythes, qui ne savait ni lire ni écrire, présenta cent chevaux de bataille couverts de housses de peaux de renards noirs.

La princesse baissa les yeux devant ses amants[3], et s'inclina avec des grâces aussi modestes[4] que nobles.

Bélus fit conduire ces monarques sur les trônes qui leur étaient préparés. « Que n'ai-je[5] trois filles ! leur dit-il, je rendrais aujourd'hui six personnes heureuses. » Ensuite il fit tirer au sort à qui essayerait le premier l'arc de Nembrod. On mit dans un casque d'or les noms des trois prétendants. Celui du roi d'Égypte sortit le premier ; ensuite parut le nom du roi des Indes. Le roi scythe, en regardant l'arc et ses rivaux, ne se plaignit point d'être le troisième.

Tandis qu'on préparait ces brillantes épreuves, vingt mille pages et vingt mille jeunes filles distribuaient sans confusion des rafraîchissements aux spectateurs entre les rangs des sièges. Tout le monde avouait que les dieux n'avaient établi les rois que pour donner tous les jours des fêtes, pourvu qu'elles fussent diversifiées ; que la vie est trop courte pour en user autrement ; que les procès, les intrigues, la guerre, les disputes des prêtres, qui consument la vie humaine, sont des choses absurdes et horribles ; que l'homme n'est né que pour la joie ; qu'il n'aimerait pas les plaisirs passionnément et continuellement s'il n'était pas formé pour eux ; que l'essence de la nature humaine est de se réjouir, et que tout le reste est folie. Cette excellente morale n'a jamais été démentie que par les faits[6].

notes

1. *Veidam* ou *Veda*, ensemble des textes sacrés de la tradition hindoue, censés avoir été rédigés par le dieu Brahma et non par Xaca.
2. **Xaca** : l'un des noms de Bouddha.
3. **amants** : prétendants.
4. **modestes** : discrètes.
5. **Que n'ai-je** : pourquoi n'ai-je pas.
6. Le développement qui précède est récurrent chez Voltaire.

Comme on allait commencer ces essais, qui devaient décider de
110 la destinée de Formosante, un jeune inconnu monté sur une licorne[1], accompagné de son valet monté de même, et portant sur le poing un gros oiseau[2], se présente à la barrière. Les gardes furent surpris de voir en cet équipage une figure qui avait l'air de la divinité. C'était, comme on a dit depuis, le visage d'Adonis sur
115 le corps d'Hercule[3] ; c'était la majesté avec les grâces. Ses sourcils noirs et ses longs cheveux blonds, mélange de beauté inconnu à Babylone, charmèrent l'assemblée : tout l'amphithéâtre se leva pour le mieux regarder ; toutes les femmes de la cour fixèrent sur lui des regards étonnés. Formosante elle-même, qui baissait
120 toujours les yeux, les releva et rougit ; les trois rois pâlirent ; tous les spectateurs, en comparant Formosante avec l'inconnu, s'écriaient : « Il n'y a dans le monde que ce jeune homme qui soit aussi beau que la princesse. »

Les huissiers, saisis d'étonnement, lui demandèrent s'il était roi.
125 L'étranger répondit qu'il n'avait pas cet honneur, mais qu'il était venu de fort loin par curiosité pour voir s'il y avait des rois qui fussent dignes de Formosante. On l'introduisit dans le premier rang de l'amphithéâtre, lui, son valet, ses deux licornes, et son oiseau. Il salua profondément Bélus, sa fille, les trois rois, et toute
130 l'assemblée. Puis il prit place en rougissant. Ses deux licornes se couchèrent à ses pieds, son oiseau se percha sur son épaule, et son valet, qui portait un petit sac, se mit à côté de lui.

Les épreuves commencèrent. On tira de son étui d'or l'arc de Nembrod. Le grand maître des cérémonies, suivi de cinquante
135 pages et précédé de vingt trompettes, le présenta au roi d'Égypte,

notes

1. licorne : animal fantastique, très prisé au Moyen Âge, que l'on représente avec un corps de cheval, une tête de cheval ou de cerf et une corne unique au milieu du front. Il est un emblème de pureté et de virginité. Cependant, dans certains récits, on en fait un animal de combat en le confondant avec l'hippopotame. Il est probable que Voltaire joue sur ces deux représentations. Il serait aussi une forme idéalisée du rhinocéros originaire des Indes.

2. Évocation qui rappelle celle du chevalier courtois du Moyen Âge, l'épervier au poing, et qui conduit à la figure du Prince Charmant dans les contes de fées.

3. Adonis, jeune homme aimé d'Aphrodite, déesse de l'Amour dans l'Antiquité grecque, représente la beauté. En lui associant la force légendaire d'Hercule, Voltaire peint l'idéal masculin traditionnel.

qui le fit bénir par ses prêtres, et, l'ayant posé sur la tête du bœuf Apis, il ne douta pas de remporter cette première victoire. Il descend au milieu de l'arène, il essaie, il épuise ses forces, il fait des contorsions qui excitent le rire de l'amphithéâtre, et qui font même sourire Formosante.

Son grand aumônier[1] s'approcha de lui : « Que Votre Majesté, lui dit-il, renonce à ce vain honneur, qui n'est que celui des muscles et des nerfs[2] ; vous triompherez dans tout le reste. Vous vaincrez le lion, puisque vous avez le sabre d'Osiris[3]. La princesse de Babylone doit appartenir au prince qui a le plus d'esprit, et vous avez deviné des énigmes. Elle doit épouser le plus vertueux[4], vous l'êtes, puisque vous avez été élevé par les prêtres d'Égypte. Le plus généreux doit l'emporter, et vous avez donné les deux plus beaux crocodiles et les deux plus beaux rats qui soient dans le Delta[5]. Vous possédez le bœuf Apis et les livres d'Hermès, qui sont la chose la plus rare de l'univers. Personne ne peut vous disputer Formosante. – Vous avez raison », dit le roi d'Égypte, et il se remit sur son trône.

On alla mettre l'arc entre les mains du roi des Indes. Il en eut des ampoules pour quinze jours, et se consola en présumant que le roi des Scythes ne serait pas plus heureux[6] que lui.

Le Scythe mania l'arc à son tour. Il joignait l'adresse à la force : l'arc parut prendre quelque élasticité entre ses mains ; il le fit un peu plier, mais jamais il ne put venir à bout de le tendre. L'amphithéâtre, à qui la bonne mine de ce prince inspirait des inclinations favorables, gémit de son peu de succès, et jugea que la belle princesse ne serait jamais mariée.

Alors le jeune inconnu descendit d'un saut dans l'arène, et, s'adressant au roi des Scythes : « Que Votre Majesté, lui dit-il, ne

notes

1. **grand aumônier :** homme d'Église au service de la chapelle d'un grand seigneur. Voltaire s'amuse à mélanger les traditions religieuses.
2. **nerfs :** tendons des muscles.
3. **Osiris :** dieu égyptien protecteur des morts. Voltaire se moque des superstitions religieuses et du prétendu pouvoir des reliques en évoquant le sabre du dieu.
4. **vertueux :** qui a du mérite et de la morale.
5. **Delta :** il s'agit de la fertile région de l'embouchure du Nil.
6. **heureux :** chanceux.

165 s'étonne point de n'avoir pas entièrement réussi. Ces arcs d'ébène se font dans mon pays ; il n'y a qu'un certain tour[1] à donner. Vous avez beaucoup plus de mérite à l'avoir fait plier que je n'en peux avoir à le tendre. » Aussitôt il prit une flèche, l'ajusta sur la corde, tendit l'arc de Nembrod, et fit voler la flèche bien au-delà des 170 barrières. Un million de mains applaudit à ce prodige. Babylone retentit d'acclamations, et toutes les femmes disaient : « Quel bonheur qu'un si beau garçon ait tant de force ! »

Il tira ensuite de sa poche une petite lame d'ivoire, écrivit sur cette lame avec une aiguille d'or, attacha la tablette d'ivoire à 175 l'arc, et présenta le tout à la princesse avec une grâce qui ravissait tous les assistants. Puis il alla modestement se remettre à sa place entre son oiseau et son valet. Babylone entière était dans la surprise ; les trois rois étaient confondus[2], et l'inconnu ne paraissait pas s'en apercevoir.

180 Formosante fut encore plus étonnée en lisant sur la tablette d'ivoire attachée à l'arc ces petits vers en beau langage chaldéen[3] :

L'arc de Nembrod est celui de la guerre ;
L'arc de l'amour est celui du bonheur ;
Vous le portez. Par vous ce dieu vainqueur
185 *Est devenu le maître de la terre.*
Trois rois puissants, trois rivaux aujourd'hui,
Osent prétendre à l'honneur de vous plaire :
Je ne sais pas qui votre cœur préfère,
Mais l'univers sera jaloux de lui.

190 Ce petit madrigal[4] ne fâcha point la princesse. Il fut critiqué par quelques seigneurs de la vieille cour, qui dirent qu'autrefois dans le bon temps on aurait comparé Bélus au soleil, et Formosante à

notes

1. un certain tour : un tour de main particulier, de l'astuce.
2. confondus : stupéfaits et défaits.
3. chaldéen : langue parlée dans la région de Babylone à l'époque de Nabuchodonosor II (VIe s. av. J.-C.). Aux grâces précédemment évoquées, le jeune chevalier ajoute le don des langues.
4. madrigal : courte pièce en vers exprimant des propos galants.

la lune, son cou à une tour, et sa gorge à un boisseau[1] de froment. Ils dirent que l'étranger n'avait point d'imagination, et qu'il
195 s'écartait des règles de la véritable poésie[2] ; mais toutes les dames trouvèrent les vers fort galants. Elles s'émerveillèrent qu'un homme qui bandait si bien un arc eût tant d'esprit. La dame d'honneur de la princesse lui dit : « Madame, voilà bien des talents en pure perte. De quoi servira à ce jeune homme son
200 esprit et l'arc de Bélus ? – À le faire admirer, répondit Formosante. – Ah ! dit la dame d'honneur entre ses dents, encore un madrigal, et il pourrait bien être aimé. »

Cependant Bélus, ayant consulté ses mages[3], déclara qu'aucun des trois rois n'ayant pu bander l'arc de Nembrod, il n'en fallait
205 pas moins marier sa fille, et qu'elle appartiendrait à celui qui viendrait à bout d'abattre le grand lion qu'on nourrissait exprès dans sa ménagerie. Le roi d'Égypte, qui avait été élevé dans toute la sagesse de son pays[4], trouva qu'il était fort ridicule d'exposer un roi aux bêtes pour le marier. Il avouait que la possession de
210 Formosante était d'un grand prix ; mais il prétendait que, si le lion l'étranglait, il ne pourrait jamais épouser cette belle Babylonienne. Le roi des Indes entra dans les sentiments de[5] l'Égyptien ; tous deux conclurent que le roi de Babylone se moquait d'eux ; qu'il fallait faire venir des armées pour le punir ; qu'ils avaient
215 assez de sujets qui se tiendraient fort honorés de mourir au service de leurs maîtres, sans qu'il en coûtât un cheveu à leurs têtes sacrées ; qu'ils détrôneraient aisément le roi de Babylone, et qu'ensuite ils tireraient au sort la belle Formosante.

notes

1. **boisseau** : ancienne mesure de capacité correspondant à 1 dL puis, par extension, le récipient servant à mesurer la quantité de céréales comme le froment, par exemple. Voltaire juge ridicule cette métaphore biblique.
2. Voltaire, dans ce passage, se moque des traditions littéraires et notamment des métaphores précieuses et vieillies.
3. **mages** : prêtres, astrologues dans la Babylone antique.
4. Écho d'un passage des *Actes des apôtres* (VII, 2), où il est dit que Moïse « *fut instruit dans toute la sagesse des Égyptiens* ».
5. **entra dans les sentiments de** : fut d'accord avec.

Le jeune inconnu... se jette dans l'arène, plus prompt qu'un éclair.

Gravure de Villerey d'après un dessin de Moreau le Jeune.

Chapitre 1

Cet accord étant fait, les deux rois dépêchèrent[1] chacun dans
220 leur pays un ordre exprès[2] d'assembler une armée de trois cent mille hommes pour enlever Formosante.

Cependant le roi des Scythes descendit seul dans l'arène, le cimeterre[3] à la main. Il n'était pas éperdument épris des charmes de Formosante ; la gloire avait été jusque-là sa seule passion ; elle
225 l'avait conduit à Babylone. Il voulait faire voir que, si les rois de l'Inde et de l'Égypte étaient assez prudents pour ne se pas compromettre[4] avec des lions, il était assez courageux pour ne pas dédaigner ce combat, et qu'il réparerait l'honneur du diadème[5]. Sa rare valeur ne lui permit pas[6] seulement de se servir du secours
230 de son tigre. Il s'avance seul, légèrement armé, couvert d'un casque d'acier garni d'or, ombragé de trois queues de cheval blanches comme la neige.

On lâche contre lui le plus énorme lion qui ait jamais été nourri dans les montagnes de l'Anti-Liban[7]. Ses terribles griffes
235 semblaient capables de déchirer les trois rois à la fois, et sa vaste gueule de les dévorer. Ses affreux rugissements faisaient retentir l'amphithéâtre. Les deux fiers champions se précipitent l'un contre l'autre d'une course rapide. Le courageux Scythe enfonce son épée dans le gosier du lion, mais la pointe, rencontrant une de
240 ces épaisses dents que rien ne peut percer, se brise en éclats, et le monstre des forêts, furieux de sa blessure, imprimait déjà ses ongles sanglants dans les flancs du monarque.

Le jeune inconnu, touché du péril d'un si brave prince, se jette dans l'arène plus prompt qu'un éclair ; il coupe la tête du lion

notes

1. dépêchèrent : envoyèrent.
2. exprès : formel.
3. cimeterre : sabre oriental à lame large et recourbée.
4. ne se pas compromettre : ici, ne pas risquer sa vie.
5. réparerait l'honneur du diadème : sauverait le royaume de Bélus de l'affront qui consisterait à ne pas combattre le lion.
6. ne lui permit pas : au sens fort de « l'empêcha ».
7. Anti-Liban : chaîne de montagnes qui aujourd'hui sert de frontière entre le Liban et la Syrie : c'est un pays sauvage d'où peuvent provenir de redoutables fauves comme celui qui est mentionné ici.

245 avec la même dextérité[1] qu'on a vu depuis dans nos carrousels[2] de jeunes chevaliers adroits enlever des têtes de maures[3] ou des bagues[4].

Puis, tirant une petite boîte, il la présente au roi scythe, en lui disant : « Votre Majesté trouvera dans cette petite boîte le véritable dictame[5] qui croît dans mon pays. Vos glorieuses blessures 250 seront guéries en un moment. Le hasard seul vous a empêché de triompher du lion ; votre valeur n'en est pas moins admirable. »

Le roi scythe, plus sensible à la reconnaissance qu'à la jalousie, remercia son libérateur, et, après l'avoir tendrement embrassé[6], rentra dans son quartier[7] pour appliquer le dictame sur ses 255 blessures.

L'inconnu donna la tête du lion à son valet ; celui-ci, après l'avoir lavée à la grande fontaine qui était au-dessous de l'amphithéâtre, et en avoir fait écouler tout le sang, tira un fer de son petit sac, arracha les quarante dents[8] du lion, et mit à leur place 260 quarante diamants d'une égale grosseur.

Son maître, avec sa modestie ordinaire, se remit à sa place ; il donna la tête du lion à son oiseau : « Bel oiseau, dit-il, allez porter aux pieds de Formosante ce faible hommage. » L'oiseau part, tenant dans une de ses serres le terrible trophée[9] ; il le présente à 265 la princesse en baissant humblement le cou, et en s'aplatissant devant elle. Les quarante brillants éblouirent tous les yeux. On ne connaissait pas encore cette magnificence[10] dans la superbe[11] Babylone : l'émeraude, la topaze, le saphir et le pyrope[12] étaient regardés encore comme les plus précieux ornements. Bélus et

notes

1. **dextérité** : habileté.
2. **carrousels** : tournois où les cavaliers se livrent à des jeux et montrent leur habileté.
3. **maures** : Berbères islamisés qui conquirent l'Espagne et qui représentent les ennemis traditionnels des chrétiens lors des Croisades médiévales.
4. **bagues** : jeux traditionnels des carrousels où les cavaliers devaient décrocher des anneaux suspendus à un poteau fixe.
5. **dictame** : plante merveilleuse, d'origine orientale, qui, selon les Anciens, guérissait les blessures en un instant.
6. **embrassé** : pris dans ses bras.
7. **quartier** : campement, endroit où il séjourne avec sa Cour.
8. Un lion a 30 dents, mais 40 est un nombre souvent utilisé dans les contes (*Ali Baba et les Quarante Voleurs*, etc.).
9. **trophée** : au sens antique, très fort, d'« objet attestant un triomphe ».
10. **cette magnificence** : la splendeur du diamant.
11. **superbe** : orgueilleuse.
12. **émeraude, topaze, saphir, pyrope** : pierres, dans l'ordre, verte, jaune, bleue et d'un rouge flamboyant.

toute la cour étaient saisis d'admiration. L'oiseau qui offrait ce présent les surprit encore davantage. Il était de la taille d'un aigle, mais ses yeux étaient aussi doux et aussi tendres que ceux de l'aigle sont fiers et menaçants. Son bec était couleur de rose, et semblait tenir quelque chose de la belle bouche de Formosante. Son cou rassemblait toutes les couleurs de l'iris[1], mais plus vives et plus brillantes. L'or en mille nuances éclatait sur son plumage. Ses pieds paraissaient un mélange d'argent et de pourpre[2] ; et la queue des beaux oiseaux qu'on attela depuis au char de Junon[3] n'approchait pas de la sienne[4].

L'attention, la curiosité, l'étonnement, l'extase de toute la cour se partageaient entre les quarante diamants et l'oiseau. Il s'était perché sur la balustrade, entre Bélus et sa fille Formosante ; elle le flattait[5], le caressait[6], le baisait. Il semblait recevoir ses caresses avec un plaisir mêlé de respect. Quand la princesse lui donnait des baisers, il les rendait, et la regardait ensuite avec des yeux attendris. Il recevait d'elle des biscuits et des pistaches, qu'il prenait de sa patte purpurine[7] et argentée, et qu'il portait à son bec avec des grâces inexprimables.

Bélus, qui avait considéré les diamants avec attention, jugeait qu'une de ses provinces pouvait à peine payer un présent si riche. Il ordonna qu'on préparât pour l'inconnu des dons encore plus magnifiques que ceux qui étaient destinés aux trois monarques. « Ce jeune homme, disait-il, est sans doute le fils du roi de la Chine, ou de cette partie du monde qu'on nomme *Europe*, dont j'ai entendu parler[8], ou de l'Afrique, qui est, dit-on, voisine du royaume d'Égypte. »

notes

1. iris : arc-en-ciel.
2. pourpre : colorant d'un rouge vif, connu depuis l'Antiquité.
3. Les paons sont les oiseaux qui accompagnent Junon, épouse de Jupiter.
4. Pour décrire le phénix, oiseau légendaire, Voltaire s'inspire d'un ouvrage de l'abbé Guyon qu'il possédait dans sa bibliothèque et aimait lire : *Histoire des Indes orientales anciennes et modernes* (1744).
5. flattait : caressait de la main.
6. caressait : donnait des marques d'affection.
7. purpurine : pourpre.
8. Manière de confirmer l'éloignement géographique du conte et donc d'éviter la censure.

Il envoya sur-le-champ son grand écuyer complimenter l'inconnu, et lui demander s'il était souverain ou fils du souverain d'un de ces empires, et pourquoi, possédant de si étonnants
300 trésors, il était venu avec un valet et un petit sac.

Tandis que le grand écuyer[1] avançait vers l'amphithéâtre pour s'acquitter de sa commission, arriva un autre valet sur une licorne. Ce valet, adressant la parole au jeune homme, lui dit : « Ormar[2] votre père touche à l'extrémité de sa vie, et je suis venu vous en
305 avertir. » L'inconnu leva les yeux au ciel, versa des larmes, et ne répondit que par ce mot : « Partons. »

Le grand écuyer, après avoir fait les compliments de Bélus au vainqueur du lion, au donneur des quarante diamants, au maître du bel oiseau, demanda au valet de quel royaume était souverain
310 le père de ce jeune héros. Le valet répondit : « Son père est un vieux berger qui est fort aimé dans le canton[3]. »

Pendant ce court entretien l'inconnu était déjà monté sur sa licorne. Il dit au grand écuyer : « Seigneur, daignez me mettre aux pieds de Bélus et de sa fille. J'ose la supplier d'avoir grand soin
315 de l'oiseau que je lui laisse ; il est unique comme elle. » En achevant ces mots, il partit comme un éclair ; les deux valets le suivirent, et on les perdit de vue.

Formosante ne put s'empêcher de jeter un grand cri. L'oiseau, se retournant vers l'amphithéâtre où son maître avait été assis,
320 parut très affligé de ne le plus voir. Puis regardant fixement la princesse, et frottant doucement sa belle main de son bec, il sembla se vouer à son service.

Bélus, plus étonné que jamais, apprenant que ce jeune homme si extraordinaire était le fils d'un berger, ne put le croire. Il fit
325 courir après lui ; mais bientôt on lui rapporta que les licornes sur

notes

1. **grand écuyer** : intendant des écuries.
2. **Ormar** : rappelle le nom d'Ormazd, dieu suprême et principe du Bien dans l'ancienne religion iranienne (mazdéisme).
3. **canton** : coin.

lesquelles ces trois hommes couraient ne pouvaient être atteintes, et qu'au galop dont elles allaient elles devaient faire cent lieues par jour.

II

Tout le monde raisonnait sur cette aventure[1] étrange, et
330 s'épuisait en vaines conjectures[2]. Comment le fils d'un berger peut-il donner quarante gros diamants ? Pourquoi est-il monté sur une licorne ? On s'y perdait ; et Formosante, en caressant son oiseau, était plongée dans une rêverie profonde.

La princesse Aldée[3], sa cousine issue de germaine[4], très bien
335 faite, et presque aussi belle que Formosante, lui dit : « Ma cousine, je ne sais pas si ce jeune demi-dieu est le fils d'un berger ; mais il me semble qu'il a rempli toutes les conditions attachées à votre mariage. Il a bandé l'arc de Nembrod, il a vaincu le lion, il a beaucoup d'esprit puisqu'il a fait pour vous un assez joli
340 impromptu[5]. Après les quarante énormes diamants qu'il vous a donnés, vous ne pouvez nier qu'il ne soit le plus généreux des hommes. Il possédait dans son oiseau ce qu'il y a de plus rare sur la terre. Sa vertu n'a point d'égale, puisque, pouvant demeurer auprès de vous, il est parti sans délibérer[6] dès qu'il a su que son
345 père était malade. L'oracle[7] est accompli dans tous ses points, excepté dans celui qui exige qu'il terrasse ses rivaux ; mais il fait plus, il a sauvé la vie du seul concurrent qu'il pouvait craindre ; et, quand il s'agira de battre les deux autres, je crois que vous ne doutez pas qu'il n'en vienne à bout aisément.

notes

1. **aventure** : événement surprenant.
2. **conjectures** : suppositions.
3. Son nom semble indiquer qu'elle est plus âgée que Formosante.
4. La parenté des deux jeunes filles est expliquée au chapitre III (leurs grands-pères étaient frères).
5. **impromptu** : petite pièce poétique de circonstance exécutée sans préparation.
6. **délibérer** : hésiter.
7. **oracle** : prédiction.

350 – Tout ce que vous dites est bien vrai, répondit Formosante ; mais est-il possible que le plus grand des hommes, et peut-être même le plus aimable[1], soit le fils d'un berger ? »

La dame d'honneur[2], se mêlant de la conversation, dit que très souvent ce mot de berger était appliqué aux rois ; qu'on les 355 appelait *bergers*, parce qu'ils tondent de fort près leur troupeau[3] ; que c'était sans doute une mauvaise plaisanterie de son valet ; que ce jeune héros n'était venu si mal accompagné que pour faire voir combien son seul mérite était au-dessus du faste[4] des rois, et pour ne devoir Formosante qu'à lui-même. La princesse ne répondit 360 qu'en donnant à son oiseau mille tendres baisers.

On préparait cependant[5] un grand festin pour les trois rois et pour tous les princes qui étaient venus à la fête. La fille et la nièce du roi devaient en faire les honneurs[6]. On portait chez les rois des présents dignes de la magnificence de Babylone. Bélus, en 365 attendant qu'on servît, assembla son conseil sur le mariage de la belle Formosante, et voici comme il parla en grand politique :

« Je suis vieux, je ne sais plus que faire, ni à qui donner ma fille. Celui qui la méritait n'est qu'un vil[7] berger, le roi des Indes et celui d'Égypte sont des poltrons[8] ; le roi des Scythes me convien-370 drait assez, mais il n'a rempli aucune des conditions imposées. Je vais encore consulter l'oracle. En attendant, délibérez, et nous conclurons suivant ce que l'oracle aura dit : car un roi ne doit se conduire que par l'ordre exprès des dieux immortels. »

Alors il va dans sa chapelle ; l'oracle lui répond en peu de mots, 375 suivant sa coutume : « Ta fille ne sera mariée que quand elle aura couru le monde. » Bélus, étonné, revient au conseil, et rapporte cette réponse.

Tous les ministres avaient un profond respect pour les oracles ; tous convenaient ou feignaient de convenir qu'ils étaient le

notes

1. **aimable** : digne d'être aimé.
2. **dame d'honneur** : personne attachée, à titre honorifique, à la compagnie de Formosante.
3. Métaphore satirique.
4. **faste** : richesses.
5. **cependant** : pendant ce temps.
6. **faire les honneurs** : recevoir.
7. **vil** : de condition sociale basse (sans nuance péjorative).
8. **poltrons** : peureux.

380 fondement de la religion ; que la raison doit se taire devant eux, que c'est par eux que les rois règnent sur les peuples, et les mages sur les rois ; que sans les oracles il n'y aurait ni vertu ni repos sur la terre. Enfin, après avoir témoigné la plus profonde vénération pour eux, presque tous conclurent que celui-ci était impertinent[1], qu'il ne fallait pas lui obéir ; que rien n'était plus indécent pour une fille, et surtout pour celle du grand roi de Babylone, que d'aller courir sans savoir où ; que c'était le vrai moyen de n'être point mariée, ou de faire un mariage clandestin, honteux et ridicule ; qu'en un mot cet oracle n'avait pas le sens commun.

390 Le plus jeune des ministres, nommé Onadase[2], qui avait plus d'esprit qu'eux, dit que l'oracle entendait[3] sans doute quelque pèlerinage de dévotion, et qu'il s'offrait à être le conducteur de la princesse. Le conseil revint à son avis[4], mais chacun voulut servir d'écuyer. Le roi décida que la princesse pourrait aller à trois cents parasanges sur le chemin de l'Arabie, à un temple dont le saint avait la réputation de procurer d'heureux mariages aux filles, et que ce serait le doyen du conseil qui l'accompagnerait. Après cette décision on alla souper.

III

Au milieu des jardins, entre deux cascades, s'élevait un salon 400 ovale de trois cents pieds de diamètre[5], dont la voûte d'azur semée d'étoiles d'or représentait toutes les constellations avec les planètes, chacune à leur véritable place, et cette voûte tournait, ainsi que le ciel, par des machines aussi invisibles que le sont celles qui dirigent les mouvements célestes. Cent mille flambeaux

notes

1. **impertinent :** qui ne convient pas.
2. **Onadase :** nom que Voltaire a peut-être formé sur les racines grecques *onos*, qui signifie « âne », et *dase*, « donner ».
3. **entendait :** voulait dire.
4. **revint à son avis :** fut de son avis.
5. **trois cents pieds de diamètre :** à peu près 100 m ; on peut toutefois s'interroger sur le diamètre d'une pièce ovale !

405 enfermés dans des cylindres de cristal de roche éclairaient les dehors et l'intérieur de la salle à manger. Un buffet en gradins[1] portait vingt mille vases ou plats d'or ; et vis-à-vis le buffet d'autres gradins étaient remplis de musiciens. Deux autres amphithéâtres étaient chargés, l'un, des fruits de toutes les 410 saisons ; l'autre, d'amphores de cristal où brillaient tous les vins de la terre.

Les convives prirent leurs places autour d'une table de compartiments[2] qui figuraient des fleurs et des fruits, tous en pierres précieuses. La belle Formosante fut placée entre le roi des Indes 415 et celui d'Égypte. La belle Aldée auprès du roi des Scythes. Il y avait une trentaine de princes, et chacun d'eux était à côté d'une des plus belles dames du palais. Le roi de Babylone au milieu, vis-à-vis de sa fille, paraissait partagé entre le chagrin de n'avoir pu la marier et le plaisir de la garder encore. Formosante lui 420 demanda la permission de mettre son oiseau sur la table à côté d'elle. Le roi le trouva très bon[3].

La musique, qui se fit entendre, donna une pleine liberté à chaque prince d'entretenir[4] sa voisine. Le festin parut aussi agréable que magnifique. On avait servi devant Formosante un 425 ragoût[5] que le roi son père aimait beaucoup. La princesse dit qu'il fallait le porter devant sa Majesté ; aussitôt l'oiseau se saisit du plat avec une dextérité merveilleuse[6] et va le présenter au roi. Jamais on ne fut plus étonné à souper. Bélus lui fit autant de caresses que sa fille. L'oiseau reprit ensuite son vol pour retourner auprès 430 d'elle. Il déployait en volant une si belle queue, ses ailes étendues étalaient tant de brillantes couleurs, l'or de son plumage jetait un éclat si éblouissant, que tous les yeux ne regardaient que lui. Tous les concertants[7] cessèrent leur musique et demeurèrent immo-

notes

1. **en gradins** : avec des étagères formées de petites marches.
2. **table de compartiments** : table ouvragée en marqueterie (mosaïque de divers bois) et incrustation de pierres précieuses.
3. **le trouva très bon** : approuva chaleureusement.
4. **entretenir** : parler avec.
5. **ragoût** : plat dont la sauce est relevée de manière à, littéralement, raviver le goût.
6. **merveilleuse** : étonnante.
7. **concertants** : musiciens qui participent au concert.

biles. Personne ne mangeait, personne ne parlait, on n'entendait
435 qu'un murmure[1] d'admiration. La princesse de Babylone le baisa pendant tout le souper, sans songer seulement s'il y avait des rois dans le monde. Ceux des Indes et d'Égypte sentirent redoubler leur dépit et leur indignation, et chacun d'eux se promit bien de hâter la marche de ses trois cent mille hommes pour se venger.

440 Pour le roi des Scythes, il était occupé à entretenir la belle Aldée : son cœur altier[2], méprisant sans dépit[3] les inattentions de Formosante, avait conçu pour elle plus d'indifférence que de colère. « Elle est belle, disait-il, je l'avoue ; mais elle me paraît de ces femmes qui ne sont occupées que de leur beauté, et qui
445 pensent que le genre humain doit leur être bien obligé[4] quand elles daignent se laisser voir en public. On n'adore point des idoles dans mon pays. J'aimerais mieux une laideron[5] complaisante[6] et attentive que cette belle statue. Vous avez, madame, autant de charmes qu'elle, et vous daignez au moins faire conver-
450 sation avec les étrangers. Je vous avoue, avec la franchise d'un Scythe, que je vous donne la préférence sur votre cousine. » Il se trompait pourtant sur le caractère de Formosante : elle n'était pas si dédaigneuse[7] qu'elle le paraissait ; mais son compliment fut très bien reçu de la princesse Aldée. Leur entretien devint fort
455 intéressant : ils étaient très contents[8], et déjà sûrs l'un de l'autre avant qu'on sortît de table.

Après le souper, on alla se promener dans les bosquets[9]. Le roi des Scythes et Aldée ne manquèrent pas de chercher un cabinet solitaire[10]. Aldée, qui était la franchise même, parla ainsi à ce
460 prince :

notes

1. **murmure** : commentaire fait à mi-voix par plusieurs personnes dans une circonstance particulière.
2. **altier** : fier.
3. **dépit** : déception.
4. **bien obligé** : reconnaissant.
5. **laideron** : femme laide (aujourd'hui, le mot est masculin, comme beaucoup de mots en -*on*).
6. **complaisante** : arrangeante.
7. **dédaigneuse** : méprisante.
8. **contents** : satisfaits.
9. **bosquets** : groupes d'arbres plantés de manière à composer des recoins de verdure.
10. **cabinet solitaire** : recoin isolé.

« Je ne hais point ma cousine, quoiqu'elle soit plus belle que moi, et qu'elle soit destinée au trône de Babylone : l'honneur de vous plaire me tient lieu d'attraits. Je préfère la Scythie avec vous à la couronne de Babylone sans vous ; mais cette couronne
465 m'appartient de droit, s'il y a des droits dans le monde : car je suis de la branche aînée de Nembrod, et Formosante n'est que de la cadette. Son grand-père détrôna le mien, et le fit mourir.

– Telle est donc la force du sang[1] dans la maison[2] de Babylone ! dit le Scythe. Comment s'appelait votre grand-père ? – Il se
470 nommait Aldée, comme moi. Mon père avait le même nom : il fut relégué au fond de l'empire avec ma mère ; et Bélus, après leur mort, ne craignant rien de moi, voulut bien m'élever auprès de sa fille ; mais il a décidé que je ne serais jamais mariée.

– Je veux venger votre père, et votre grand-père, et vous, dit le
475 roi des Scythes. Je vous réponds que[3] vous serez mariée ; je vous enlèverai après-demain de grand matin, car il faut dîner[4] demain avec le roi de Babylone, et je reviendrai soutenir[5] vos droits avec une armée de trois cent mille hommes. – Je le veux bien », dit la belle Aldée ; et, après s'être donné leur parole d'honneur, ils se
480 séparèrent.

Il y avait longtemps que l'incomparable Formosante s'était allée coucher. Elle avait fait placer à côté de son lit un petit oranger dans une caisse d'argent pour y faire reposer son oiseau. Ses rideaux[6] étaient fermés ; mais elle n'avait nulle envie de dormir.
485 Son cœur et son imagination étaient trop éveillés. Le charmant inconnu était devant ses yeux ; elle le voyait tirant une flèche avec l'arc de Nembrod ; elle le contemplait coupant la tête du lion ; elle récitait son madrigal ; enfin elle le voyait s'échapper de

notes

1. **la force du sang** : le pouvoir de la naissance.
2. **maison** : famille royale.
3. **Je vous réponds que** : je vous assure que.
4. **dîner** : repas pris au milieu de la journée, vers midi.
5. **soutenir** : défendre.
6. Les rideaux de son lit à baldaquin.

la foule, monté sur sa licorne ; alors elle éclatait en sanglots ; elle
490 s'écriait avec larmes : « Je ne le reverrai donc plus ; il ne reviendra pas.

– Il reviendra, madame, lui répondit l'oiseau du haut de son oranger ; peut-on vous avoir vue, et ne pas vous revoir ?

– Ô ciel ! ô puissances éternelles ! mon oiseau parle le pur
495 chaldéen[1] ! » En disant ces mots, elle tire ses rideaux, lui tend les bras, se met à genoux sur son lit : « Êtes-vous un dieu descendu sur la terre ? êtes-vous le grand Orosmade[2] caché sous ce beau plumage ? Si vous êtes un dieu, rendez-moi ce beau jeune homme.

500 – Je ne suis qu'un volatile, répliqua l'autre ; mais je naquis dans le temps que toutes les bêtes parlaient encore, et que les oiseaux, les serpents, les ânesses, les chevaux[3], et les griffons[4] s'entretenaient familièrement avec les hommes. Je n'ai pas voulu parler devant le monde, de peur que vos dames d'honneur ne me
505 prissent pour un sorcier : je ne veux me découvrir[5] qu'à vous. »

Formosante, interdite[6], égarée, enivrée de tant de merveilles[7], agitée de l'empressement de faire cent questions à la fois, lui demanda d'abord quel âge il avait. « Vingt-sept mille neuf cents ans et six mois, madame ; je suis de l'âge de la petite révolution[8]
510 du ciel que vos mages[9] appellent *la précession des équinoxes*[10] et qui s'accomplit en près de vingt-huit mille de vos années. Il y a des révolutions infiniment plus longues : aussi nous avons des êtres beaucoup plus vieux que moi. Il y a vingt-deux mille ans que

notes

1. Il est donc polyglotte comme son maître.
2. **Orosmade** : dieu des Jours et principe du Bien dans l'ancienne religion iranienne. En fait, c'est une référence à une doctrine de Zoroastre (VIIe-VIe s. av. J.-C.) que Voltaire prête aux Chaldéens.
3. Allusion à des animaux qui ont parlé dans de grands textes fondateurs, comme le serpent à Ève dans la *Genèse*.
4. **griffons** : animaux fabuleux à corps de lion et à tête et ailes d'aigle.
5. **découvrir** : faire connaître.
6. **interdite** : stupéfaite.
7. **merveilles** : choses étonnantes et presque surnaturelles.
8. **révolution** : rotation.
9. **mages** : cette fois, le mot n'a rien de péjoratif car les Chaldéens passaient pour d'excellents astronomes (*cf.* les Rois Mages).
10. ***précession des équinoxes*** : mouvement très lent de l'axe de rotation de la Terre, qui avance très légèrement le moment de l'équinoxe de printemps. Le mouvement complet prend 25 760 années. D'Alembert avait consacré des recherches à ce sujet – d'où l'utilisation de l'italique par Voltaire.

Gravure de Monceau d'après un dessin de Chavelat.

j'appris le chaldéen dans un de mes voyages[1]. J'ai toujours
515 conservé beaucoup de goût pour la langue chaldéenne ; mais les autres animaux mes confrères ont renoncé à parler dans vos climats. – Et pourquoi cela, mon divin oiseau ? – Hélas ! c'est parce que les hommes ont pris enfin[2] l'habitude de nous manger, au lieu de converser et de s'instruire avec nous. Les barbares ! ne
520 devaient-ils pas être convaincus qu'ayant les mêmes organes qu'eux, les mêmes sentiments, les mêmes besoins, les mêmes désirs, nous avions ce qui s'appelle *une âme*[3] tout comme eux ; que nous étions leurs frères, et qu'il ne fallait cuire et manger que les méchants ? Nous sommes tellement vos frères que le grand
525 Être, l'Être éternel et formateur[4], ayant fait un pacte avec les hommes[5], nous comprit expressément dans le traité. Il vous défendit de vous nourrir de notre sang, et à nous, de sucer le vôtre[6].

« Les fables de votre ancien Locman[7], traduites en tant de
530 langues, seront un témoignage éternellement subsistant de l'heureux commerce[8] que vous avez eu autrefois avec nous. Elles commencent toutes par ces mots : *Du temps que les bêtes parlaient.* Il est vrai qu'il y a beaucoup de femmes parmi vous qui parlent toujours à leurs chiens ; mais ils ont résolu de ne point répondre
535 depuis qu'on les a forcés à coups de fouet d'aller à la chasse, et d'être les complices du meurtre de nos anciens amis communs, les cerfs, les daims, les lièvres et les perdrix.

notes

1. Les Chaldéens seraient donc un peuple, selon Voltaire, extrêmement ancien.
2. **ont pris enfin** : ont fini par prendre.
3. Voltaire, conformément à la tradition biblique, pense que les animaux ont certaines capacités intellectuelles et affectives (*cf. Dictionnaire philosophique*, article « Bête »). En cela, il s'oppose à Descartes et à sa théorie des animaux-machines.
4. Voltaire, déiste et adversaire des catholiques, répugne à qualifier Dieu de « créateur ».
5. « *Voyez le chap. 9 de la* Genèse, *et les chap. 3, 18 et 19 de l'*Ecclésiaste. » (Note de Voltaire.)
6. Dans les passages de la Bible mentionnés par Voltaire, la mort d'un animal est assimilée à la mort d'un homme. Ce dernier peut en consommer la chair mais pas le sang, censé contenir l'âme de la bête.
7. Locman, personnage légendaire, cité dans le Coran et à qui sont attribuées certaines fables d'Ésope.
8. **heureux commerce** : relations agréables.

« Vous avez encore d'anciens poèmes[1] dans lesquels les chevaux parlent, et vos cochers leur adressent la parole tous les
540 jours ; mais c'est avec tant de grossièreté, et en prononçant des mots si infâmes, que les chevaux, qui vous aimaient tant autrefois, vous détestent aujourd'hui.

« Le pays où demeure votre charmant inconnu, le plus parfait des hommes, est demeuré le seul où votre espèce sache encore
545 aimer la nôtre et lui parler ; et c'est la seule contrée de la terre où les hommes soient justes.

– Et où est-il ce pays de mon cher inconnu ? quel est le nom de ce héros ? comment se nomme son empire ? car je ne croirai pas plus qu'il est un berger que je ne crois que vous êtes une
550 chauve-souris.

passage analysé

– Son pays, madame, est celui des Gangarides[2], peuple vertueux et invincible qui habite la rive orientale du Gange[3]. Le nom de mon ami est Amazan[4]. Il n'est pas roi, et je ne sais même s'il voudrait s'abaisser à l'être ; il aime trop ses compatriotes : il est
555 berger comme eux. Mais n'allez pas vous imaginer que ces bergers ressemblent aux vôtres, qui, couverts à peine de lambeaux déchirés, gardent des moutons infiniment mieux habillés qu'eux ; qui gémissent sous le fardeau de la pauvreté, et qui payent à un exacteur[5] la moitié des gages chétifs[6] qu'ils
560 reçoivent de leurs maîtres. Les bergers gangarides, nés tous égaux, sont les maîtres des troupeaux innombrables qui couvrent leurs prés éternellement fleuris. On ne les tue jamais : c'est un crime horrible vers le Gange de tuer et de manger son semblable. Leur laine, plus fine et plus brillante que la plus belle soie[7], est le plus
565 grand commerce de l'Orient. D'ailleurs la terre des Gangarides

notes

1. Allusion au chant XIX de l'*Iliade*, où Xanthe, le cheval d'Achille, prédit la mort de son maître.
2. **Gangarides** : habitants des bords du Gange.
3. **Gange** : fleuve d'Inde qui prend sa source dans l'Himalaya. Voltaire, dans son *Essai sur les mœurs,* fait de cette région très anciennement peuplée la plus heureuse de la Terre car l'abondance des fruits dispense les hommes de chasser. Mais la propriété existe puisque Amazan possède une mine de diamants.
4. **Amazan** : le nom est formé sur le verbe latin *amare*, « aimer ». Amazan est, au sens littéral, « fait pour aimer ».
5. **exacteur** : agent des impôts.
6. **gages chétifs** : maigres salaires.
7. Il s'agit du cachemire.

produit tout ce qui peut flatter les désirs de l'homme. Ces gros diamants qu'Amazan a eu l'honneur de vous offrir sont d'une mine qui lui appartient. Cette licorne que vous l'avez vu monter est la monture ordinaire des Gangarides. C'est le plus bel animal, 570 le plus fier, le plus terrible[1], et le plus doux qui orne la terre. Il suffirait de cent Gangarides et de cent licornes pour dissiper des armées innombrables. Il y a environ deux siècles qu'un roi des Indes fut assez fou pour vouloir conquérir cette nation : il se présenta suivi de dix mille éléphants et d'un million de guerriers. 575 Les licornes percèrent les éléphants[2], comme j'ai vu sur votre table des mauviettes[3] enfilées dans des brochettes d'or. Les guerriers tombaient sous le sabre des Gangarides comme les moissons de riz sont coupées par les mains des peuples de l'Orient. On prit le roi prisonnier avec plus de six cent mille 580 hommes. On le baigna dans les eaux salutaires du Gange[4] ; on le mit au régime du pays, qui consiste à ne se nourrir que de végétaux prodigués par la nature pour nourrir tout ce qui respire[5]. Les hommes alimentés de carnage[6] et abreuvés de liqueurs[7] fortes ont tous un sang aigri et aduste[8] qui les rend fous 585 en cent manières différentes. Leur principale démence est la fureur[9] de verser le sang de leurs frères, et de dévaster des plaines fertiles pour régner sur des cimetières. On employa six mois entiers à guérir le roi des Indes de sa maladie. Quand les médecins eurent enfin jugé qu'il avait le pouls plus tranquille et l'esprit plus 590 rassis[10], ils en donnèrent le certificat au conseil des Gangarides. Ce conseil, ayant pris l'avis des licornes, renvoya humainement le roi des Indes, sa sotte cour et ses imbéciles guerriers dans leur pays.

passage analysé

notes

1. **terrible** : qui inspire de la terreur.
2. Leur corne unique, dans la tradition légendaire, leur confère un considérable pouvoir offensif.
3. **mauviettes** : alouettes grasses et bonnes à manger.
4. Le Gange est un fleuve sacré pour les Hindous qui s'y baignent rituellement pour se purifier. Ici, Voltaire fait de cette pratique religieuse une cure médicale.
5. Les Hindous sont végétariens.
6. **carnage** : viande.
7. **liqueurs** : vins.
8. **aduste** : brûlé.
9. **fureur** : désir très violent.
10. **rassis** : assagi.

passage analysé

Cette leçon les rendit sages, et, depuis ce temps, les Indiens respectèrent les Gangarides, comme les ignorants qui voudraient s'instruire respectent parmi vous les philosophes chaldéens, qu'ils ne peuvent égaler. – À propos, mon cher oiseau, lui dit la princesse, y a-t-il une religion chez les Gangarides ?[1] – S'il y en a une ? Madame, nous nous assemblons pour rendre grâces à Dieu[2], les jours de la pleine lune, les hommes dans un grand temple de cèdre, les femmes dans un autre, de peur des distractions ; tous les oiseaux dans un bocage[3], les quadrupèdes sur une belle pelouse. Nous remercions Dieu de tous les biens qu'il nous a faits. Nous avons surtout des perroquets qui prêchent[4] à merveille.

« Telle est la patrie de mon cher Amazan ; c'est là que je demeure ; j'ai autant d'amitié pour lui qu'il vous a inspiré d'amour. Si vous m'en croyez, nous partirons ensemble, et vous irez lui rendre sa visite.

– Vraiment, mon oiseau, vous faites là un joli métier, répondit en souriant la princesse, qui brûlait d'envie de faire le voyage, et qui n'osait le dire. – Je sers mon ami, dit l'oiseau ; et après le bonheur de vous aimer, le plus grand est celui de servir vos amours. »

Formosante ne savait plus où elle en était ; elle se croyait transportée hors de la terre. Tout ce qu'elle avait vu dans cette journée, tout ce qu'elle voyait, tout ce qu'elle entendait, et surtout ce qu'elle sentait dans son cœur, la plongeait dans un ravissement qui passait[5] de bien loin celui qu'éprouvent aujourd'hui les fortunés[6] musulmans quand, dégagés de leurs liens terrestres[7], ils se voient dans le neuvième ciel[8] entre les bras

notes

1. *Cf.* le chapitre XVIII de *Candide*, où la même question est posée.
2. Voltaire expose sa conception d'une religion sans clergé ni rites.
3. **bocage** : lieu ombragé.
4. **prêchent** : enseignent la parole de Dieu.
5. **passait** : dépassait.
6. **fortunés** : qui ont de la chance.
7. **dégagés de leurs liens terrestres** : morts.
8. **neuvième ciel** : paradis pour les musulmans. Dans son *Essai sur les mœurs*, Voltaire précise qu'il apprécie que, dans la religion musulmane, les plaisirs des sens restent après la mort.

de leurs houris[1], environnés et pénétrés de la gloire[2] et de la félicité[3] célestes.

suite, p. 91

Émilie du Chatelet (1706-1749) par Marianne Loir. La Marquise, femme de lettres érudite, fut la maîtresse et amie de Voltaire.

notes

1. **houris :** beautés célestes « *aux grands yeux noirs* » que le Coran promet aux fidèles dans le paradis d'Allah.
2. **gloire :** lumière.
3. **félicité :** bonheur divin.

Une utopie orientale

Lecture analytique de l'extrait, p. 72, l. 551, à p. 74, l. 604.

Dans cet extrait du chapitre III, la princesse de Babylone, Formosante, n'a pas encore entrepris sa course à travers le monde, à la recherche de son bien-aimé, le bel Amazan. Ce dernier, dont l'apparition est quasi surnaturelle, a réussi sans faillir, là où les autres ont échoué, *« les brillantes épreuves »* que Bélus, roi de Babylone, avait organisées pour désigner lequel des trois prétendants officiels – le roi des Indes, le roi des Scythes ou le roi d'Égypte – épouserait sa fille. Rappelé auprès de son père mourant, le jeune homme part sans s'être dévoilé davantage mais laisse à la belle princesse, qui a su toucher son cœur, un précieux cadeau : le bel oiseau qui ne le quitte jamais. Un soir que celle-ci se désespère en rêvant à l'inconnu qu'elle pense ne pas revoir, le phénix, ému de sa douleur, prend la parole. Émerveillée par ce don et trouvant là un moyen d'en savoir plus sur celui qu'elle aime, Formosante l'interroge sur le pays d'où vient *« le plus parfait des hommes »*.

L'évocation de la *« nation »* des Gangarides est l'occasion, pour Voltaire, de présenter, dix ans après *Candide*, un modèle utopique, certes moins élaboré que celui de l'Eldorado, mais qui n'est pas sans points communs avec lui. Le philosophe ne se prive pas non plus d'un certain pittoresque oriental, qu'il utilise à sa façon, c'est-à-dire avec fantaisie et humour. Les idées qui affleurent n'en montrent pas moins la permanence de l'idéal de l'auteur au cours de sa longue vie.

Inscrite dans un conte oriental, l'utopie qui nous est proposée emprunte un certain nombre d'éléments à cet univers. Pourtant, les valeurs sur lesquelles elle repose sont bien celles des philosophes des Lumières. En creux se révèle une critique sans concession des institutions et de la société françaises.

Extrait, p. 72, l. 551, à p. 74, l. 604.

L'utopie orientale : les éléments du merveilleux*

❶ Relevez tous les mots qui indiquent des lieux. Quelle est l'importance de la situation géographique ?
❷ Quels éléments montrent aussi que cette société est hors du temps ?
❸ Relevez tous les animaux mentionnés dans ce passage. De quelles manières différentes sont-ils valorisés ?
❹ Quelle part ces animaux prennent-ils dans la mise en place du merveilleux ?
❺ Commentez le rôle des chiffres et des quantités dans l'extrait.
❻ Montrez que les Gangarides ont des qualités surhumaines. Quels procédés d'expression les mettent en valeur ?

Les valeurs sur lesquelles repose la société des Gangarides

❼ Quelle est la place des richesses matérielles ? Relevez tous les passages qui y font allusion. Montrez que, conformément aux idées de Voltaire, elles sont liées à la perfection morale ?
❽ Comment le fait que les Gangarides soient végétariens est-il exploité au service d'un idéal plus large ?
❾ Quelle est la valeur de « *on* » dans le passage qui concerne la « rééducation » du roi des Indes (l. 572-592) ? Relevez des expressions qui vont dans le même sens. Quelle valeur fondamentale des philosophes du XVIIIe siècle est ainsi mise en lumière ?
❿ En quoi la seule question posée par Formosante dans cet extrait est-elle importante ?
⓫ Relevez et commentez tous les éléments qui font de la tolérance et du respect des autres des éléments essentiels de cette utopie ?

* *Cf.* Lexique.

La critique implicite* de la société française

⓬ À travers l'allusion aux bergers du pays de Formosante, quels manques de la société française sont mis en évidence ?
⓭ Quel sens prennent alors les allusions à la nourriture ?
⓮ Quel défaut des hommes le roi des Indes représente-t-il ?
⓯ Quelle explication fantaisiste Voltaire avance-t-il pour justifier la folie des hommes ? Quels termes péjoratifs renvoient à leur manque de bon sens ?
⓰ Quels sont les arguments utilisés pour dénoncer la guerre ?
⓱ Au début de l'extrait, quels aspects de la monarchie sont critiqués et de quelle manière ?
⓲ Quelle critique suggère l'image finale des « *perroquets* » ?
⓳ Pourquoi peut-on dire que le phénix est le porte-parole de Voltaire ?

* *Cf.* Lexique.

Utopies

Lectures croisées et travaux d'écriture

L'origine du mot *utopie* laisse planer un doute sur le sens du préfixe grec utilisé : s'agit-il du « pays où tout est bien » (*eu*, « bien », et *topos*, « lieu ») ou du « pays qui n'existe pas » (*ou*, « non », et *topos*, « lieu ») ? Quoi qu'il en soit, cette incertitude donne la clé du concept : ce pays idéal est aussi condamné à ne pas exister.
Le motif de l'utopie puise ses sources dans l'Antiquité, avec notamment Platon qui décrit la cité au système politique idéal dans *La République* et reprend le mythe de l'Atlantide dans *Critias*. Puis il apparaît dans la littérature moderne, au XVIe siècle, chez Thomas More. Ce dernier mêle étroitement description, narration et argumentation et montre, une nouvelle fois, que la littérature se plaît à côtoyer le politique. C'est particulièrement le cas, au siècle de Voltaire, où les modèles utopiques abondent et présentent des schémas qui prennent à contre-pied la société et les institutions de l'époque. Mais le genre a évolué dans le temps : si les modèles les plus anciens d'utopies présentaient un univers d'ordre et d'harmonie, sans lien réel avec le contexte politique, à partir de la fin du XIXe siècle, l'utopie irait plutôt voir du côté de l'anticipation d'un monde idéal mais aussi cauchemardesque.

Texte A : Extrait du chapitre III de *La Princesse de Babylone* de Voltaire (p. 72, l. 551, à p. 74, l. 604)

Texte B : Thomas More, *Utopie*

Rédigé en latin, le roman politique et social de l'homme d'État anglais Thomas More (1478-1535) est imprégné des principes humanistes. L'auteur met en place une société imaginaire, située de manière significative dans l'île de Nulle-Part (Utopia) : la justice et l'égalité règnent au sein d'une population qui a renoncé à la propriété individuelle et à l'argent. Malgré l'utilisation prudente de la fiction*, les idées de saint Thomas More, ancien

* *Cf.* Lexique

chancelier du royaume, sont perçues comme une critique des institutions et de la société de son temps et dérangent. Cela lui vaudra d'être condamné à mort par le roi Henri VIII et décapité. C'est le grand penseur humaniste, Érasme, ami de More, qui se chargera de publier l'œuvre.

Chacun est libre d'occuper à sa guise les heures comprises entre le travail, le sommeil et les repas – non pour les gâcher dans les excès et la paresse, mais afin que tous, libérés de leur métier, puissent s'adonner à quelque bonne occupation de leur choix. La plupart consacrent ces heures de loisir à l'étude. Chaque jour, en effet, des leçons accessibles à tous ont lieu avant le début du jour, obligatoires pour ceux-là seulement qui ont été personnellement destinés aux lettres. Mais, venus de toutes les professions, hommes et femmes y affluent librement, chacun choisissant la branche d'enseignement qui convient le mieux à sa forme d'esprit. Si quelqu'un préfère consacrer ses heures libres, de surcroît, à son métier, comme c'est le cas pour beaucoup d'hommes qui ne sont tentés par aucune science, par aucune spéculation, on ne l'en détourne pas. Bien au contraire, on le félicite de son zèle à servir l'État.

Après le repas du soir, on passe une heure à jouer, l'été dans les jardins, l'hiver dans les salles communes qui servent aussi de réfectoire ; on y fait de la musique, on se distrait en causant. Les Utopiens ignorent complètement les dés et tous les jeux de ce genre, absurdes et dangereux. Mais ils pratiquent deux divertissements qui ne sont pas sans ressembler aux échecs. L'un est une bataille de nombres où la somme la plus élevée est victorieuse ; dans l'autre, les vices et les vertus s'affrontent en ordre de bataille [...].

Arrivés à ce point, il nous faut, pour nous épargner une erreur, considérer attentivement une objection. Si chacun ne travaille que six heures, penserez-vous, ne risque-t-on pas inévitablement de voir une pénurie d'objets de première nécessité ?

Bien loin de là : il arrive souvent que cette courte journée de travail produise non seulement en abondance, mais même avec excès, tout ce qui est indispensable à l'entretien et au confort de la vie. Vous me comprendrez aisément si vous voulez bien penser à l'importante fraction de la population qui reste inactive chez les autres peuples, la presque totalité des femmes d'abord, la moitié de l'humanité ; ou bien, là où les femmes travaillent, ce sont les hommes qui ronflent à leur place. Ajoutez à cela la troupe des prêtres et de ceux qu'on appelle les religieux, combien nombreuse et combien oisive ! Ajoutez-y leur valetaille[1], cette lie de faquins[2] en armes ; et les mendiants robustes et bien portants qui inventent une infirmité pour couvrir leur paresse. Et vous trouverez, bien moins nombreux que vous ne l'aviez cru, ceux dont le travail procure ce dont les hommes ont besoin.

Thomas More, *Utopie*, 1516, extrait du livre second, trad. de Marie Delcourt, Flammarion, 1966.

1. **valetaille** : troupe de valets (péjoratif).
2. **cette lie de faquins** : les plus méprisables hommes de rien.

Texte C : François Rabelais, *Gargantua*

François Rabelais (v. 1494-1553), moine humaniste, médecin réputé et écrivain de premier plan, est l'auteur des chroniques hautes en couleur et profondément humanistes de* Pantagruel *et* Gargantua, *géants aux aventures extraordinaires. L'abbaye de Thélème (étymologiquement « abbaye du bon vouloir ») est offerte par Gargantua à Frère Jean pour le récompenser de son aide dans la guerre contre Picrochole. C'est un lieu idéal, mais non sans contradictions, dont l'architecture, qui ressemble fort à celle du château de Chambord, alors en construction, en fait l'emblème de la Renaissance.

Toute leur vie était employée non par lois, statuts ou règles, mais selon leur vouloir et franc arbitre[1]. Se levaient du lit quand bon leur semblait : buvaient, mangeaient, travaillaient, dormaient quand le désir leur venait. Nul ne les éveillait, nul ne les parforçait ni à boire ni à manger, ni à faire chose autre quelconque. Ainsi l'avait établi Gargantua. En leur règle n'était que cette clause : Fais ce que voudras. Parce que gens libères[2], bien nés, bien instruits, conversant[3] en compagnie honnête[4], ont par nature un instinct et aiguillon, qui toujours les pousse à faits vertueux et retire de vice, lequel ils nommaient honneur. Iceux, quand par vile sujétion et contrainte sont déprimés et asservis, détournent la noble affection[5], par laquelle à vertu franchement tendaient, à déposer et enfreindre ce joug de servitude. Car nous entreprenons toujours choses défendues et convoitons ce qui nous est dénié.

Par cette liberté entrèrent en louable émulation de faire tout ce qu'à un seul voyaient plaire. Si quelqu'un ou quelqu'une disait : « Buvons », tous buvaient ; si disait : « Jouons », tous jouaient ; si disait : « Allons à l'ébat[6] aux champs », tous y allaient. Si c'était pour voler[7], ou chasser, les dames, montées sur belles hacquenées[8] avec leur palefroi gourrier[9], sur le poing mignonnement engantelé portaient chacune ou un épervier, ou un laneret[10], ou un émerillon[11]. Les hommes portaient les autres oiseaux.

Tant noblement étaient appris qu'il n'était entre eux celui ni celle qui ne sut lire, écrire, chanter, jouer d'instruments harmonieux, parler cinq ou six langages, et en iceux composer tant en carme[12], que en oraison solue[13]. Jamais ne furent vus chevaliers tant preux, tant galants, tant dextres[14] à pied et à cheval, plus vers[15], mieux remuant, mieux maniant tous bâtons[16], que là étaient. Jamais ne furent vues dames tant propres, tant mignonnes, moins fâcheuses, plus doctes à la main, à l'aiguille, à tout acte muliébre[17] honnête et libère, que là étaient.

Par cette raison, quand le temps venu était que aucun d'icelle abbaye, ou à la requête de ses parents, ou pour autres causes, voulut issir[18] hors, avec soi emmenait une des dames, celle laquelle l'aurait pris pour son dévôt[19], et étaient ensemble mariés. Et si bien avaient vécu à Thélème en dévotion et amitié, encore mieux la continuaient-ils en mariage : d'autant se entr'aimaient-ils à la fin de leurs jours comme le premier de leurs noces.

François Rabelais, *Gargantua*, extrait du chapitre LVII, 1534 (orthographe modernisée).

1. **franc arbitre** : libre arbitre, volonté (sens étymologique du grec *thélêma*).
2. **libères** : libres et ayant de bons penchants.
3. **conversant** : du latin *conversare*, « se trouver habituellement avec ».
4. **honnête** : noble (du latin *honestus*).
5. **affection** : mouvement de l'âme.
6. **ébat** : amusement ; par extension, jeu amoureux.
7. **voler** : chasser avec des oiseaux de volerie, de proie.
8. **hacquenées** : juments paisibles, montures des dames.
9. **palefroi gourrier** : cheval de promenade.
10. **laneret** : faucon mâle dressé pour la chasse.
11. **émerillon** : petit faucon.
12. **carme** : vers.
13. **oraison solue** : prose.
14. **dextres** : adroits.
15. **vers** : vigoureux.
16. **bâtons** : armes.
17. **muliébre** : féminin.
18. **issir** : sortir.
19. **dévôt** : ami, au sens premier du terme.

Texte D : Marivaux, *L'Île des esclaves*

Dans **L'Île des esclaves*****, Marivaux (1688-1763), dramaturge et romancier, fait du théâtre le moyen d'inventer de nouvelles relations humaines. Cette pièce en un acte reçut l'accueil le plus chaleureux jamais réservé à une pièce de Marivaux de son vivant. Le point de départ en est simple : un naufrage conduit deux couples de personnages sur une île où la hiérarchie sociale est inversée, les anciens esclaves devenant les maîtres tandis que les maîtres découvrent la servitude. Sur cette île utopique, la parole est donnée à l'humanité bafouée, manière de rappeler le caractère relatif de la hiérarchie***

sociale, l'inconscience des puissants, et de désacraliser un pouvoir hérité plus que mérité.

TRIVELIN. Ne m'interrompez point, mes enfants. Je pense donc que vous savez qui nous sommes. Quand nos pères irrités de la cruauté de leurs maîtres quittèrent la Grèce et vinrent s'établirent ici, dans le ressentiment des outrages qu'ils avaient reçus de leurs patrons, la première loi qu'ils y firent, fut d'ôter la vie à tous les maîtres que le hasard ou le naufrage conduirait dans leur île, et conséquemment de rendre la liberté à tous les esclaves : la vengeance avait dicté cette loi ; vingt ans après la raison l'abolit, et en dicta une plus douce. Nous ne nous vengeons plus de vous, nous vous corrigeons ; ce n'est plus votre vie que nous poursuivons, c'est la barbarie de vos cœurs que nous voulons détruire ; nous vous jetons dans l'esclavage, pour vous rendre sensibles aux maux qu'on y éprouve ; nous vous humilions, afin que, nous trouvant superbes[1], vous vous reprochiez de l'avoir été. Votre esclavage, ou plutôt votre cours d'humanité dure trois ans, au bout desquels on vous renvoie, si vos maîtres sont contents de vos progrès : et si vous ne devenez pas meilleurs, nous vous retenons par charité pour les nouveaux malheureux que vous iriez faire encore ailleurs ; et par bonté pour vous, nous vous marions avec une de nos citoyennes. Ce sont là nos lois à cet égard, mettez à profit leur rigueur salutaire. Remerciez le sort qui vous conduit ici ; il vous remet en nos mains, durs, injustes et superbes. Vous voilà en mauvais état, nous entreprenons de vous guérir ; vous êtes moins nos esclaves que nos malades, et nous ne prenons que trois ans pour vous rendre sains, c'est-à-dire humains, raisonnables, et généreux pour toute votre vie.

Marivaux, *L'Île des esclaves*, extrait de la scène 2, 1725.

1. **superbes** : orgueilleux.

Texte E : Voltaire, *Candide*

Candide *est le conte philosophique de Voltaire le plus célèbre, sans doute parce qu'il est le plus abouti et le plus brillant. Le philosophe dénonce l'optimisme, c'est-à-dire la doctrine selon laquelle* « tout est au mieux » . Cette doctrine, *inspirée par la philosophie de Leibniz, est professée dans le conte par Pangloss, le précepteur du héros éponyme. *Mais les aventures de Candide à travers le monde ne cessent d'apporter de cruels démentis à ses illusions. Le Mal est omniprésent ; cependant, alors qu'il est en Amérique du Sud, accompagné de son valet Cacambo, Candide arrive par hasard et après de nombreuses difficultés dans le pays fabuleux d'Eldo-***

* *Cf.* Lexique

rado. S'il s'agit, à l'évidence, du* « meilleur des mondes possibles », *les personnages ne s'y installeront pourtant pas. Ce paradis utopique, situé au milieu du conte, n'est qu'une étape dans la trajectoire qui mènera enfin le héros à* « la métairie », *paradis modeste mais à la mesure de l'homme.

Candide et Cacambo montent en carrosse ; les six moutons volaient, et en moins de quatre heures on arriva au palais du roi, situé à un bout de la capitale. Le portail était de deux cent vingt pieds de haut, et de cent de large ; il est impossible d'exprimer quelle en était la matière. On voit assez quelle supériorité prodigieuse elle devait avoir sur ces cailloux et sur ce sable que nous nommons or et pierreries.
Vingt belles filles de la garde reçurent Candide et Cacambo à la descente du carrosse, les conduisirent aux bains, les vêtirent de robes d'un tissu de duvet de colibri ; après quoi les grands officiers et les grandes officières de la couronne les menèrent à l'appartement de Sa Majesté au milieu de deux files, chacune de mille musiciens, selon l'usage ordinaire. Quand ils approchèrent de la salle du trône, Cacambo demanda à un grand officier comment il fallait s'y prendre pour saluer Sa Majesté : si on se jetait à genoux ou ventre à terre ; si on mettait les mains sur la tête ou sur le derrière ; si on léchait la poussière de la salle ; en un mot, quelle était la cérémonie. « L'usage, dit le grand officier, est d'embrasser[1] le roi et de le baiser des deux côtés. » Candide et Cacambo sautèrent au cou de Sa Majesté, qui les reçut avec toute la grâce imaginable, et qui les pria poliment à souper.
En attendant, on leur fit voir la ville, les édifices publics élevés jusqu'aux nues, les marchés ornés de mille colonnes, les fontaines d'eau pure, les fontaines d'eau rose, celles de liqueurs de canne de sucre qui coulaient continuellement dans de grandes places, pavées d'une espèce de pierreries qui répandaient une odeur semblable à celle du gérofle et de la cannelle. Candide demanda à voir la cour de justice, le parlement ; on lui dit qu'il n'y en avait point, et qu'on ne plaidait jamais. Il s'informa s'il y avait des prisons, et on lui dit que non. Ce qui le surprit davantage, et qui lui fit le plus de plaisir, ce fut le palais des sciences, dans lequel il vit une galerie de deux mille pas, toute pleine d'instruments de mathématique et de physique.

Voltaire, *Candide*, extrait du chapitre XVIII, 1759.

1. embrasser : prendre dans les bras.

Texte F : Saint-Just, *Fragment sur les institutions républicaines*

Saint-Just (1767-1794), conventionnel et membre du Comité de salut public, est une des figures marquantes de la Révolution française. Par rapport aux autres orateurs de la période, comme Robespierre, Mirabeau ou Danton, il se distingue par son laconisme et son refus de l'usage systématique des figures de style : c'est, par exemple, le premier à prononcer à la Convention le mot* guillotine, *toujours désigné jusqu'alors par l'euphémique* glaive de la loi. *C'est d'ailleurs par elle qu'il meurt, aux côtés de Robespierre dont il était le fidèle partisan. Dans le texte qui suit, il développe avec rigueur un idéal républicain utopique.

Les institutions sont la garantie du gouvernement d'un peuple libre contre la corruption des mœurs, et la garantie du peuple et du citoyen contre la corruption du gouvernement.

Les institutions ont pour objet de mettre dans le citoyen, et dans les enfants mêmes, une résistance légale et facile à l'injustice ; de forcer les magistrats et la jeunesse à la vertu ; de donner le courage et la frugalité aux hommes ; de les rendre justes et sensibles ; de les lier par des rapports généreux ; de mettre ces rapports en harmonie, en soumettant le moins possible aux lois de l'autorité les rapports domestiques et la vie privée du peuple ; de mettre l'union dans les familles, l'amitié parmi les citoyens ; de mettre l'intérêt public à la place de tous les autres intérêts ; d'étouffer les passions criminelles ; de rendre la nature et l'innocence, la passion de tous les cœurs, et de former une patrie.

Les institutions sont la garantie de la liberté publique ; elles moralisent le gouvernement et l'état civil ; elles répriment les jalousies, qui produisent les factions ; elles établissent la distinction délicate de la vérité et de l'hypocrisie, de l'innocence et du crime ; elles assoient le règne de la justice.

Sans institutions, la force d'une république repose ou sur le mérite des fragiles mortels, ou sur des moyens précaires.

C'est pourquoi, de tout temps, la politique des voisins d'un peuple libre, s'ils étaient jaloux de sa prospérité, s'est efforcée de corrompre ou de faire proscrire les hommes dont les talents ou les vertus pouvaient être utiles à leur pays.

Scipion[1] fut accusé ; il se disculpa, en opposant sa vie entière à ses accusateurs : il fut assassiné bientôt après. Ainsi les Gracques[2] moururent ; ainsi Démosthène[3] expira aux pieds de la statue des dieux ; ainsi l'on immola Sidney[4], Barneveldt[5] ; ainsi finirent tous ceux qui se sont rendus redoutables par un courage incorruptible. Les grands hommes ne meurent point dans leur lit.

C'est pourquoi l'homme qui a sincèrement réfléchi sur les causes de la décadence des empires s'est convaincu que leur solidité n'est point dans leurs défenseurs, toujours enviés, toujours perdus, mais dans les institutions immortelles, qui sont impassibles et à l'abri de la témérité des factions.

Saint-Just, *Fragment sur les institutions républicaines*, extrait du « Premier fragment : préambule », 1800 (publication posthume).

1. Scipion : famille de l'ancienne Rome qui a donné beaucoup de consuls.
2. les Gracques : tribuns et orateurs du IIe siècle avant J.-C., dont la famille, issue du peuple, était parvenue à la noblesse grâce à la magistrature. La noblesse fomenta des troubles et Tiberius fut assassiné, tandis que son frère Caius fut massacré avec ses partisans.
3. Démosthène (384-322 av. J.-C.), le plus célèbre des orateurs athéniens, s'opposa inlassablement à Philippe de Macédoine qui voulait asservir sa patrie ; exilé puis réfugié sur l'île de Calaurie, il s'empoisonna.
4. Sidney : homme d'État et écrivain anglais du XVIe siècle.
5. Jean Oldenbarnevelt (1547-1619), grand pensionnaire de Hollande et magistrat intègre, fut l'un des fondateurs de la république des Provinces-Unies. Condamné comme hérétique puis pour avoir livré son pays aux Espagnols, il mourut sur l'échafaud à l'âge de 70 ans.

Texte G : Jules Verne, *Les Cinq Cents Millions de la Bégum*

Dans ce roman de Jules Verne (1828-1905), auteur d'œuvres d'anticipation, le docteur Sarrasin, pour employer au mieux une donation considérable offerte par la Bégum, une riche Indienne, construit en Californie, selon un modèle scientifique, la cité parfaite de France-Ville. Parallèlement, le professeur Schultze, personnage diabolique, construit en Allemagne une Cité de l'Acier aux caractéristiques négatives, dotée d'un canon géant destiné à détruire France-Ville. On le comprend, l'œuvre est marquée par le souvenir revanchard de la guerre de 1870. L'extrait qui suit est un article de revue qui fait l'éloge d'une expérience sanitaire menée à France-Ville.

Et d'abord le plan de la ville est essentiellement simple et régulier, de manière à pouvoir se prêter à tous les développements. Les rues, croisées à angles droits, sont tracées à distances égales, de largeur uniforme, plantées d'arbres et désignées par des numéros d'ordre.

De demi-kilomètre en demi-kilomètre, la rue, plus large d'un tiers, prend le nom de boulevard ou avenue, et présente sur un de ses côtés une tranchée à découvert pour les tramways et chemins de fer métropolitains. À tous les carrefours, un jardin public est réservé et orné de belles copies des chefs-d'œuvre de la sculpture, en attendant que les artistes de

France-Ville aient produit des morceaux originaux dignes de les remplacer.
Toutes les industries et tous les commerces sont libres.
Pour obtenir le droit de résidence à France-Ville, il suffit, mais il est nécessaire de donner de bonnes références, d'être apte à exercer une profession utile ou libérale, dans l'industrie, les sciences ou les arts, de s'engager à observer les lois de la ville. Les existences oisives n'y seraient pas tolérées. [...]
Inutile de dire que les enfants sont astreints dès l'âge de quatre ans à suivre les exercices intellectuels et physiques, qui peuvent seuls développer leurs forces cérébrales et musculaires. On les habitue tous à une propreté si rigoureuse, qu'ils considèrent une tache sur leurs habits comme un déshonneur véritable.
Cette question de la propreté individuelle et collective est du reste la préoccupation capitale des fondateurs de France-Ville. Nettoyer, nettoyer sans cesse, détruire et annuler aussitôt qu'ils sont formés les miasmes qui émanent constamment d'une agglomération humaine, telle est l'œuvre principale du gouvernement central. À cet effet, les produits des égouts sont centralisés hors de la ville, traités par des procédés qui en permettent la condensation et le transport quotidien dans les campagnes.
L'eau coule partout à flots. Les rues, pavées de bois bitumé, et les trottoirs de pierre sont aussi brillants que le carreau d'une cour hollandaise. Les marchés alimentaires sont l'objet d'une surveillance incessante, et des peines sévères sont appliquées aux négociants qui osent spéculer sur la santé publique. Un marchand qui vend un œuf gâté, une viande avariée, un litre de lait sophistiqué[1] est tout simplement traité comme un empoisonneur qu'il est. Cette police sanitaire, si nécessaire et si délicate, est confiée à des hommes expérimentés, à de véritables spécialistes, élevés à cet effet dans les écoles normales.
Leur juridiction s'étend jusqu'aux blanchisseries mêmes, toutes établies sur un grand pied, pourvues de machines à vapeur, de séchoirs artificiels et surtout de chambres désinfectantes. Aucun linge de corps ne revient à son propriétaire sans avoir été véritablement blanchi à fond, et un soin spécial est pris de ne jamais réunir les envois de deux familles distinctes. Cette simple précaution est d'un effet incalculable.

Jules Verne, *Les Cinq Cents Millions de la Bégum*, extrait du chapitre X, 1879.

1. **sophistiqué :** falsifié, trafiqué.

Document : Claude-Nicolas Ledoux, *Vue générale de la ville de Chaux* (1804)

Esquissée, pensée dès 1773, dessinée, modifiée et perfectionnée jusqu'à la fin de sa vie, la ville idéale de Chaux a toujours été le rêve secret de l'architecte Claude-Nicolas Ledoux (1736-1806). Ce disciple de Rousseau, qui voulait* « réinstaller la société dans son environnement naturel »*, a conçu un plan où la ville est envisagée dans sa globalité, avec des bâtiments nécessaires à la vie sociale et à la vie domestique. Il imagine un cercle complet qui double le projet initial de la saline, tracé selon un demi-cercle et mis en exécution en 1774. Le plan circulaire de la ville de Chaux est emprunté aux villes idéales du XVIe siècle.

Corpus

Texte A : Extrait du chapitre III de *La Princesse de Babylone* de Voltaire (p. 72, l. 551, à p. 74, l. 604).
Texte B : Extrait du livre second de l'*Utopie* de Thomas More (pp. 79-81).
Texte C : Extrait du chapitre LVII de *Gargantua* de François Rabelais (pp. 81-82).
Texte D : Extrait de la scène 2 de *L'Île des esclaves* de Marivaux (pp. 82-83).
Texte E : Extrait du chapitre XVIII de *Candide* de Voltaire (pp. 83-84).
Texte F : Extrait de *Fragment sur les institutions républicaines* de Saint-Just (pp. 85-86).
Texte G : Extrait du chapitre X des *Cinq Cents Millions de la Bégum* de Jules Verne (pp. 86-87).
Document : *Vue générale de la ville de Chaux* par Claude-Nicolas Ledoux (p. 88).

Examen des textes et de l'image

❶ Sur quelles valeurs repose l'utopie de Thomas More (texte B) ?
❷ À quelle conception de l'homme renvoie la règle unique de l'abbaye de Thélème : « *Fais ce que voudras* » (texte C) ?
❸ Dans l'extrait de *L'Île des esclaves* (texte D), quelles sont les caractéristiques de l'idéal exposé par Trivelin ?
❹ Quels sont les différents points de la société et des institutions abordés par Voltaire dans le passage de l'Eldorado (texte E) ?
❺ Quel rôle Saint-Just assigne-t-il aux institutions (texte F) ? En quoi cela est-il utopique ?
❻ Dans le texte de Jules Verne (texte G), montrez le caractère ambivalent de l'utopie : en quoi est-elle positive ? n'a-t-elle pas d'aspects inquiétants ?
❼ Qu'est-ce qui suggère la perfection de l'urbanisme dans le dessin de la ville de Chaux (document) ?

Travaux d'écriture

Question préliminaire

Classez les documents du corpus en fonction du genre auquel ils appartiennent. Qu'apporte chacun d'entre eux à la perception de l'utopie qu'ils envisagent ?

Commentaire

Vous ferez le commentaire de l'extrait du chapitre XVIII de *Candide* de Voltaire (texte E).

Dissertation

Alphonse de Lamartine, poète et homme politique du XIXe siècle, a écrit que « *les utopies ne sont souvent que des vérités prématurées* ». Expliquez et discutez cette affirmation en vous appuyant sur les documents du corpus et sur votre culture personnelle.

Écriture d'invention

Quelle serait la cité utopique d'aujourd'hui ? Écrivez une lettre ouverte à ceux qui nous gouvernent pour la leur présenter.

Chapitre IV

IV

Elle passa toute la nuit à parler d'Amazan. Elle ne l'appelait plus que son *berger* ; et c'est depuis ce temps-là que les noms de *berger*
625 et d'*amant* sont toujours employés l'un pour l'autre chez quelques nations[1].

Tantôt elle demandait à l'oiseau si Amazan avait eu d'autres maîtresses[2]. Il répondait que non, et elle était au comble de la joie. Tantôt elle voulait savoir à quoi il passait sa vie ; et elle apprenait
630 avec transport[3] qu'il l'employait à faire du bien, à cultiver les arts, à pénétrer[4] les secrets de la nature, à perfectionner son être. Tantôt elle voulait savoir si l'âme de son oiseau était de la même nature que celle de son amant ; pourquoi il avait vécu près de vingt-huit mille ans, tandis que son amant n'en avait que dix-huit
635 ou dix-neuf. Elle faisait cent questions pareilles, auxquelles l'oiseau répondait avec une discrétion[5] qui irritait[6] sa curiosité. Enfin, le sommeil ferma leurs yeux, et livra Formosante à la douce illusion des songes envoyés par les dieux, qui surpassent quelquefois la réalité même, et que toute la philosophie des
640 Chaldéens a bien de la peine à expliquer.

Formosante ne s'éveilla que très tard. Il était petit jour chez elle[7] quand le roi son père entra dans sa chambre. L'oiseau reçut Sa Majesté avec une politesse respectueuse, alla au-devant de lui, battit des ailes, allongea son cou, et se remit sur son oranger. Le
645 roi s'assit sur le lit de sa fille, que ses rêves avaient encore embellie. Sa grande barbe s'approcha de ce beau visage, et après lui avoir donné deux baisers, il lui parla en ces mots :

notes

1. Allusion amusante au genre de la pastorale, appelée également « bergerie », très en vogue depuis le XVIIe siècle, qui met en scène les amours romanesques de bergers et de bergères.
2. maîtresses : femmes dont Amazan était amoureux.
3. transport : vive émotion.
4. pénétrer : comprendre.
5. discrétion : réserve.
6. irritait : augmentait.
7. On venait à peine de tirer un peu les rideaux de son lit à baldaquin car elle venait de s'éveiller.

« Ma chère fille, vous n'avez pu trouver hier un mari, comme je l'espérais ; il vous en faut un pourtant : le salut de mon empire[1]
650 l'exige. J'ai consulté l'oracle, qui, comme vous savez, ne ment jamais, et qui dirige toute ma conduite. Il m'a ordonné de vous faire courir le monde. Il faut que vous voyagiez. – Ah ! chez les Gangarides sans doute », dit la princesse ; et en prononçant ces mots, qui lui échappaient, elle sentit bien qu'elle disait une
655 sottise. Le roi, qui ne savait pas un mot de géographie, lui demanda ce qu'elle entendait par des Gangarides. Elle trouva aisément une défaite[2]. Le roi lui apprit qu'il fallait faire un pèlerinage ; qu'il avait nommé les personnes de sa suite[3], le doyen[4] des conseillers d'État, le grand aumônier, une dame
660 d'honneur, un médecin, un apothicaire[5], et son oiseau, avec tous les domestiques convenables[6].

Formosante, qui n'était jamais sortie du palais du roi son père, et qui jusqu'à la journée des trois rois et d'Amazan n'avait mené qu'une vie très insipide[7] dans l'étiquette[8] du faste et dans l'appa-
665 rence des plaisirs, fut ravie d'avoir un pèlerinage à faire. « Qui sait, disait-elle tout bas à son cœur, si les dieux n'inspireront pas à mon cher Gangaride le même désir d'aller à la même chapelle, et si je n'aurai pas le bonheur de revoir le pèlerin ? » Elle remercia tendrement son père, en lui disant qu'elle avait eu toujours une
670 secrète dévotion pour le saint chez lequel on l'envoyait.

Bélus donna un excellent dîner à ses hôtes ; il n'y avait que des hommes. C'étaient tous gens fort mal assortis : rois, princes, ministres, pontifes[9], tous jaloux les uns des autres, tous pesant leurs paroles, tous embarrassés de leurs voisins et d'eux-mêmes.
675 Le repas fut triste, quoiqu'on y bût beaucoup. Les princesses restèrent dans leurs appartements, occupées chacune de leur

notes

1. **le salut de mon empire** : la sauvegarde de mon royaume.
2. **défaite** : moyen d'esquiver la question, de se « défaire » d'elle.
3. **de sa suite** : qui l'accompagneraient.
4. **doyen** : celui qui a le titre le plus élevé.
5. **apothicaire** : pharmacien.
6. **convenables** : qui conviennent à la situation.
7. **insipide** : sans intérêt.
8. **étiquette** : cérémonial en usage à la Cour.
9. **pontifes** : hauts dignitaires du clergé.

départ. Elles mangèrent à leur petit couvert[1]. Formosante ensuite alla se promener dans les jardins avec son cher oiseau, qui, pour l'amuser, vola d'arbre en arbre en étalant sa superbe queue et son
680 divin plumage.

Le roi d'Égypte, qui était chaud de vin, pour ne pas dire ivre, demanda un arc et des flèches à un de ses pages. Ce prince était à la vérité l'archer le plus maladroit de son royaume. Quand il tirait au blanc[2], la place où l'on était le plus en sûreté était le but
685 où il visait. Mais le bel oiseau, en volant aussi rapidement que la flèche, se présenta lui-même au coup, et tomba tout sanglant entre les bras de Formosante. L'Égyptien, en riant d'un sot rire, se retira dans son quartier. La princesse perça le ciel de ses cris, fondit en larmes, se meurtrit les joues et la poitrine. L'oiseau
690 mourant lui dit tout bas : « Brûlez-moi, et ne manquez pas de porter mes cendres vers l'Arabie Heureuse[3], à l'orient de l'ancienne ville d'Aden[4] ou d'Éden, et de les exposer au soleil sur un petit bûcher de gérofle[5] et de cannelle. » Après avoir proféré ces paroles, il expira. Formosante resta longtemps évanouie et ne
695 revit le jour que pour éclater en sanglots. Son père, partageant sa douleur et faisant des imprécations[6] contre le roi d'Égypte, ne douta pas que cette aventure n'annonçât un avenir sinistre. Il alla vite consulter l'oracle de sa chapelle. L'oracle répondit : « Mélange de tout ; mort vivant, infidélité et constance, perte et
700 gain, calamités et bonheur. » Ni lui ni son conseil n'y purent rien comprendre ; mais enfin il était satisfait d'avoir rempli ses devoirs de dévotion.

Sa fille, éplorée, pendant qu'il consultait l'oracle, fit rendre à l'oiseau les honneurs funèbres qu'il avait ordonnés, et résolut de
705 le porter en Arabie au péril de ses jours. Il fut brûlé dans du lin

notes

1. **petit couvert** : repas sans cérémonie, en opposition au grand repas que préside Bélus.
2. **au blanc** : sur une cible dont le centre était blanc.
3. On distinguait l'Arabie déserte (à l'est de Damas), l'Arabie pétrée (région de Pétra en Jordanie, aujourd'hui) et l'Arabie heureuse (région du Yémen Sud).
4. **Aden** : port d'Arabie.
5. **gérofle** : clou de girofle.
6. **imprécations** : prières par lesquelles on voue quelqu'un au malheur et à l'enfer.

incombustible[1] avec l'oranger sur lequel il avait couché ; elle en recueillit la cendre dans un petit vase d'or tout entouré d'escarboucles[2] et des diamants qu'on ôta de la gueule du lion. Que ne put-elle, au lieu d'accomplir ce devoir funeste[3], brûler tout en vie
710 le détestable roi d'Égypte ! C'était là tout son désir. Elle fit tuer, dans son dépit, les deux crocodiles, ses deux hippopotames, ses deux zèbres, ses deux rats, et fit jeter ses deux momies dans l'Euphrate ; si elle avait tenu son bœuf Apis, elle ne l'aurait pas épargné.

715 Le roi d'Égypte, outré de cet affront, partit sur-le-champ pour faire avancer ses trois cent mille hommes. Le roi des Indes, voyant partir son allié, s'en retourna le jour même, dans le ferme dessein de joindre ses trois cent mille Indiens à l'armée égyptienne. Le roi de Scythie délogea[4] dans la nuit avec la princesse Aldée, bien
720 résolu de venir combattre pour elle à la tête de trois cent mille Scythes, et de lui rendre l'héritage de Babylone, qui lui était dû, puisqu'elle descendait de la branche aînée[5].

De son côté la belle Formosante se mit en route à trois heures du matin avec sa caravane[6] de pèlerins[7], se flattant[8] bien qu'elle
725 pourrait aller en Arabie exécuter les dernières volontés de son oiseau, et que la justice des dieux immortels lui rendrait son cher Amazan sans qui elle ne pouvait plus vivre.

Ainsi, à son réveil, le roi de Babylone ne trouva plus personne. « Comme les grandes fêtes se terminent, disait-il, et comme elles
730 laissent un vide étonnant dans l'âme, quand le fracas[9] est passé. » Mais il fut transporté d'une colère vraiment royale lorsqu'il apprit qu'on avait enlevé la princesse Aldée. Il donna ordre qu'on éveillât tous ses ministres, et qu'on assemblât le conseil. En attendant qu'ils vinssent, il ne manqua pas de consulter son

notes

1. **incombustible** : qui ne brûle pas.
2. **escarboucles** : grenats d'un rouge foncé et brillant d'un vif éclat (ou nom ancien du rubis).
3. **funeste** : en relation avec la mort.
4. **délogea** : s'en alla.
5. Comme l'indique son nom.
6. **caravane** : groupe de voyageurs réunis pour franchir des contrées désertiques ou peu sûres.
7. **pèlerin** : personne qui effectue un voyage dans un but religieux.
8. **se flattant** : espérant.
9. **fracas** : agitation.

735 oracle ; mais il ne put jamais en tirer que ces paroles si célèbres depuis dans tout l'univers : *Quand on ne marie pas les filles, elles se marient elles-mêmes.*

Aussitôt l'ordre fut donné de faire marcher trois cent mille hommes contre le roi des Scythes. Voilà donc la guerre la plus 740 terrible allumée de tous les côtés ; et elle fut produite par les plaisirs de la plus belle fête qu'on ait jamais donnée sur la terre. L'Asie allait être désolée[1] par quatre armées de trois cent mille combattants chacune. On sent bien que la guerre de Troie[2], qui étonna le monde quelques siècles après, n'était qu'un jeu 745 d'enfants en comparaison ; mais aussi on doit considérer que dans la querelle des Troyens il ne s'agissait que d'une vieille femme fort libertine qui s'était fait enlever deux fois[3], au lieu qu'ici il s'agissait de deux filles[4] et d'un oiseau.

Le roi des Indes allait attendre son armée sur le grand et 750 magnifique chemin qui conduisait alors en droiture[5] de Babylone à Cachemire[6]. Le roi des Scythes courait avec Aldée par la belle route qui menait au mont Immaüs[7]. Tous ces chemins ont disparu dans la suite par le mauvais gouvernement. Le roi d'Égypte avait marché à l'occident[8], et côtoyait la petite mer 755 Méditerranée, que les ignorants Hébreux ont depuis nommée *la Grande Mer*[9].

À l'égard de[10] la belle Formosante, elle suivait le chemin de Bassora[11], planté de hauts palmiers qui fournissaient un ombrage éternel et des fruits dans toutes les saisons. Le temple où elle allait

notes

1. **désolée** : détruite.
2. **la guerre de Troie** : guerre légendaire opposant les Grecs et les Troyens et racontée par Homère dans l'*Iliade*.
3. Voltaire fait de la légende une version toute personnelle. Hélène a d'abord été enlevée par Thésée puis, après son mariage avec Ménélas, par le Troyen Pâris (d'où sa prétendue légèreté de mœurs). Les Grecs entreprirent le siège de Troie pour la reprendre. Selon toute vraisemblance, cette guerre a duré des années et Hélène a dû vieillir mais elle est toujours présentée, dans l'*Iliade*, comme une jeune femme.
4. **filles** : jeunes filles.
5. **en droiture** : tout droit.
6. **Cachemire** : ancien État de l'Inde, ici présenté comme une ville.
7. **mont Immaüs** : partie occidentale de l'Himalaya, en Scythie donc.
8. **à l'occident** : vers l'ouest.
9. Dans la Bible, l'existence des océans n'est pas connue.
10. **À l'égard de** : pour ce qui est de.
11. **Bassora** : aujourd'hui, ville d'Irak.

760 en pèlerinage était dans Bassora même. Le saint à qui ce temple avait été dédié était à peu près dans le goût de celui qu'on adora depuis à Lampsaque[1]. Non seulement il procurait des maris aux filles, mais il tenait lieu souvent de mari. C'était le saint le plus fêté de toute l'Asie.

765 Formosante ne se souciait point du tout du saint de Bassora : elle n'invoquait que son cher berger gangaride, son bel Amazan. Elle comptait s'embarquer à Bassora, et entrer dans l'Arabie Heureuse pour faire ce que l'oiseau mort avait ordonné.

À la troisième couchée[2], à peine était-elle entrée dans une 770 hôtellerie où ses fourriers[3] avaient tout préparé pour elle, qu'elle apprit que le roi d'Égypte y entrait aussi. Instruit de la marche de la princesse par ses espions, il avait sur-le-champ changé de route, suivi d'une nombreuse escorte. Il arrive ; il fait placer des sentinelles à toutes les portes ; il monte dans la chambre de la belle 775 Formosante, et lui dit : « Mademoiselle, c'est vous précisément que je cherchais ; vous avez fait très peu de cas de moi lorsque j'étais à Babylone ; il est juste de punir les dédaigneuses et les capricieuses : vous aurez, s'il vous plaît, la bonté de souper avec moi ce soir ; vous n'aurez point d'autre lit que le mien, et je me 780 conduirai avec vous selon que j'en serai content. »

Formosante vit bien qu'elle n'était pas la plus forte ; elle savait que le bon esprit consiste à se conformer à sa situation ; elle prit le parti de se délivrer du roi d'Égypte par une innocente adresse : elle le regarda du coin de l'œil, ce qui plusieurs siècles après s'est 785 appelé *lorgner*[4] ; et voici comme elle lui parla avec une modestie,

notes

1. René Pomeau dans son édition du texte chez Garnier-Flammarion (1995) précise qu'il s'agit d'une « *ville d'Asie Mineure sur l'Hellespont* [ancien nom du détroit des Dardanelles], *centre d'un culte priapique* [Priape, fils d'Aphrodite et de Dionysos, était doté d'un sexe démesuré]. *Voltaire suggère qu'à Bassora, comme à Lampsaque, les prêtres du temple abusaient des femmes venues en pèlerinage* ».

2. **À la troisième couchée** : la troisième fois que l'on s'arrêtait pour dormir. Une couchée est donc une étape, où l'on passe la nuit.

3. **fourriers** : domestiques qui arrivent en avance pour préparer le logement et les vivres.

4. ***lorgner*** : regarder du coin de l'œil, de manière provocante. Voltaire se moque de la coquetterie des femmes.

une grâce, une douceur, un embarras[1], et une foule de charmes qui auraient rendu fou le plus sage des hommes, et aveuglé le plus clairvoyant :

« Je vous avoue, monsieur, que je baissai toujours les yeux devant vous quand vous fîtes l'honneur au roi mon père de venir chez lui. Je craignais mon cœur, je craignais ma simplicité[2] trop naïve[3] : je tremblais que mon père et vos rivaux ne s'aperçussent de la préférence que je vous donnais, et que vous méritez si bien. Je puis à présent me livrer à mes sentiments. Je jure par le bœuf Apis, qui est, après vous, tout ce que je respecte le plus au monde, que vos propositions m'ont enchantée. J'ai déjà soupé avec vous chez le roi mon père ; j'y souperai encore bien ici sans qu'il soit de la partie ; tout ce que je vous demande, c'est que votre grand aumônier boive avec nous ; il m'a paru à Babylone un très bon convive ; j'ai d'excellent vin de Chiras[4], je veux vous en faire goûter à tous deux. À l'égard de votre seconde proposition, elle est très engageante[5] ; mais il ne convient pas à une fille bien née d'en parler : qu'il vous suffise de savoir que je vous regarde comme le plus grand des rois et le plus aimable des hommes. »

Ce discours fit tourner la tête au roi d'Égypte ; il voulut bien que l'aumônier fût en tiers[6]. « J'ai encore une grâce à vous demander, lui dit la princesse ; c'est de permettre que mon apothicaire vienne me parler : les filles ont toujours de certaines petites incommodités qui demandent de certains soins, comme vapeurs de tête[7], battements de cœur, coliques, étouffements, auxquels il faut mettre un certain ordre dans de certaines circonstances ; en un mot, j'ai un besoin pressant de mon apothicaire, et j'espère que vous ne me refuserez pas cette légère marque d'amour.

notes

1. **embarras :** gêne.
2. **simplicité :** franchise.
3. **naïve :** naturelle.
4. **vin de Chiras :** vin très réputé de la ville perse de Chiraz.
5. **engageante :** attirante.
6. **en tiers :** la troisième personne au souper.
7. **vapeurs de tête :** migraines.

815 – Mademoiselle, lui répondit le roi d'Égypte, quoiqu'un apothicaire ait des vues précisément opposées aux miennes, et que les objets de son art soient le contraire de ceux du mien[1], je sais trop bien vivre pour vous refuser une demande si juste : je vais ordonner qu'il vienne vous parler en attendant le souper ; je
820 conçois que vous devez être un peu fatiguée du voyage ; vous devez aussi avoir besoin d'une femme de chambre, vous pourrez faire venir celle qui vous agréera davantage ; j'attendrai ensuite vos ordres et votre commodité[2]. » Il se retira ; l'apothicaire et la femme de chambre nommée Irla arrivèrent. La princesse avait en
825 elle une entière confiance ; elle lui ordonna de faire apporter six bouteilles de vin de Chiras pour le souper, et d'en faire boire de pareil à tous les sentinelles qui tenaient ses officiers aux arrêts[3] ; puis elle recommanda à l'apothicaire de faire mettre dans toutes les bouteilles certaines drogues de sa pharmacie qui faisaient
830 dormir les gens vingt-quatre heures, et dont il était toujours pourvu. Elle fut ponctuellement[4] obéie. Le roi revint avec le grand aumônier au bout d'une demi-heure : le souper fut très gai ; le roi et le prêtre vidèrent les six bouteilles, et avouèrent qu'il n'y avait pas de si bon vin en Égypte ; la femme de chambre eut
835 soin d'en faire boire aux domestiques qui avaient servi. Pour la princesse, elle eut grande attention de n'en point boire, disant que son médecin l'avait mise au régime. Tout[5] fut bientôt endormi.

L'aumônier du roi d'Égypte avait la plus belle barbe que pût
840 porter un homme de sa sorte. Formosante la coupa très adroitement ; puis, l'ayant fait coudre à un petit ruban, elle l'attacha à son menton. Elle s'affubla de la robe du prêtre et de toutes les marques de sa dignité, habilla sa femme de chambre en sacristain[6]

notes

1. Très grossière plaisanterie du roi d'Égypte : les apothicaires faisaient traditionnellement des lavements avec des clystères.
2. **commodité** : agrément.
3. **tenaient ses officiers aux arrêts** : gardaient ses officiers lors des étapes.
4. **ponctuellement** : en tout point.
5. **Tout** : tout le monde.
6. **sacristain** : personne préposée à l'entretien d'une église.

de la déesse Isis ; enfin, s'étant munie de son urne[1] et de ses
845 pierreries, elle sortit de l'hôtellerie à travers les sentinelles, qui dormaient comme leur maître. La suivante avait eu soin de faire tenir à la porte deux chevaux prêts. La princesse ne pouvait mener avec elle aucun des officiers de sa suite : ils auraient été arrêtés par les grandes gardes.

850 Formosante et Irla passèrent à travers des haies de soldats qui, prenant la princesse pour le grand prêtre, l'appelaient *mon révérendissime père en Dieu*[2], et lui demandaient sa bénédiction. Les deux fugitives arrivent en vingt-quatre heures à Bassora, avant que le roi fût éveillé. Elles quittèrent alors leur déguisement, qui
855 eût pu donner des soupçons. Elles frétèrent[3] au plus vite un vaisseau qui les porta, par le détroit d'Ormus[4], au beau rivage d'Éden[5], dans l'Arabie Heureuse. C'est cet Éden dont les jardins furent si renommés qu'on en fit depuis la demeure des justes[6] ; ils furent le modèle des Champs Élysées[7], des jardins des Hespéri-
860 des[8], et de ceux des îles Fortunées[9] : car, dans ces climats chauds, les hommes n'imaginèrent point de plus grande béatitude[10] que les ombrages et les murmures des eaux. Vivre éternellement dans les cieux avec l'Être suprême, ou aller se promener dans le jardin, dans le paradis[11], fut la même chose pour les hommes, qui parlent

notes

1. urne : le vase qui contient les cendres de l'oiseau.
2. *révérendissime père en Dieu* : titre honorifique réservé aux hauts dignitaires religieux à l'époque de Voltaire. Le conteur s'amuse à mélanger époques et religions.
3. frétèrent : louèrent.
4. Ormus : ville située entre le golfe Persique et la mer d'Oman.
5. Éden : Aden, en vérité, mais, en l'orthographiant *Éden*, Voltaire assimile l'endroit au paradis.
6. justes : personnes qui observent scrupuleusement les devoirs de la religion. La demeure des justes est donc le paradis.
7. Champs Élysées : dans la mythologie gréco-romaine, séjour des âmes des héros et des hommes vertueux.
8. jardins des Hespérides : jardins des dieux où poussent les pommes d'or. Ils sont gardés par les Hespérides, nymphes du couchant, et situés au bout du monde (détroit de Gibraltar, sans doute).
9. Îles Fortunées ou îles des Bienheureux, situées non loin du jardin des Hespérides. C'est là que les justes étaient censés séjourner après leur mort.
10. béatitude : bonheur divin.
11. La représentation du paradis en jardin merveilleux est universelle. Étymologiquement, le mot *paradis*, qui vient du persan, signifie « jardin ».

865 toujours sans s'entendre, et qui n'ont pu guère avoir encore d'idées nettes ni d'expressions justes.

Dès que la princesse se vit dans cette terre, son premier soin fut de rendre à son cher oiseau les honneurs funèbres qu'il avait exigés d'elle. Ses belles mains dressèrent un petit bûcher de 870 gérofle et de cannelle. Quelle fut sa surprise lorsque ayant répandu les cendres de l'oiseau sur ce bûcher, elle le vit s'enflammer de lui-même ! Tout fut bientôt consumé. Il ne parut, à la place des cendres, qu'un gros œuf dont elle vit sortir son oiseau plus brillant qu'il ne l'avait jamais été. Ce fut le plus 875 beau des moments que la princesse eût éprouvés dans toute sa vie ; il n'y en avait qu'un qui pût lui être plus cher : elle le désirait, mais elle ne l'espérait pas.

« Je vois bien, dit-elle à l'oiseau, que vous êtes le phénix dont on m'avait tant parlé. Je suis prête à mourir d'étonnement et de 880 joie. Je ne croyais point à la résurrection ; mais mon bonheur m'en a convaincue. – La résurrection, madame, lui dit le phénix, est la chose du monde la plus simple. Il n'est pas plus surprenant de naître deux fois qu'une. Tout est résurrection dans ce monde ; les chenilles ressuscitent en papillons ; un noyau mis en terre 885 ressuscite en arbre ; tous les animaux ensevelis dans la terre ressuscitent en herbes, en plantes, et nourrissent d'autres animaux dont ils font bientôt une partie de la substance : toutes les particules qui composaient les corps sont changées en différents êtres. Il est vrai que je suis le seul à qui le puissant Orosmade ait 890 fait la grâce de ressusciter dans sa propre nature. »

Formosante, qui, depuis le jour qu'elle vit Amazan et le phénix pour la première fois, avait passé toutes ses heures à s'étonner, lui dit : « Je conçois bien que le grand Être[1] ait pu former de vos cendres un phénix à peu près semblable à vous ; mais que vous 895 soyez précisément la même personne, que vous ayez la même âme, j'avoue que je ne le comprends pas bien clairement. Qu'est

note

1. **le grand Être :** Dieu.

devenue votre âme pendant que je vous portais dans ma poche après votre mort ?

– Eh ! mon Dieu ! madame, n'est-il pas aussi facile au grand
900 Orosmade de continuer son action sur une petite étincelle de moi-même que de commencer cette action ? Il m'avait accordé auparavant le sentiment, la mémoire et la pensée[1] ; il me les accorde encore ; qu'il ait attaché cette faveur à un atome de feu élémentaire[2] caché dans moi, ou à l'assemblage de mes organes,
905 cela ne fait rien au fond : les phénix et les hommes ignoreront toujours comment la chose se passe ; mais la plus grande grâce que l'Être suprême m'ait accordée est de me faire renaître pour vous. Que ne puis-je passer les vingt-huit mille ans que j'ai encore à vivre jusqu'à ma prochaine résurrection entre vous et
910 mon cher Amazan !

– Mon phénix, lui repartit la princesse, songez que les premières paroles que vous me dîtes à Babylone, et que je n'oublierai jamais, me flattèrent de l'espérance de revoir ce cher berger que j'idolâtre[3] : il faut absolument que nous allions
915 ensemble chez les Gangarides, et que je le ramène à Babylone.

– C'est bien mon dessein, dit le phénix ; il n'y a pas un moment à perdre. Il faut aller trouver Amazan par le plus court chemin, c'est-à-dire par les airs. Il y a dans l'Arabie Heureuse deux griffons, mes amis intimes, qui ne demeurent qu'à cent cinquante
920 milles[4] d'ici : je vais leur écrire par la poste aux pigeons[5] ; ils viendront avant la nuit. Nous aurons tout le temps de vous faire travailler[6] un petit canapé[7] commode avec des tiroirs où l'on mettra vos provisions de bouche. Vous serez très à votre aise dans cette voiture avec votre demoiselle[8]. Les deux griffons sont les

notes

1. Trois caractéristiques essentielles de l'humain, selon Voltaire.
2. Voltaire a émis plusieurs fois l'idée que l'âme, « *attachée à un atome* », pouvait survivre au corps.
3. j'idolâtre : j'aime avec passion.
4. Mesure de distance : le mille romain fait 1 000 pas, c'est-à-dire environ 1 500 m.
5. pigeons : pigeons voyageurs.
6. travailler : fabriquer.
7. Le canapé est une invention récente au XVIIIe siècle.
8. votre demoiselle : Irla, la suivante.

925 plus vigoureux de leur espèce ; chacun d'eux tiendra un des bras du canapé entre ses griffes. Mais, encore une fois, les moments sont chers. » Il alla sur-le-champ avec Formosante commander le canapé à un tapissier de sa connaissance. Il fut achevé en quatre heures. On mit dans les tiroirs des petits pains à la reine[1], des 930 biscuits meilleurs que ceux de Babylone, des poncires[2], des ananas, des cocos[3], des pistaches, et du vin d'Éden, qui l'emporte sur le vin de Chiras autant que celui de Chiras est au-dessus de celui de Suresne[4].

Le canapé était aussi léger que commode et solide. Les deux 935 griffons arrivèrent dans Éden à point nommé. Formosante et Irla se placèrent dans la voiture[5]. Les deux griffons l'enlevèrent comme une plume. Le phénix tantôt volait auprès, tantôt se perchait sur le dossier. Les deux griffons cinglèrent[6] vers le Gange avec la rapidité d'une flèche qui fend les airs. On ne se reposait 940 que la nuit pendant quelques moments pour manger, et pour faire boire un coup aux deux voituriers[7].

On arriva enfin chez les Gangarides. Le cœur de la princesse palpitait d'espérance, d'amour et de joie. Le phénix fit arrêter la voiture devant la maison d'Amazan : il demande à lui parler ; 945 mais il y avait trois heures qu'il en était parti, sans qu'on sût où il était allé.

Il n'y a point de termes dans la langue même des Gangarides qui puissent exprimer le désespoir dont Formosante fut accablée. « Hélas ! voilà ce que j'avais craint, dit le phénix ; les trois heures 950 que vous avez passées dans votre hôtellerie sur le chemin de Bassora avec ce malheureux roi d'Égypte vous ont enlevé peut-

notes

1. **petits pains à la reine** : petits pains de luxe, au lait, très appréciés de Marie de Médicis – d'où leur nom.
2. **poncires** : gros citrons que l'on faisait confire.
3. **cocos** : noix de coco.
4. On produisait au XVIIIe siècle, à Suresnes (près de Paris), pour la consommation des habitants de la capitale, du vin de qualité médiocre, acide et peu alcoolisé. Allusion très inattendue dans ce contexte oriental.
5. **voiture** : moyen de transport ; ici, le canapé volant.
6. **cinglèrent** : firent route.
7. **voituriers** : les deux griffons qui tirent le canapé dans les airs.

être pour jamais le bonheur de votre vie ; j'ai bien peur que nous n'ayons perdu Amazan sans retour[1]. »

Alors il demanda aux domestiques si on pouvait saluer madame
955 sa mère. Ils répondirent que son mari était mort l'avant-veille et qu'elle ne voyait personne. Le phénix, qui avait du crédit[2] dans la maison, ne laissa pas de[3] faire entrer la princesse de Babylone dans un salon dont les murs étaient revêtus de bois d'oranger à filets d'ivoire ; les sous-bergers et les sous-bergères[4], en longues robes
960 blanches ceintes de garnitures[5] aurore, lui servirent dans cent corbeilles de simple porcelaine cent mets délicieux, parmi lesquels on ne voyait aucun cadavre déguisé[6] : c'était du riz, du sagou[7], de la semoule, du vermicelle, des macaronis, des omelettes ; des œufs au lait, des fromages à la crème, des pâtisse-
965 ries de toute espèce, des légumes, des fruits d'un parfum et d'un goût dont on n'a point d'idée dans les autres climats ; c'était une profusion de liqueurs[8] rafraîchissantes, supérieures aux meilleurs vins.

Pendant que la princesse mangeait, couchée sur un lit de roses[9],
970 quatre pavons, ou paons, ou pans, heureusement muets[10], l'éventaient de leurs brillantes ailes ; deux cents oiseaux, cent bergers et cent bergères lui donnèrent un concert à deux chœurs ; les rossignols, les serins, les fauvettes, les pinsons chantaient le dessus[11] avec les bergères ; les bergers faisaient la haute-contre[12] et
975 la basse : c'était en tout la belle et simple nature. La princesse avoua que, s'il y avait plus de magnificence à Babylone, la nature était mille fois plus agréable chez les Gangarides ; mais, pendant qu'on lui donnait cette musique si consolante et si voluptueuse,

notes

1. **sans retour :** définitivement.
2. **avait du crédit :** était estimé.
3. **ne laissa pas de :** ne manqua pas de.
4. Parodie de la hiérarchie des titres dans la noblesse de l'époque. Au chapitre III, le phénix avait pourtant dit que tous les Gangarides étaient égaux.
5. **ceintes de garnitures :** avec des ceintures décoratives.
6. **cadavre déguisé :** plat de viande.
7. **sagou :** sorte de tapioca, poudre que l'on extrait des palmiers.
8. **liqueurs :** « boissons » au sens large.
9. À la manière des Anciens, Grecs et Romains, qui prenaient leurs repas allongés sur un lit de repos.
10. La paon a un cri très aigu.
11. **le dessus :** la voix du haut.
12. **haute-contre :** voix de ténor, claire et aiguë.

elle versait des larmes ; elle disait à la jeune Irla sa compagne :
980 « Ces bergers et ces bergères, ces rossignols et ces serins font l'amour[1], et moi, je suis privée du héros gangaride, digne objet de mes très tendres et très impatients[2] désirs. »

Pendant qu'elle faisait ainsi collation[3], qu'elle admirait[4] et qu'elle pleurait, le phénix disait à la mère d'Amazan : « Madame,
985 vous ne pouvez vous dispenser de voir la princesse de Babylone ; vous savez... – Je sais tout, dit-elle, jusqu'à son aventure dans l'hôtellerie sur le chemin de Bassora ; un merle m'a tout conté ce matin ; et ce cruel merle est cause que mon fils, au désespoir, est devenu fou, et a quitté la maison paternelle. – Vous ne savez
990 donc pas, reprit le phénix, que la princesse m'a ressuscité ? – Non, mon cher enfant ; je savais par le merle que vous étiez mort, et j'en étais inconsolable. J'étais si affligée de cette perte, de la mort de mon mari, et du départ précipité de mon fils, que j'avais fait défendre ma porte[5]. Mais puisque la princesse de
995 Babylone me fait l'honneur de me venir voir, faites-la entrer au plus vite ; j'ai des choses de la dernière conséquence[6] à lui dire, et je veux que vous y soyez présent. » Elle alla aussitôt dans un autre salon au-devant de la princesse. Elle ne marchait pas facilement : c'était une dame d'environ trois cents années ; mais elle avait
1000 encore de beaux restes, et on voyait bien que vers les deux cent trente à quarante ans elle avait été charmante. Elle reçut Formosante avec une noblesse respectueuse, mêlée d'un air d'intérêt et de douleur qui fit sur la princesse une vive impression.

Formosante lui fit d'abord ses tristes compliments[7] sur la mort
1005 de son mari. « Hélas ! dit la veuve, vous devez vous intéresser à sa perte plus que vous ne pensez. – J'en suis touchée sans doute, dit Formosante ; il était le père de... » À ces mots elle pleura. « Je n'étais venue que pour lui et à travers bien des dangers. J'ai quitté

notes

1. **font l'amour** : parlent d'amour.
2. **impatients** : douloureux, insupportables.
3. **collation** : repas léger.
4. **admirait** : construit sans complément d'objet, au sens de « s'étonnait ».
5. **défendre ma porte** : interdire qu'on entre.
6. **de la dernière conséquence** : extrêmement importantes.
7. **compliments** : politesses.

pour lui mon père et la plus brillante cour de l'univers, j'ai été enlevée par un roi d'Égypte que je déteste. Échappée à ce ravisseur, j'ai traversé les airs pour venir voir ce que[1] j'aime ; j'arrive, et il me fuit ! » Les pleurs et les sanglots l'empêchèrent d'en dire davantage.

La mère lui dit alors : « Madame, lorsque le roi d'Égypte vous ravissait, lorsque vous soupiez avec lui dans un cabaret[2] sur le chemin de Bassora, lorsque vos belles mains lui versaient du vin de Chiras, vous souvenez-vous d'avoir vu un merle qui voltigeait dans la chambre ? – Vraiment oui, vous m'en rappelez la mémoire[3] ; je n'y avais pas fait d'attention ; mais, en recueillant mes idées, je me souviens très bien qu'au moment que le roi d'Égypte se leva de table pour me donner un baiser, le merle s'envola par la fenêtre en jetant un grand cri, et ne reparut plus.

– Hélas ! madame, reprit la mère d'Amazan, voilà ce qui fait précisément le sujet de nos malheurs ; mon fils avait envoyé ce merle s'informer de l'état de votre santé et de tout ce qui se passait à Babylone ; il comptait revenir bientôt se mettre à vos pieds et vous consacrer sa vie. Vous ne savez pas à quel excès[4] il vous adore. Tous les Gangarides sont amoureux et fidèles ; mais mon fils est le plus passionné et le plus constant de tous. Le merle vous rencontra dans un cabaret ; vous buviez très gaiement avec le roi d'Égypte et un vilain[5] prêtre ; il vous vit enfin donner un tendre baiser à ce monarque, qui avait tué le phénix, et pour qui mon fils conserve une horreur invincible. Le merle à cette vue fut saisi d'une juste indignation ; il s'envola en maudissant vos funestes amours ; il est revenu aujourd'hui, il a tout conté ; mais dans quels moments, juste ciel ! dans le temps où mon fils pleurait avec moi la mort de son père et celle du phénix ; dans le temps qu'il apprenait de moi qu'il est votre cousin issu de germain !

notes

1. **ce que** : qui.
2. **cabaret** : auberge.
3. **mémoire** : souvenir.
4. **à quel excès** : avec quelle démesure.
5. **vilain** : méprisable, laid et grossier.

– Ô ciel ! mon cousin ! madame, est-il possible ? par quelle
1040 aventure ? comment ? quoi ! je serais heureuse[1] à ce point ! et je serais en même temps assez infortunée pour l'avoir offensé !

– Mon fils est votre cousin, vous dis-je, reprit la mère, et je vais bientôt vous en donner la preuve ; mais en devenant ma parente vous m'arrachez mon fils ; il ne pourra survivre à la douleur que
1045 lui a causée votre baiser donné au roi d'Égypte.

– Ah ! ma tante, s'écria la belle Formosante, je jure par lui et par le puissant Orosmade que ce baiser funeste, loin d'être criminel[2], était la plus forte preuve d'amour que je pusse donner à votre fils. Je désobéissais à mon père pour lui. J'allais pour lui de l'Euphrate
1050 au Gange. Tombée entre les mains de l'indigne pharaon d'Égypte, je ne pouvais lui échapper qu'en le trompant. J'en atteste les cendres et l'âme du phénix, qui étaient alors dans ma poche ; il peut me rendre justice ; mais comment votre fils, né sur les bords du Gange, peut-il être mon cousin, moi dont la famille
1055 règne sur les bords de l'Euphrate depuis tant de siècles ?

– Vous savez, lui dit la vénérable[3] Gangaride, que votre grand-oncle Aldée était roi de Babylone, et qu'il fut détrôné par le père de Bélus. – Oui, madame. – Vous savez que son fils Aldée avait eu de son mariage la princesse Aldée, élevée dans votre cour.
1060 C'est ce prince, qui, étant persécuté par votre père, vint se réfugier dans notre heureuse contrée, sous un autre nom ; c'est lui qui m'épousa ; j'en ai eu le jeune prince Aldée-Amazan, le plus beau, le plus fort, le plus courageux, le plus vertueux des mortels, et aujourd'hui le plus fou[4]. Il alla aux fêtes de Babylone
1065 sur[5] la réputation de votre beauté : depuis ce temps-là il vous idolâtre, et peut-être je ne reverrai jamais mon cher fils. »

Alors elle fit déployer devant la princesse tous les titres de la maison des Aldées ; à peine Formosante daigna les regarder.

notes

1. **heureuse** : chanceuse. À l'époque de Voltaire, les mariages entre membres de la même famille étaient une garantie sociale.
2. **criminel** : coupable.
3. **vénérable** : respectable et âgée.
4. **fou** : fou d'amour.
5. **sur** : à cause de.

« Ah ! madame, s'écria-t-elle, examine-t-on[1] ce qu'on desire ?
1070 Mon cœur vous en croit assez. Mais où est Aldée-Amazan ? où est mon parent, mon amant[2], mon roi ? où est ma vie ? quel chemin a-t-il pris ? J'irais le chercher dans tous les globes que l'Éternel a formés, et dont il est le plus bel ornement. J'irais dans l'étoile Canope, dans Sheat, dans Aldébaran[3] ; j'irais le
1075 convaincre de mon amour et de mon innocence. »

Le phénix justifia[4] la princesse du crime que lui imputait le merle d'avoir donné par amour un baiser au roi d'Égypte ; mais il fallait détromper Amazan et le ramener. Il envoie des oiseaux sur tous les chemins ; il met en campagne les licornes[5] : on lui
1080 rapporte enfin qu'Amazan a pris la route de la Chine. « Eh bien ! allons à la[6] Chine, s'écria la princesse ; le voyage n'est pas long ; j'espère bien vous ramener votre fils dans quinze jours au plus tard. » À ces mots, que de larmes de tendresse versèrent la mère gangaride et la princesse de Babylone ! que d'embrassements !
1085 que d'effusion de cœur !

Le phénix commanda sur-le-champ un carrosse à six licornes. La mère fournit deux cents cavaliers, et fit présent à la princesse, sa nièce, de quelques milliers des plus beaux diamants du pays. Le phénix, affligé du mal que l'indiscrétion du merle avait causé, fit
1090 ordonner à tous les merles de vider le pays ; et c'est depuis ce temps qu'il ne s'en trouve plus sur les bords du Gange.

V

Les licornes, en moins de huit jours, amenèrent Formosante, Irla et le phénix à Cambalu[7], capitale de la Chine. C'était une

notes

1. **examine-t-on** : vérifie-t-on.
2. **mon amant** : celui que j'aime et qui m'aime.
3. **Canope, Sheat, Aldébaran** : noms d'étoiles.
4. **justifia** : disculpa.
5. **il met en campagne les licornes** : il les lance à la recherche d'Amazan.
6. Construction classique devant un nom féminin, encore en usage au XIXe siècle.
7. **Cambalu** : ancien nom que Marco Polo donna à Pékin.

ville plus grande que Babylone, et d'une espèce de magnificence
1095 toute différente. Ces nouveaux objets, ces mœurs nouvelles, auraient amusé Formosante si elle avait pu être occupée d'autre chose que d'Amazan.

Dès que l'empereur de la Chine eut appris que la princesse de Babylone était à une porte de la ville, il lui dépêcha quatre mille
1100 mandarins[1] en robes de cérémonie ; tous se prosternèrent devant elle, et lui présentèrent chacun un compliment écrit en lettres d'or sur une feuille de soie pourpre. Formosante leur dit que, si elle avait quatre mille langues, elle ne manquerait pas de répondre sur-le-champ à chaque mandarin ; mais que, n'en ayant qu'une,
1105 elle les priait de trouver bon qu'elle s'en servît pour les remercier tous en général. Ils la conduisirent respectueusement chez l'empereur.

C'était le monarque de la terre le plus juste, le plus poli, et le plus sage. Ce fut lui qui, le premier, laboura un petit champ de ses
1110 mains impériales, pour rendre l'agriculture respectable à son peuple. Il établit, le premier, des prix pour la vertu. Les lois, partout ailleurs, étaient honteusement bornées à punir les crimes. Cet empereur venait de chasser de ses États une troupe de bonzes[2] étrangers qui étaient venus du fond de l'Occident, dans l'espoir
1115 insensé de forcer toute la Chine à penser comme eux, et qui, sous prétexte d'annoncer des vérités, avaient acquis déjà des richesses et des honneurs[3]. Il leur avait dit, en les chassant, ces propres paroles enregistrées dans les annales[4] de l'empire[5] :

« Vous pourriez faire ici autant de mal que vous en avez fait
1120 ailleurs : vous êtes venus prêcher des dogmes[6] d'intolérance chez la nation la plus tolérante de la terre. Je vous renvoie pour n'être jamais forcé de vous punir. Vous serez reconduits honorablement

notes

1. mandarins : hauts dignitaires de l'Empire chinois.
2. bonzes : moines.
3. Allusion à l'expulsion des jésuites par l'empereur Young-Tchin, en 1724.
4. annales : ouvrages qui rapportent les événements dans l'ordre chronologique.
5. En vérité, ces paroles sont de l'invention de Voltaire.
6. dogmes : idées considérées comme incontestables.

sur mes frontières ; on vous fournira tout pour retourner aux bornes de l'hémisphère dont vous êtes partis. Allez en paix si vous 1125 pouvez être en paix, et ne revenez plus. »

La princesse de Babylone apprit avec joie ce jugement et ce discours ; elle en était plus sûre d'être bien reçue à la cour, puisqu'elle était très éloignée d'avoir des dogmes intolérants. L'empereur de la Chine, en dînant avec elle tête à tête, eut la 1130 politesse de bannir l'embarras de toute étiquette gênante[1] ; elle lui présenta le phénix, qui fut très caressé[2] de l'empereur, et qui se percha sur son fauteuil. Formosante, sur la fin du repas, lui confia ingénument[3] le sujet de son voyage, et le pria de faire chercher dans Cambalu le bel Amazan, dont elle lui conta l'aventure, sans 1135 lui rien cacher de la fatale passion dont son cœur était enflammé pour ce jeune héros. « À qui en parlez-vous ? lui dit l'empereur de la Chine ; il m'a fait le plaisir de venir dans ma cour ; il m'a enchanté, cet aimable Amazan : il est vrai qu'il est profondément affligé ; mais ses grâces n'en sont que plus touchantes ; aucun de 1140 mes favoris[4] n'a plus d'esprit que lui ; nul mandarin de robe n'a de plus vastes connaissances ; nul mandarin d'épée[5] n'a l'air plus martial[6] et plus héroïque ; son extrême jeunesse donne un nouveau prix[7] à tous ses talents ; si j'étais assez malheureux, assez abandonné du Tien et du Changti[8] pour vouloir être conquérant, 1145 je prierais Amazan de se mettre à la tête de mes armées, et je serais sûr de triompher de l'univers entier. C'est bien dommage que son chagrin[9] lui dérange quelquefois l'esprit.

notes

1. Idée récurrente chez Voltaire (*cf.* chap. XVIII de *Candide*).
2. caressé : traité avec bienveillance et affection.
3. ingénument : naïvement, en toute confiance.
4. favoris : personnes qui ont les faveurs d'un monarque.
5. Transposition des deux noblesses françaises : de robe (magistrature) et d'épée (servant dans les armées).
6. martial : courageux et combatif.
7. nouveau prix : importance particulière.
8. Tien, Changti : ces deux mots désignaient le Dieu de l'univers. Une querelle divisait les religieux français à ce sujet : les Chinois étaient-ils ou non athées ?
9. chagrin : douleur profonde.

– Ah ! monsieur, lui dit Formosante avec un air enflammé et un ton de douleur, de saisissement[1] et de reproche, pourquoi ne
1150 m'avez-vous pas fait dîner avec lui ? Vous me faites mourir ; envoyez-le prier[2] tout à l'heure. – Madame, il est parti ce matin, et il n'a point dit dans quelle contrée il portait ses pas. » Formosante se tourna vers le phénix : « Eh bien, dit-elle, phénix, avez-vous jamais vu une fille plus malheureuse que moi ? Mais,
1155 monsieur[3], continua-t-elle, comment, pourquoi a-t-il pu quitter si brusquement une cour aussi polie[4] que la vôtre, dans laquelle il me semble qu'on voudrait passer sa vie ?

– Voici, madame, ce qui est arrivé. Une princesse du sang[5], des plus aimables, s'est éprise de passion pour lui, et lui a donné un
1160 rendez-vous chez elle à midi ; il est parti au point du jour[6], et il a laissé ce billet[7], qui a coûté bien des larmes à ma parente.

« Belle princesse du sang de la Chine, vous méritez un cœur qui n'ait jamais été qu'à vous ; j'ai juré aux dieux immortels de n'aimer jamais que Formosante, princesse de Babylone, et de lui
1165 apprendre comment on peut dompter ses désirs dans ses voyages ; elle a eu le malheur de succomber[8] avec un indigne roi d'Égypte : je suis le plus malheureux des hommes ; j'ai perdu mon père et le phénix, et l'espérance d'être aimé de Formosante ; j'ai quitté ma mère affligée, ma patrie, ne pouvant vivre un moment[9] dans les
1170 lieux où j'ai appris que Formosante en aimait un autre que moi ; j'ai juré de parcourir la terre et d'être fidèle. Vous me mépriseriez, et les dieux me puniraient, si je violais mon serment ; prenez un amant[10], madame[11], et soyez aussi fidèle que moi. »

– Ah ! laissez-moi cette étonnante[12] lettre, dit la belle Formo-
1175 sante, elle fera ma consolation ; je suis heureuse dans mon

notes

1. **saisissement** : émotion vive et brutale.
2. **prier** : chercher.
3. Appellation fantaisiste qui doit seulement souligner l'absence d'étiquette à la cour de Chine.
4. **polie** : d'un haut degré de civilisation.
5. **du sang** : de sang royal, donc une proche parente du monarque.
6. **point du jour** : aube.
7. **billet** : courte lettre.
8. **succomber** : m'être infidèle.
9. **moment** : instant.
10. **prenez un amant** : choisissez quelqu'un qui vous aime et que vous aimerez.
11. **madame** : marque de respect donnée à une personne de haut rang, mariée ou non.
12. **étonnante** : qui produit une émotion violente.

infortune. Amazan m'aime ; Amazan renonce pour moi à la possession des princesses de la Chine ; il n'y a que lui sur la terre capable de remporter une telle victoire[1] ; il me donne un grand exemple ; le phénix sait que je n'en avais pas besoin ; il est bien 1180 cruel d'être privée de son amant pour le plus innocent des baisers donné par pure fidélité. Mais enfin où est-il allé ? quel chemin a-t-il pris ? daignez me l'enseigner, et je pars. »

L'empereur de la Chine lui répondit qu'il croyait, sur les rapports qu'on lui avait faits[2], que son amant avait suivi une route 1185 qui menait en Scythie. Aussitôt les licornes furent attelées, et la princesse, après les plus tendres compliments, prit congé de l'empereur avec le phénix, sa femme de chambre Irla et toute sa suite.

Dès qu'elle fut en Scythie, elle vit plus que jamais combien les 1190 hommes et les gouvernements diffèrent, et différeront toujours jusqu'au temps où quelque peuple plus éclairé que les autres communiquera la lumière de proche en proche[3] après mille siècles de ténèbres ; et qu'il se trouvera dans des climats barbares[4] des âmes héroïques qui auront la force et la persévérance de 1195 changer les brutes en hommes. Point de villes en Scythie[5], par conséquent point d'arts[6] agréables. On ne voyait que de vastes prairies et des nations entières sous des tentes et sur des chars. Cet aspect imprimait la terreur. Formosante demanda dans quelle tente ou dans quelle charrette logeait le roi. On lui dit que depuis 1200 huit jours il s'était mis en marche à la tête de trois cent mille hommes de cavalerie pour aller à la rencontre du roi de Babylone, dont il avait enlevé la nièce, la belle princesse Aldée. « Il a enlevé ma cousine ! s'écria Formosante ; je ne m'attendais pas à cette

notes

1. une telle victoire : la conquête d'une princesse de Chine et, sans doute, le renoncement à cette conquête.
2. sur les rapports qu'on lui avait faits : d'après ce qu'on lui avait rapporté.
3. de proche en proche : petit à petit.
4. barbares : qui ne sont pas civilisés.
5. René Pomeau explique que, « *dans son* Histoire de la Russie sous Pierre le Grand, *Voltaire a identifié les Scythes avec les populations nomades de Kalmoucks et de Mongols, que la Russie commence à coloniser* » *(ibid.)*.
6. arts : toute production artistique, artisanale ou manufacturée.

nouvelle aventure[1]. Quoi ! ma cousine, qui était trop heureuse[2]
1205 de me faire la cour, est devenue reine, et je ne suis pas encore mariée ! » Elle se fit conduire incontinent[3] aux tentes de la reine.

Leur réunion[4] inespérée dans ces climats lointains, les choses singulières[5] qu'elles avaient mutuellement à s'apprendre mirent dans leur entrevue un charme qui leur fit oublier qu'elles ne
1210 s'étaient jamais aimées ; elles se revirent avec transport ; une douce illusion se mit à la place de la vraie tendresse ; elles s'embrassèrent en pleurant, et il y eut même entre elles de la cordialité et de la franchise, attendu que[6] l'entrevue ne se faisait pas dans un palais.

1215 Aldée reconnut le phénix et la confidente Irla ; elle donna des fourrures de zibeline[7] à sa cousine, qui lui donna des diamants. On parla de la guerre que les deux rois entreprenaient ; on déplora la condition des hommes que des monarques envoient par fantaisie[8] s'égorger pour des différends que deux honnêtes
1220 gens[9] pourraient concilier[10] en une heure ; mais surtout on s'entretint du bel étranger vainqueur des lions, donneur des plus gros diamants de l'univers, faiseur de madrigaux, possesseur du phénix, devenu le plus malheureux des hommes sur le rapport d'un merle. « C'est mon cher frère, disait Aldée. – C'est mon
1225 amant ! s'écriait Formosante ; vous l'avez vu sans doute, il est peut-être encore ici ; car, ma cousine, il sait qu'il est votre frère ; il ne vous aura pas quittée brusquement comme il a quitté le roi de la Chine.

– Si je l'ai vu, grands dieux ! reprit Aldée ; il a passé quatre jours
1230 entiers avec moi. Ah ! ma cousine, que mon frère est à plaindre ! Un faux rapport[11] l'a rendu absolument fou ; il court le monde sans savoir où il va. Figurez-vous qu'il a poussé la démence

notes

1. **aventure** : événement.
2. **était trop heureuse** : avait la chance.
3. **incontinent** : sur-le-champ.
4. **réunion** : retrouvailles.
5. **singulières** : étonnantes.
6. **attendu que** : vu que.
7. **zibeline** : petit mammifère que l'on trouve en Russie et dont la fourrure est très estimée.
8. **fantaisie** : caprice.
9. **honnêtes gens** : personnes de bonne foi.
10. **concilier** : résoudre.
11. **faux rapport** : informations erronées.

jusqu'à refuser les faveurs[1] de la plus belle Scythe de toute la Scythie. Il partit hier après lui avoir écrit une lettre dont elle a été
1235 désespérée. Pour lui[2], il est allé chez les Cimmériens[3]. – Dieu soit loué ! s'écria Formosante ; encore un refus en ma faveur ! mon bonheur a passé[4] mon espoir, comme mon malheur a surpassé toutes mes craintes. Faites-moi donner cette lettre charmante, que je parte, que je le suive, les mains pleines de ses sacrifices.
1240 Adieu, ma cousine ; Amazan est chez les Cimmériens, j'y vole. »

Aldée trouva que la princesse sa cousine était encore plus folle que son frère Amazan. Mais comme elle avait senti elle-même les atteintes de cette épidémie[5], comme elle avait quitté les délices et la magnificence de Babylone pour le roi des Scythes, comme les
1245 femmes s'intéressent toujours aux folies dont l'amour est cause, elle s'attendrit véritablement[6] pour Formosante, lui souhaita un heureux voyage, et lui promit de servir sa passion si jamais elle était assez heureuse pour revoir son frère.

VI

Bientôt la princesse de Babylone et le phénix arrivèrent dans
1250 l'empire des Cimmériens, bien moins peuplé, à la vérité, que la Chine, mais deux fois plus étendu ; autrefois semblable à la Scythie, et devenu depuis quelque temps aussi florissant que les royaumes qui se vantaient d'instruire les autres États.

Après quelques jours de marche on entra dans une très grande
1255 ville que l'impératrice régnante[7] faisait embellir ; mais elle n'y était pas : elle voyageait alors des frontières de l'Europe à celles de

notes

1. **les faveurs :** l'amour.
2. **Pour lui :** à cause de ce rapport.
3. **les Cimmériens :** ici, il s'agit de la Russie de Catherine II.
4. **passé :** dépassé.
5. **cette épidémie :** la « maladie » d'amour.
6. **véritablement :** sincèrement.
7. **l'impératrice régnante :** il s'agit de Catherine II de Russie.

l'Asie pour connaître ses États par ses yeux[1], pour juger des maux et porter les remèdes, pour accroître les avantages, pour semer l'instruction.

1260 Un des principaux officiers de cette ancienne capitale, instruit de l'arrivée de la Babylonienne et du phénix, s'empressa de rendre ses hommages à la princesse, et de lui faire les honneurs du pays, bien sûr que sa maîtresse, qui était la plus polie et la plus magnifique des reines, lui saurait gré d'avoir reçu une si grande 1265 dame avec les mêmes égards qu'elle aurait prodigués elle-même[2].

On logea Formosante au palais[3], dont on écarta une foule importune de peuple ; on lui donna des fêtes ingénieuses[4]. Le seigneur cimmérien, qui était un grand naturaliste[5], s'entretint beaucoup avec le phénix dans les temps où la princesse était 1270 retirée dans son appartement. Le phénix lui avoua qu'il avait autrefois voyagé chez les Cimmériens, et qu'il ne reconnaissait plus le pays. « Comment de si prodigieux changements, disait-il, ont-ils pu être opérés dans un temps si court ? Il n'y a pas trois cents ans que je vis ici la nature sauvage dans toute son horreur ; 1275 j'y trouve aujourd'hui les arts, la splendeur, la gloire et la politesse[6]. – Un seul homme[7] a commencé ce grand ouvrage, répondit le Cimmérien ; une femme[8] l'a perfectionné ; une femme a été meilleure législatrice que l'Isis des Égyptiens et la Cérès[9] des Grecs. La plupart des législateurs ont eu un génie[10] 1280 étroit et despotique[11] qui a resserré leurs vues dans le pays qu'ils

notes

1. Effectivement, en avril-mai 1767, Catherine II voyagea dans ses provinces de la Volga pour découvrir son empire. Elle en informa Voltaire par des lettres.
2. Voltaire prend le parti de Catherine II qui était pourtant accusée d'avoir pris le pouvoir à la faveur d'un coup d'État et fait assassiner son mari, le tsar Pierre III.
3. Formosante est logée au Kremlin après qu'on eut écarté la foule massée sur la place Rouge, déjà nommée ainsi à l'époque des tsars.
4. **ingénieuses** : très inventives.
5. **naturaliste** : scientifique qui étudie la nature. Voltaire fait peut-être allusion à Shouvalov qui servait d'intermédiaire dans la correspondance qu'il entretenait avec Catherine II.
6. **politesse** : civilisation.
7. Le tsar Pierre le Grand.
8. La tsarine Catherine II.
9. **Cérès** : déesse des Moissons et de la Civilisation chez les Romains ; chez les Grecs, son nom est Déméter.
10. **génie** : esprit.
11. **despotique** : tyrannique.

ont gouverné ; chacun a regardé son peuple comme étant seul sur la terre, ou comme devant être l'ennemi du reste de la terre. Ils ont formé des institutions[1] pour ce seul peuple, introduit des usages pour lui seul, établi une religion pour lui seul. C'est ainsi
1285 que les Égyptiens, si fameux[2] par des monceaux de pierres[3], se sont abrutis[4] et déshonorés par leurs superstitions barbares. Ils croient les autres nations profanes[5], ils ne communiquent point[6] avec elles ; et, excepté la cour, qui s'élève quelquefois au-dessus des préjugés vulgaires[7], il n'y a pas un Égyptien qui voulût
1290 manger dans un plat dont un étranger se serait servi. Leurs prêtres sont cruels et absurdes[8]. Il vaudrait mieux n'avoir point de lois, et n'écouter que la nature, qui a gravé dans nos cœurs les caractères du juste et de l'injuste, que de soumettre la société à des lois si insociables.

1295 « Notre impératrice embrasse[9] des projets entièrement opposés : elle considère son vaste État, sur lequel tous les méridiens[10] viennent se joindre, comme devant correspondre à tous les peuples qui habitent sous ces différents méridiens. La première de ses lois a été la tolérance de toutes les religions[11], et la
1300 compassion[12] pour toutes les erreurs. Son puissant génie a connu[13] que, si les cultes sont différents, la morale est partout la même : par ce principe elle a lié sa nation à toutes les nations du monde, et les Cimmériens vont regarder le Scandinavien[14] et le Chinois comme leurs frères. Elle a fait plus : elle a voulu que cette
1305 précieuse tolérance, le premier lien des hommes, s'établît chez ses

notes

1. institutions : structures organisées pour régler la société.
2. fameux : célèbres.
3. monceaux de pierres : les pyramides.
4. abrutis : littéralement, rendus semblables à la brute.
5. profanes : qui restent étrangères à la religion.
6. ne communiquent point : n'ont pas de relations.
7. vulgaires : de la foule.
8. absurdes : insensés.
9. embrasse : entreprend.
10. méridiens : cercles imaginaires passant par les deux Pôles terrestres.
11. Effectivement, Catherine II a protégé des minorités religieuses mais c'était pour en tirer des avantages politiques.
12. compassion : indulgente compréhension.
13. connu : compris.
14. Scandinavien : habitant de la Scandinavie (*cf.* note 3, p. 116).

voisins ; ainsi elle a mérité le titre de mère de la patrie, et elle aura celui de bienfaitrice du genre humain, si elle persévère[1].

« Avant elle, des hommes malheureusement puissants envoyaient des troupes de meurtriers ravir à des peuplades inconnues et arroser de leur sang les héritages de leurs pères : on appelait ces assassins des héros ; leur brigandage était de la gloire. Notre souveraine a une autre gloire : elle a fait marcher des armées pour apporter la paix, pour empêcher les hommes de se nuire, pour les forcer à se supporter les uns les autres ; et ses étendards ont été ceux de la concorde[2] publique. »

Le phénix, enchanté de tout ce que lui apprenait ce seigneur, lui dit : « Monsieur, il y a vingt-sept mille neuf cents années et sept mois que je suis au monde ; je n'ai encore rien vu de comparable à ce que vous me faites entendre. » Il lui demanda des nouvelles de son ami Amazan ; le Cimmérien lui conta les mêmes choses qu'on avait dites à la princesse chez les Chinois et chez les Scythes. Amazan s'enfuyait de toutes les cours qu'il visitait sitôt qu'une dame lui avait donné un rendez-vous auquel il craignait de succomber. Le phénix instruisit bientôt Formosante de cette nouvelle marque de fidélité qu'Amazan lui donnait, fidélité d'autant plus étonnante qu'il ne pouvait pas soupçonner que sa princesse en fût jamais informée.

Il était parti pour la Scandinavie[3]. Ce fut dans ces climats que des spectacles nouveaux frappèrent encore ses yeux. Ici la royauté et la liberté subsistaient ensemble par un accord qui paraît impossible dans d'autres États : les agriculteurs avaient part à la législation, aussi bien que les grands du royaume ; et un jeune prince donnait les plus grandes espérances d'être digne de

notes

1. Vision très optimiste du règne de Catherine II qui, en réalité, a été de plus en plus tyrannique (Voltaire fait ici allusion à la Pologne et à l'élection de Stanislas Poniatowski).

2. **concorde** : union.

3. **Scandinavie** : région aujourd'hui composée de la Suède et de la Norvège (auxquelles on ajoute souvent le Danemark et, de plus en plus, la Finlande).

commander à une nation libre[1]. Là c'était quelque chose de plus
1335 étrange : le seul roi qui fût despotique de droit sur la terre par un contrat formel avec son peuple était en même temps le plus jeune et le plus juste des rois[2].

Chez les Sarmates[3], Amazan vit un philosophe sur le trône : on pouvait l'appeler *le roi de l'anarchie*[4], car il était le chef de cent mille
1340 petits rois dont un seul pouvait d'un mot anéantir les résolutions de tous les autres[5]. Éole[6] n'avait pas plus de peine à contenir tous les vents qui se combattent sans cesse, que ce monarque n'en avait à concilier les esprits : c'était un pilote environné d'un éternel orage ; et cependant le vaisseau ne se brisait pas, car le prince était
1345 un excellent pilote.

En parcourant tous ces pays si différents de sa patrie, Amazan refusait constamment toutes les bonnes fortunes[7] qui se présentaient à lui, toujours désespéré du baiser que Formosante avait donné au roi d'Égypte, toujours affermi[8] dans son inconcevable
1350 résolution de donner à Formosante l'exemple d'une fidélité unique et inébranlable.

La princesse de Babylone avec le phénix le suivait partout à la piste[9], et ne le manquait jamais que d'un jour ou deux, sans que l'un se lassât de courir, et sans que l'autre perdît un moment à le
1355 suivre.

Ils traversèrent ainsi toute la Germanie[10] ; ils admirèrent les progrès que la raison et la philosophie faisaient dans le Nord : tous

notes

1. Allusion à la Suède où Gustave III régna à partir de 1771, en « despote éclairé », et partagea son pouvoir avec le Sénat.
2. Il s'agit, cette fois-ci, du Danemark où Christian VII, malgré le pouvoir absolu, travaillait à la liberté civile de tous ses sujets.
3. **chez les Sarmates** : en Pologne.
4. ***anarchie*** : désordre dû à l'absence d'autorité.
5. Le dernier roi de Pologne, Stanislas-Auguste Poniatowski, était en proie aux pires difficultés pour gouverner car il suffisait qu'un seul membre de la Diète (assemblée législative représentant les nobles) s'opposât à une décision pour l'empêcher absolument.
6. **Éole** : dieu grec des Vents qu'il maintient enfermés dans un coffret.
7. **bonnes fortunes** : occasions amoureuses.
8. **affermi** : rendu plus ferme.
9. **à la piste** : à la trace.
10. La Germanie, qui correspond approximativement à l'Allemagne actuelle, se composait, à l'époque de Voltaire, d'un grand nombre de principautés sur lesquelles régnaient plusieurs « despotes éclairés », dont Frédéric II de Prusse, chez qui Voltaire avait séjourné.

les princes y étaient instruits, tous autorisaient la liberté de penser ; leur éducation n'avait point été confiée à des hommes
1360 qui eussent intérêt de les tromper, ou qui fussent trompés eux-mêmes : on les avait élevés dans la connaissance de la morale universelle, et dans le mépris des superstitions ; on avait banni dans tous ces États un usage insensé, qui énervait[1] et dépeuplait plusieurs pays méridionaux : cette coutume était d'enterrer tout
1365 vivants, dans de vastes cachots, un nombre infini des deux sexes éternellement séparés l'un de l'autre, et de leur faire jurer de n'avoir jamais de communication ensemble[2]. Cet excès de démence, accrédité pendant des siècles, avait dévasté la terre autant que les guerres les plus cruelles.

1370 Les princes du Nord avaient à la fin compris que, si on voulait avoir des haras[3], il ne fallait pas séparer les plus forts chevaux des cavales[4]. Ils avaient détruit aussi des erreurs non moins bizarres et non moins pernicieuses[5]. Enfin les hommes osaient être raisonnables dans ces vastes pays, tandis qu'ailleurs on croyait encore
1375 qu'on ne peut les gouverner qu'autant qu'ils sont imbéciles[6].

VII

Amazan arriva chez les Bataves[7] ; son cœur éprouva une douce satisfaction dans son chagrin d'y retrouver quelque faible image du pays des heureux Gangarides ; la liberté, l'égalité, la propreté, l'abondance, la tolérance ; mais les dames du pays étaient si
1380 froides qu'aucune ne lui fit d'avances comme on lui en avait fait partout ailleurs ; il n'eut pas la peine de résister. S'il avait voulu

notes

1. **énervait :** enlevait toute énergie.
2. Voltaire fait allusion aux couvents et aux monastères et au vœu de chasteté du clergé. La réforme luthérienne les avait supprimés en Allemagne du Nord.
3. **haras :** lieux destinés à la reproduction des chevaux.
4. **cavales :** juments.
5. **pernicieuses :** destructrices.
6. **imbéciles :** faibles.
7. **Bataves :** habitants des Pays-Bas. Voltaire fait l'éloge de ce pays où il a souvent fait publier ses ouvrages, interdits en France.

attaquer ces dames, il les aurait toutes subjuguées[1] l'une après l'autre, sans être aimé d'aucune ; mais il était bien éloigné de songer à faire des conquêtes.

1385 Formosante fut sur le point de l'attraper[2] chez cette nation insipide : il ne s'en fallut que d'un moment.

Amazan avait entendu parler chez les Bataves avec tant d'éloges d'une certaine île, nommée Albion[3], qu'il s'était déterminé à s'embarquer, lui et ses licornes, sur un vaisseau qui, par un vent 1390 d'orient favorable, l'avait porté en quatre heures au rivage de cette terre plus célèbre que Tyr[4] et que l'île Atlantide[5].

La belle Formosante, qui l'avait suivi au bord de la Duina, de la Vistule, de l'Elbe, du Véser[6], arrive enfin aux bouches[7] du Rhin, qui portait alors ses eaux rapides dans la mer Germanique.

1395 Elle apprend que son cher amant a vogué aux côtes d'Albion ; elle croit voir son vaisseau ; elle pousse des cris de joie dont toutes les dames bataves furent surprises, n'imaginant pas qu'un jeune homme pût causer tant de joie. Et à l'égard du phénix, elles n'en firent pas grand cas, parce qu'elles jugèrent que ses plumes ne 1400 pourraient probablement se vendre aussi bien que celles des canards et des oisons de leurs marais[8]. La princesse de Babylone loua ou nolisa[9] deux vaisseaux pour la transporter avec tout son monde[10] dans cette bienheureuse île qui allait posséder l'unique objet de tous ses désirs, l'âme de sa vie, le dieu de son cœur.

1405 Un vent funeste d'occident s'éleva tout à coup dans le moment même où le fidèle et malheureux Amazan mettait pied à terre en Albion ; les vaisseaux de la princesse de Babylone ne purent démarrer[11]. Un serrement de cœur, une douleur amère, une

notes

1. **subjuguées :** conquises.
2. **attraper :** saisir au passage.
3. **Albion :** l'Angleterre, appelée ainsi à cause de la blancheur de ses falaises.
4. **Tyr :** grand port phénicien de l'Antiquité.
5. **Atlantide :** île fabuleuse de l'Atlantique qui possédait des métaux précieux en abondance et qui fut, selon la légende, engloutie.
6. **Duina, Vistule, Elbe, Véser :** fleuves d'Europe.
7. **bouches :** embouchure.
8. Les Pays-Bas ont fait fortune par le commerce.
9. **nolisa :** affréta (terme de marine).
10. **son monde :** sa suite.
11. **démarrer :** au sens propre de « rompre les amarres ».

mélancolie profonde saisirent Formosante ; elle se mit au lit, dans
1410 sa douleur, en attendant que le vent changeât ; mais il souffla huit jours entiers avec une violence désespérante. La princesse, pendant ce siècle de huit jours, se faisait lire par Irla des romans : ce n'est pas que les Bataves en sussent faire ; mais, comme ils étaient les facteurs[1] de l'univers, ils vendaient l'esprit des autres
1415 nations[2] ainsi que leurs denrées. La princesse fit acheter chez Marc-Michel Rey[3] tous les contes que l'on avait écrits chez les Ausoniens[4] et chez les Velches[5], et dont le débit était défendu[6] sagement chez ces peuples pour enrichir les Bataves ; elle espérait qu'elle trouverait dans ces histoires quelque aventure qui ressem-
1420 blerait à la sienne, et qui charmerait[7] sa douleur. Irla lisait, le phénix disait son avis, et la princesse ne trouvait rien dans *La Paysanne parvenue*, ni dans *Tansaï*, ni dans *Le Sopha*, ni dans *Les Quatre Facardins*[8] qui eût le moindre rapport à ses aventures ; elle interrompait à tout moment la lecture pour demander de quel
1425 côté venait le vent.

VIII

Cependant Amazan était déjà sur le chemin de la capitale d'Albion[9], dans son carrosse à six licornes, et rêvait à sa princesse. Il aperçut un équipage versé dans un fossé ; les domestiques s'étaient écartés[10] pour aller chercher du secours ; le maître de

notes

1. **facteurs** : agents commerciaux.
2. Allusion à l'impression d'ouvrages interdits en France.
3. **Marc-Michel Rey** : célèbre éditeur d'Amsterdam qui publiait, entre autres, les œuvres de Rousseau ainsi que des textes anti-catholiques.
4. **Ausoniens** : nom ancien des Italiens.
5. **Velches** : Welches, anciens Gaulois.
6. **dont le débit était défendu** : dont la vente était interdite.
7. **charmerait** : adoucirait.
8. *La Paysanne parvenue* (1735-1736) de Mouhi est une suite audacieuse du *Paysan parvenu* de Marivaux. *Tanzaï* (1734) et *Le Sopha* (1745) sont des romans de Crébillon fils. *Les Quatre Facardins* est un conte en vers et en prose d'Hamilton (1730). Voltaire avait d'abord mis *Candide* puis l'a supprimé.
9. Les bateaux accostaient à Gravesend dans l'estuaire de la Tamise. C'est par là que Voltaire était arrivé à Londres en 1726.
10. **écartés** : éloignés.

l'équipage restait tranquillement dans sa voiture, ne témoignant pas la plus légère impatience, et s'amusant à fumer, car on fumait alors[1] : il se nommait milord[2] *What-then*, ce qui signifie à peu près milord *Qu'importe* en la langue dans laquelle je traduis ces mémoires[3].

Amazan se précipita pour lui rendre service ; il releva tout seul la voiture, tant sa force était supérieure à celle des autres hommes. Milord Qu'importe se contenta de dire : « Voilà un homme bien vigoureux. » Des rustres[4] du voisinage, étant accourus, se mirent en colère de ce qu'on les avait fait venir inutilement, et s'en prirent à l'étranger : ils le menacèrent en l'appelant *chien d'étranger*, et ils voulurent le battre.

Amazan en saisit deux de chaque main, et les jeta à vingt pas ; les autres le respectèrent[5], le saluèrent, lui demandèrent pour boire : il leur donna plus d'argent qu'ils n'en avaient jamais vu. Milord Qu'importe lui dit : « Je vous estime ; venez dîner avec moi dans ma maison de campagne, qui n'est qu'à trois milles » ; il monta dans la voiture d'Amazan, parce que la sienne était dérangée par la secousse.

Après un quart d'heure de silence, il regarda un moment Amazan, et lui dit : *How dye do* ; à la lettre : *Comment faites-vous faire ?* et dans la langue du traducteur : *Comment vous portez-vous ?* ce qui ne veut rien dire du tout en aucune langue ; puis il ajouta : « Vous avez là six jolies licornes » ; et il se remit à fumer.

Le voyageur lui dit que ses licornes étaient à son service ; qu'il venait avec elles du pays des Gangarides ; et il en prit occasion[6] de lui parler de la princesse de Babylone, et du fatal baiser qu'elle avait donné au roi d'Égypte ; à quoi l'autre ne répliqua rien du tout, se souciant très peu qu'il y eût dans le monde un roi

notes

1. L'usage du tabac ne s'est répandu en Europe qu'après la découverte de l'Amérique.
2. **milord** : titre donné en France aux hommes anglais riches et titrés.
3. **mémoires** : écrits destinés à faire connaître des événements.
4. **rustres** : paysans.
5. **le respectèrent** : le regardèrent avec respect.
6. **il en prit occasion** : il saisit l'occasion.

d'Égypte et une princesse de Babylone. Il fut encore un quart
1460 d'heure sans parler ; après quoi il redemanda à son compagnon comment il faisait faire, et si on mangeait du bon *roast-beef* dans le pays des Gangarides. Le voyageur lui répondit avec sa politesse ordinaire qu'on ne mangeait point ses frères sur les bords du Gange. Il lui expliqua le système qui fut, après tant de siècles,
1465 celui de Pythagore, de Porphyre, de Iamblique[1]. Sur quoi milord s'endormit, et ne fit qu'un somme jusqu'à ce qu'on fût arrivé à sa maison.

Il avait une femme jeune et charmante, à qui la nature avait donné une âme aussi vive et aussi sensible que celle de son mari
1470 était indifférente. Plusieurs seigneurs albioniens étaient venus ce jour-là dîner avec elle. Il y avait des caractères de toutes les espèces : car le pays n'ayant presque jamais été gouverné que par des étrangers[2], les familles venues avec ces princes avaient toutes apporté des mœurs différentes. Il se trouva dans la compagnie des
1475 gens très aimables, d'autres d'un esprit supérieur, quelques-uns d'une science profonde[3].

La maîtresse de la maison n'avait rien de cet air emprunté[4] et gauche, de cette roideur[5], de cette mauvaise honte[6] qu'on reprochait alors aux jeunes femmes d'Albion ; elle ne cachait
1480 point, par un maintien dédaigneux et par un silence affecté[7], la stérilité de ses idées et l'embarras humiliant de n'avoir rien à dire : nulle femme n'était plus engageante[8]. Elle reçut Amazan avec la politesse et les grâces qui lui étaient naturelles. L'extrême beauté de ce jeune étranger, et la comparaison soudaine[9] qu'elle fit entre
1485 lui et son mari, la frappèrent d'abord[10] sensiblement[11].

notes

1. Pythagore (VIe- Ve s. av. J.-C.), Porphyre (234-305) et Iamblique (v. 250-330) étaient tous végétariens car ils croyaient à la réincarnation de l'âme humaine dans des animaux.
2. Allusion à la dynastie des Hanovre, qui régna sur la Grande-Bretagne à partir de 1714.
3. **d'une science profonde** : très cultivés.
4. **emprunté** : peu naturel.
5. **roideur** : rigidité.
6. **mauvaise honte** : réserve excessive.
7. **affecté** : étudié.
8. **engageante** : séduisante.
9. **soudaine** : immédiate.
10. **d'abord** : tout de suite.
11. **sensiblement** : fortement.

On servit. Elle fit asseoir Amazan à côté d'elle, et lui fit manger des poudings[1] de toute espèce, ayant su de lui que les Gangarides ne se nourrissaient de rien qui eût reçu des dieux le don céleste de la vie. Sa beauté, sa force, les mœurs des Gangarides, les progrès 1490 des arts, la religion et le gouvernement furent le sujet d'une conversation aussi agréable qu'instructive pendant le repas, qui dura jusqu'à la nuit, et pendant lequel milord Qu'importe but beaucoup et ne dit mot.

Après le dîner, pendant que milady[2] versait du thé et qu'elle 1495 dévorait des yeux le jeune homme, il s'entretenait avec un membre du parlement : car chacun sait que dès lors il y avait un parlement, et qu'il s'appelait *Wittenagemot*[3], ce qui signifie *l'assemblée des gens d'esprit*. Amazan s'informait de la constitution, des mœurs, des lois, des forces, des usages, des arts, qui rendaient 1500 ce pays si recommandable[4] ; et ce seigneur lui parlait en ces termes :

« Nous avons longtemps marché tout nus, quoique le climat ne soit pas chaud. Nous avons été longtemps traités en esclaves par des gens venus de l'antique[5] terre de Saturne[6], arrosée des eaux du 1505 Tibre[7] ; mais nous nous sommes fait nous-mêmes beaucoup plus de maux que nous n'en avions essuyés de nos premiers vainqueurs. Un de nos rois[8] poussa la bassesse jusqu'à se déclarer sujet d'un prêtre qui demeurait aussi sur les bords du Tibre, et qu'on appelait *le Vieux des sept montagnes*[9] : tant la destinée de ces sept

notes

1. **poudings** : puddings, gâteaux anglais riches et lourds.
2. **milady** : titre donné à la femme d'un lord.
3. Ce mot renvoie à une époque antérieure à la conquête normande de l'Angleterre. Le Wittene-Gemet ou Wite-Nagemoth était un conseil établi auprès des rois saxons. Voltaire était très admiratif du parlement anglais qui fonctionnait de manière démocratique.
4. On trouve souvent chez Voltaire l'éloge de l'Angleterre dont il apprécie la réussite commerciale, scientifique et politique. Il y avait trouvé refuge en 1726.
5. **antique** : ancienne.
6. **Saturne** : ancienne divinité de la mythologie romaine. Chassé du ciel par Jupiter, il se réfugia dans le Latium où il répandit l'abondance et la paix, lors de la période de l'âge d'or.
7. **Tibre** : fleuve italien. Voltaire fait allusion à la conquête de l'Angleterre par les Romains sous le règne de Claude (43 ap. J.-C.).
8. Il s'agit de Jean sans Terre (1167-1216), qui fit don de son royaume au pape Innocent III pour échapper à une invasion par Philippe-Auguste.
9. Il s'agit du pape, établi à Rome, ville bâtie sur sept collines.

1510 montagnes a été longtemps de dominer sur une grande partie de l'Europe habitée alors par des brutes[1] !

« Après ces temps d'avilissement[2] sont venus des siècles de férocité et d'anarchie. Notre terre, plus orageuse que les mers qui l'environnent, a été saccagée et ensanglantée par nos discordes ; 1515 plusieurs têtes couronnées ont péri par le dernier supplice. Plus de cent princes du sang des rois ont fini leurs jours sur l'échafaud. On a arraché le cœur de tous leurs adhérents, et on en a battu leurs joues[3]. C'était au bourreau qu'il appartenait d'écrire l'histoire de notre île, puisque c'était lui qui avait terminé toutes les grandes 1520 affaires[4].

« Il n'y a pas longtemps que, pour comble d'horreur, quelques personnes portant un manteau noir, et d'autres qui mettaient une chemise blanche par-dessus leur jaquette[5], ayant été mordues par des chiens enragés, communiquèrent la rage à la nation entière. 1525 Tous les citoyens furent ou meurtriers ou égorgés, ou bourreaux ou suppliciés, ou déprédateurs[6] ou esclaves, au nom du ciel et en cherchant le Seigneur[7].

« Qui croirait que, de cet abîme épouvantable, de ce chaos de dissensions[8], d'atrocités, d'ignorance et de fanatisme, il est enfin 1530 résulté le plus parfait gouvernement peut-être qui soit aujourd'hui dans le monde ? Un roi honoré et riche, tout-puissant pour faire le bien, impuissant pour faire le mal, est à la tête d'une nation libre, guerrière, commerçante et éclairée. Les

notes

1. **brutes :** sauvages.
2. **avilissement :** déchéance.
3. Les partisans du prince Charles-Édouard Stuart furent traités ainsi après leur défaite contre les protestants à Culloden en 1746. C'est l'occasion pour Voltaire de rappeler les ravages du fanatisme religieux.
4. Ces grandes affaires remontent au moins au règne d'Henri VIII (début du XVIe s.) qui fit périr sur l'échafaud deux de ses six épouses successives.
5. **jaquette :** vêtement masculin, à pans ouverts et descendant jusqu'aux genoux.
6. **déprédateurs :** destructeurs.
7. Allusion au règne de Charles Ier (1600-1649), qui connut une guerre civile opposant les puritains au manteau noir aux anglicans en chemise blanche. On l'appelle aussi « guerre entre les cavaliers et les têtes rondes ».
8. **dissensions :** désaccords.

grands[1] d'un côté, et les représentants des villes de l'autre partagent la législation avec le monarque[2].

« On avait vu, par une fatalité singulière[3], le désordre, les guerres civiles, l'anarchie et la pauvreté désoler[4] le pays quand les rois affectaient[5] le pouvoir arbitraire[6]. La tranquillité, la richesse, la félicité[7] publique n'ont régné chez nous que quand les rois ont reconnu qu'ils n'étaient pas absolus. Tout était subverti[8] quand on disputait[9] sur des choses inintelligibles[10] ; tout a été dans l'ordre quand on les a méprisées. Nos flottes victorieuses portent notre gloire sur toutes les mers ; et les lois mettent en sûreté nos fortunes : jamais un juge ne peut les expliquer arbitrairement[11] ; jamais on ne rend un arrêt[12] qui ne soit motivé. Nous punirions comme des assassins des juges qui oseraient envoyer à la mort un citoyen sans manifester les témoignages qui l'accusent et la loi qui le condamne.

« Il est vrai qu'il y a toujours chez nous deux partis qui se combattent avec la plume et avec des intrigues ; mais aussi ils se réunissent toujours quand il s'agit de prendre les armes pour défendre la patrie et la liberté. Ces deux partis[13] veillent l'un sur l'autre ; ils s'empêchent mutuellement de violer le dépôt sacré des lois ; ils se haïssent, mais ils aiment l'État : ce sont des amants jaloux[14] qui servent à l'envi[15] la même maîtresse.

« Du même fonds[16] d'esprit qui nous a fait connaître et soutenir les droits de la nature humaine, nous avons porté les sciences au plus haut point où elles puissent parvenir chez les hommes. Vos

notes

1. **grands :** nobles.
2. Ce régime fut établi par la Révolution d'Angleterre (1688), lorsque Guillaume d'Orange renversa Jacques II, le dernier roi Stuart : le pouvoir est partagé entre la Chambre des lords, celle des communes et le roi.
3. **singulière :** unique.
4. **désoler :** ravager.
5. **affectaient :** recherchaient.
6. **pouvoir arbitraire :** pouvoir absolu.
7. **félicité :** bonheur total, calme et durable.
8. **subverti :** bouleversé.
9. **disputait :** débattait.
10. **choses intelligibles :** les questions religieuses et métaphysiques.
11. **les expliquer arbitrairement :** les débrouiller de manière arbitraire et sans justification.
12. **arrêt :** décision, jugement.
13. Le parti whig (partisan de la liberté) et le parti tory (partisan de l'autorité).
14. **jaloux :** particulièrement attachés à.
15. **à l'envi :** à qui mieux mieux.
16. **fonds :** ensemble des ressources.

Égyptiens, qui passent pour de si grands mécaniciens[1] ; vos
1560 Indiens, qu'on croit de si grands philosophes ; vos Babyloniens, qui se vantent d'avoir observé les astres pendant quatre cent trente mille années ; les Grecs, qui ont écrit tant de phrases et si peu de choses[2], ne savent précisément rien en comparaison de nos moindres écoliers qui ont étudié les découvertes de nos
1565 grands maîtres[3]. Nous avons arraché plus de secrets à la nature dans l'espace de cent années que le genre humain n'en avait découvert dans la multitude des siècles.

« Voilà au vrai l'état où nous sommes. Je ne vous ai caché ni le bien, ni le mal, ni nos opprobres[4], ni notre gloire ; et je n'ai rien
1570 exagéré. »

Amazan, à ce discours, se sentit pénétré du désir de s'instruire dans ces sciences sublimes[5] dont on lui parlait ; et si sa passion pour la princesse de Babylone, son respect filial pour sa mère, qu'il avait quittée, et l'amour de sa patrie n'eussent fortement
1575 parlé à son cœur déchiré, il aurait voulu passer sa vie dans l'île d'Albion. Mais ce malheureux baiser donné par sa princesse au roi d'Égypte ne lui laissait pas assez de liberté dans l'esprit pour étudier les hautes sciences.

« Je vous avoue, dit-il, que, m'ayant imposé la loi de courir le
1580 monde et de m'éviter moi-même, je serais curieux de voir cette antique terre de Saturne, ce peuple du Tibre et des sept montagnes à qui vous avez obéi autrefois ; il faut, sans doute, que ce soit le premier[6] peuple de la terre. – Je vous conseille de faire ce voyage, lui répondit l'Albionien, pour peu que vous aimiez la
1585 musique et la peinture. Nous allons très souvent nous-mêmes

notes

1. **mécaniciens** : physiciens.
2. Pointe contre les textes métaphysiques de Platon. Par ailleurs, Voltaire admirait les Grecs.
3. Sans doute Isaac Newton (1642-1727), mathématicien, physicien et astronome anglais, qui découvrit, entre autres, les lois de la gravitation universelle, et le philosophe anglais John Locke (1632-1704).
4. **opprobres** : hontes.
5. **sublimes** : élevées.
6. **le premier** : le plus grand.

porter quelquefois notre ennui[1] vers les sept montagnes[2]. Mais vous serez bien étonné en voyant les descendants de nos vainqueurs. »

Cette conversation fut longue. Quoique le bel Amazan eût la 1590 cervelle un peu attaquée, il parlait avec tant d'agréments, sa voix était si touchante, son maintien si noble et si doux, que la maîtresse de la maison ne put s'empêcher de l'entretenir à son tour tête à tête. Elle lui serra tendrement la main en lui parlant, et en le regardant avec des yeux humides et étincelants qui portaient 1595 les désirs dans tous les ressorts de la vie[3]. Elle le retint à souper et à coucher. Chaque instant, chaque parole, chaque regard enflammèrent sa passion. Dès que tout le monde fut retiré, elle lui écrivit un petit billet, ne doutant pas qu'il ne vînt lui faire la cour dans son lit, tandis que milord Qu'importe dormait dans le sien. 1600 Amazan eut encore le courage de résister : tant un grain de folie produit d'effets miraculeux dans une âme forte et profondément blessée.

Amazan, selon sa coutume, fit à la dame une réponse respectueuse, par laquelle il lui représentait la sainteté[4] de son serment, 1605 et l'obligation étroite où il était d'apprendre à la princesse de Babylone à dompter ses passions ; après quoi il fit atteler ses licornes, et repartit pour la Batavie, laissant toute la compagnie émerveillée de lui, et la dame du logis désespérée. Dans l'excès de sa douleur, elle laissa traîner la lettre d'Amazan ; milord 1610 Qu'importe la lut le lendemain matin. « Voilà, dit-il en levant les épaules, de bien plates niaiseries » ; et il alla chasser au renard avec quelques ivrognes du voisinage.

Amazan voguait déjà sur la mer, muni d'une carte géographique dont lui avait fait présent le savant Albionien qui s'était

notes

1. **notre ennui** : représentation du flegme et de la mélancolie traditionnellement attribués aux Anglais et qui aboutira, au XIXe siècle, au spleen.

2. Au XVIIIe siècle, l'aristocratie anglaise voyageait volontiers sur le continent européen. Ce voyage aboutissait normalement en Italie.

3. **ressorts de la vie** : forces vitales.

4. **représentait la sainteté** : montrait le caractère sacré.

1615 entretenu avec lui chez milord Qu'importe. Il voyait avec surprise une grande partie de la terre sur une feuille de papier.

Ses yeux et son imagination s'égaraient dans ce petit espace ; il regardait le Rhin, le Danube, les Alpes du Tyrol, marqués alors par d'autres noms, et tous les pays par où il devait passer avant 1620 d'arriver à la ville des sept montagnes ; mais surtout il jetait les yeux sur la contrée des Gangarides, sur Babylone, où il avait vu sa chère princesse, et sur le fatal pays de Bassora, où elle avait donné un baiser au roi d'Égypte. Il soupirait, il versait des larmes ; mais il convenait que l'Albionien, qui lui avait fait présent de 1625 l'univers en raccourci, n'avait pas eu tort en disant qu'on était mille fois plus instruit sur les bords de la Tamise que sur ceux du Nil, de l'Euphrate et du Gange.

Comme il retournait en Batavie, Formosante volait vers Albion avec ses deux vaisseaux qui cinglaient à pleines voiles ; celui 1630 d'Amazan et celui de la princesse se croisèrent, se touchèrent presque : les deux amants étaient près l'un de l'autre, et ne pouvaient s'en douter : ah, s'ils l'avaient su ! mais l'impérieuse[1] destinée ne le permit pas.

IX

Sitôt qu'Amazan fut débarqué[2] sur le terrain égal et fangeux[3] de 1635 la Batavie, il partit comme un éclair pour la ville aux sept montagnes. Il fallut traverser la partie méridionale de la Germanie. De quatre milles[4] en quatre milles on trouvait un

notes

1. **impérieuse :** qui commande de manière absolue.
2. Aujourd'hui, le passé composé des verbes d'action se conjugue généralement avec l'auxiliaire *avoir*. Le choix de l'auxiliaire *être*, dans la langue classique, met l'accent davantage sur la conséquence de l'action que sur l'action elle-même.
3. **fangeux :** boueux.
4. **quatre milles :** environ 6 km. Voltaire, qui a beaucoup voyagé en Allemagne, évoque l'exiguïté des principautés allemandes dans lesquelles on s'efforce d'entretenir une Cour qui côtoie une population misérable.

prince et une princesse, des filles d'honneur, et des gueux[1]. Il était étonné des coquetteries[2] que ces dames et ces filles d'honneur lui faisaient partout avec la bonne foi germanique, et il n'y répondait que par de modestes refus. Après avoir franchi les Alpes, il s'embarqua sur la mer de Dalmatie[3], et aborda dans une ville qui ne ressemblait à rien du tout de ce qu'il avait vu jusqu'alors. La mer formait les rues, les maisons étaient bâties dans l'eau[4]. Le peu de places publiques qui ornaient cette ville était couvert d'hommes et de femmes qui avaient un double visage[5], celui que la nature leur avait donné et une face de carton mal peint qu'ils appliquaient par-dessus : en sorte que la nation semblait composée de spectres. Les étrangers qui venaient dans cette contrée commençaient par acheter un visage, comme on se pourvoit ailleurs de bonnets et de souliers. Amazan dédaigna cette mode contre nature ; il se présenta tel qu'il était. Il y avait dans la ville douze mille filles[6] enregistrées dans le grand livre de la république ; filles utiles à l'État, chargées du commerce le plus avantageux et le plus agréable qui ait jamais enrichi une nation. Les négociants ordinaires envoyaient à grands frais et à grands risques des étoffes dans l'Orient ; ces belles négociantes faisaient sans aucun risque un trafic toujours renaissant de leurs attraits. Elles vinrent toutes se présenter au bel Amazan et lui offrir le choix. Il s'enfuit au plus vite en prononçant le nom de l'incomparable princesse de Babylone, et en jurant par les dieux immortels qu'elle était plus belle que toutes les douze mille filles vénitiennes. « Sublime friponne[7], s'écriait-il dans ses transports, je vous apprendrai à être fidèle ! »

notes

1. **gueux** : pauvres.
2. **coquetteries** : avances.
3. **Dalmatie** : région de l'Ouest des Balkans, le long de la mer Adriatique.
4. Venise, où Voltaire n'est jamais allé.
5. **un double visage** : il s'agit de masques (Amazan arrive en plein carnaval).
6. **filles** : prostituées.
7. **friponne** : séductrice.

1665 Enfin les ondes jaunes du Tibre, des marais empestés[1], des habitants hâves[2], décharnés[3] et rares[4], couverts de vieux manteaux troués qui laissaient voir leur peau sèche et tannée, se présentèrent à ses yeux, et lui annoncèrent qu'il était à la porte de la ville aux sept montagnes, de cette ville de héros et de 1670 législateurs qui avaient conquis et policé[5] une grande partie du globe.

Il s'était imaginé qu'il verrait à la porte triomphale cinq cents bataillons commandés par des héros, et, dans le sénat, une assemblée de demi-dieux, donnant des lois à la terre ; il trouva, 1675 pour toute armée, une trentaine de gredins[6] montant la garde avec un parasol, de peur du soleil. Ayant pénétré jusqu'à un temple qui lui parut très beau[7], mais moins que celui de Babylone, il fut assez surpris d'y entendre une musique exécutée par des hommes qui avaient des voix de femmes[8].

1680 « Voilà, dit-il, un plaisant[9] pays que cette antique terre de Saturne ! J'ai vu une ville où personne n'avait son visage ; en voici une autre où les hommes n'ont ni leur voix ni leur barbe. » On lui dit que ces chantres[10] n'étaient plus hommes, qu'on les avait dépouillés de leur virilité afin qu'ils chantassent plus agréa-1685 blement les louanges d'une prodigieuse quantité de gens de mérite. Amazan ne comprit rien à ce discours. Ces messieurs le prièrent de chanter ; il chanta un air gangaride avec sa grâce ordinaire.

Sa voix était une très belle haute-contre. « Ah ! monsignor, lui 1690 dirent-ils, quel charmant soprano[11] vous auriez ! Ah ! si...

notes

1. Ce sont les marais pontins qui entourent Rome et où sévit la malaria ; ils ne seront asséchés qu'au XXe siècle.
2. hâves : maigres et affaiblis.
3. décharnés : maigres ; littéralement, sans chair.
4. rares : étranges.
5. policé : civilisé.
6. gredins : hommes du plus bas peuple. Il s'agit des gardes pontificaux.
7. Il s'agit de Saint-Pierre de Rome.
8. Les chanteurs sont des castrats (chanteurs que l'on émasculait dès l'enfance pour qu'ils gardent leur voix de soprano), très à la mode au XVIIIe siècle.
9. plaisant : étrange et ridicule.
10. chantres : chanteurs spécialisés dans les offices religieux.
11. soprano : voix la plus haute. C'est celle des garçons avant de muer et que l'on tentait de conserver chez les castrats.

– Comment, si ? Que prétendez-vous dire ? – Ah ! monsignor !... – Eh bien ? – Si vous n'aviez point de barbe ! » Alors ils lui expliquèrent très plaisamment, et avec des gestes fort comiques, selon leur coutume, de quoi il était question. Amazan 1695 demeura tout confondu. « J'ai voyagé, dit-il, et jamais je n'ai entendu parler d'une telle fantaisie. »

Lorsqu'on eut bien chanté, *le Vieux des sept montagnes* alla en grand cortège à la porte du temple ; il coupa l'air en quatre avec le pouce élevé, deux doigts étendus et deux autres pliés, en disant 1700 ces mots dans une langue qu'on ne parlait plus : *À la ville et à l'univers*[1]. Le Gangaride ne pouvait comprendre que deux doigts pussent atteindre si loin.

Il vit bientôt défiler toute la cour du maître du monde[2] : elle était composée de graves personnages, les uns en robes rouges, les 1705 autres en violet[3] ; presque tous regardaient le bel Amazan en adoucissant les yeux ; ils lui faisaient des révérences, et se disaient l'un à l'autre : *San Martino, che bel ragazzo ! San Pancratio, che bel fanciullo !*[4]

Les ardents[5], dont le métier était de montrer aux étrangers les 1710 curiosités de la ville, s'empressèrent de lui faire voir des masures[6] où un muletier[7] ne voudrait pas passer la nuit, mais qui avaient été autrefois de dignes monuments[8] de la grandeur d'un peuple roi. Il vit encore des tableaux de deux cents ans[9], et des statues de plus de vingt siècles[10], qui lui parurent des chefs-d'œuvre. « Faites-1715 vous encore de pareils ouvrages ?

notes

1. *Urbi et orbi* (note de Voltaire). Bénédiction solennelle que le pape donne à la ville de Rome et à la Terre tout entière. Voltaire évoque les gestes rituels de bénédiction.
2. **maître du monde** : il s'agit du « *Vieux des sept montagnes* », c'est-à-dire du pape.
3. Les cardinaux sont en rouge et les évêques en violet.
4. « *Par saint Martin, quel beau garçon ! Par saint Pancrace, quel bel enfant !* » Voltaire suggère l'homosexualité des prêtres romains.
5. Les ardents sont les membres de la congrégation de Saint-Antoine. Ils soignaient les malades atteints du « feu saint-Antoine », maladie infectieuse très douloureuse provoquée par des farines. En dehors des périodes d'épidémie, ils servaient de guides aux visiteurs étrangers.
6. **masures** : ici, les vestiges romains.
7. **muletier** : conducteur de mulet.
8. **monuments** : témoignages.
9. Tableaux de la Renaissance italienne.
10. Statues de l'Antiquité grecque.

– Non, Votre Excellence, lui répondit un des ardents ; mais nous méprisons le reste de la terre, parce que nous conservons[1] ces raretés. Nous sommes des espèces de fripiers[2] qui tirons notre gloire des vieux habits qui restent dans nos magasins. »

1720 Amazan voulut voir le palais du prince : on l'y conduisit. Il vit des hommes en violet qui comptaient l'argent des revenus de l'État[3] : tant d'une terre située sur le Danube, tant d'une autre sur la Loire, ou sur le Guadalquivir[4], ou sur la Vistule. « Oh ! oh ! dit Amazan après avoir consulté sa carte de géographie, votre maître 1725 possède donc toute l'Europe comme ces anciens héros des sept montagnes[5] ? – Il doit posséder l'univers entier de droit divin, lui répondit un violet ; et même il a été un temps où ses prédécesseurs ont approché de la monarchie universelle[6] ; mais leurs successeurs ont la bonté de se contenter aujourd'hui de quelque 1730 argent que les rois leurs sujets leur font payer en forme de tribut[7].

– Votre maître est donc en effet le roi des rois[8] ? C'est donc là son titre ? dit Amazan. – Non, Votre Excellence ; son titre est *serviteur des serviteurs* ; il est originairement poissonnier et portier, et c'est pourquoi les emblèmes de sa dignité sont des clefs et des 1735 filets[9] ; mais il donne toujours des ordres à tous les rois. Il n'y a pas longtemps qu'il envoya cent et un commandements à un roi du pays des Celtes, et le roi obéit[10].

– Votre poissonnier, dit Amazan, envoya donc cinq ou six cent mille hommes pour faire exécuter ses cent et une volontés ?

notes

1. conservons : préservons de la destruction.
2. fripiers : vendeurs de vêtements d'occasion à bas prix.
3. l'argent des revenus de l'État : les « annates », à la vacance d'un évêché ou d'un « bénéfice » ecclésiastique ; le pape en percevait les revenus pendant un an.
4. Guadalquivir : fleuve espagnol.
5. Les Romains de l'Antiquité.
6. Le pape Innocent III, au XIIIe siècle, affirma la suprématie des papes sur les rois.
7. tribut : contribution forcée.
8. roi des rois : jeu de mots car ce génitif est un superlatif fréquent dans la Bible.
9. des clefs et des filets : le pape est le successeur de saint Pierre qui a été pêcheur avant de détenir les clés du paradis. Par ailleurs, dans la primitive Église, le poisson était le symbole de Jésus-Christ par anagramme du mot grec signifiant « poisson ».
10. Allusion a la bulle (acte authentifié par un sceau) *Unigenitus* en 1713 qui condamnait 101 propositions jansénistes, à la demande de Louis XIV.

1740 – Point du tout, Votre Excellence ; notre saint maître n'est point assez riche pour soudoyer[1] dix mille soldats ; mais il a quatre à cinq cent mille prophètes divins[2] distribués dans les autres pays. Ces prophètes de toutes couleurs[3] sont, comme de raison[4], nourris aux dépens des peuples ; ils annoncent de la part du ciel
1745 que mon maître peut avec ses clefs ouvrir et fermer toutes les serrures[5], et surtout celles des coffres-forts. Un prêtre normand[6], qui avait auprès du roi dont je vous parle la charge de confident de ses pensées, le convainquit qu'il devait obéir sans réplique[7] aux cent et une pensées de mon maître : car il faut que vous sachiez
1750 qu'une des prérogatives[8] du *Vieux des sept montagnes* est d'avoir toujours raison[9], soit qu'il daigne parler, soit qu'il daigne écrire.

– Parbleu, dit Amazan, voilà un singulier homme ! je serais curieux de dîner avec lui. – Votre Excellence, quand vous seriez roi, vous ne pourriez manger à sa table ; tout ce qu'il pourrait
1755 faire pour vous, ce serait de vous en faire servir une à côté de lui plus petite et plus basse que la sienne. Mais, si vous voulez avoir l'honneur de lui parler, je lui demanderai audience pour vous, moyennant la *buona mancia*[10] que vous aurez la bonté de me donner. – Très volontiers », dit le Gangaride. Le violet s'inclina.
1760 « Je vous introduirai demain, dit-il ; vous ferez trois génuflexions[11], et vous baiserez les pieds du *Vieux des sept montagnes*. » À ces mots, Amazan fit de si prodigieux éclats de rire qu'il fut près de suffoquer ; il sortit en se tenant les côtés, et rit aux larmes pendant tout le chemin, jusqu'à ce qu'il fût arrivé à son hôtellerie,
1765 où il rit encore très longtemps.

notes

1. **soudoyer** : payer une solde, un salaire.
2. **quatre à cinq cent mille prophètes divins** : le clergé.
3. Il s'agit de la couleur de leurs vêtements qui varie en fonction de leur ordre et de la place qu'ils occupent dans la hiérarchie de l'Église.
4. **comme de raison** : cela va de soi.
5. Allusion aux clés du paradis.
6. Le père jésuite Le Tellier, confesseur de Louis XIV.
7. **sans réplique** : sans protester.
8. **prérogatives** : privilèges.
9. Allusion à l'infaillibilité du pape dont le dogme ne sera proclamé qu'en 1870, au concile du Vatican, mais qui était déjà débattu à l'époque de Voltaire.
10. ***buona mancia*** : pourboire.
11. **génuflexions** : action de s'agenouiller dans un contexte religieux ou protocolaire.

À son dîner, il se présenta vingt hommes sans barbe et vingt violons qui lui donnèrent un concert. Il fut courtisé le reste de la journée par les seigneurs les plus importants de la ville : ils lui firent des propositions encore plus étranges que celle de baiser les
1770 pieds du *Vieux des sept montagnes*. Comme il était extrêmement poli, il crut d'abord que ces messieurs le prenaient pour une dame, et les avertit de leur méprise avec l'honnêteté la plus circonspecte[1]. Mais, étant pressé un peu vivement par deux ou trois des plus déterminés violets, il les jeta par les fenêtres, sans croire faire
1775 un grand sacrifice à la belle Formosante. Il quitta au plus vite cette ville des maîtres du monde, où il fallait baiser un vieillard à l'orteil, comme si sa joue était à son pied, et où l'on n'abordait les jeunes gens qu'avec des cérémonies encore plus bizarres[2].

X

De province en province, ayant toujours repoussé les agaceries[3]
1780 de toute espèce, toujours fidèle à la princesse de Babylone, toujours en colère contre le roi d'Égypte, ce modèle de constance parvint à la capitale nouvelle des Gaules. Cette ville avait passé, comme tant d'autres, par tous les degrés de la barbarie, de l'ignorance, de la sottise et de la misère. Son premier nom avait
1785 été *la boue* et *la crotte*[4] ; ensuite elle avait pris celui d'Isis[5], du culte d'Isis parvenu jusque chez elle. Son premier sénat avait été une compagnie de bateliers[6]. Elle avait été longtemps esclave des héros déprédateurs des sept montagnes[7] ; et, après quelques siècles, d'autres héros brigands[8], venus de la rive ultérieure du
1790 Rhin, s'étaient emparés de son petit terrain.

notes

1. **honnêteté la plus circonspecte :** bienveillante sagesse.
2. Dans ce passage, Volaire fait une satire de l'homosexualité.
3. **agaceries :** avances.
4. Allusion à une étymologie fantaisiste de *Lutèce* qui viendrait de *Lutum*, « la boue ».
5. Nouvelle étymologie fantaisiste expliquant le nom de *Paris* par *parisis*, d'après Isis.
6. **bateliers :** corporation citée par les historiens latins sous Tibère (Ier s. ap. J.-C.) ; les bateliers sont les personnes qui conduisent des bateaux (ici, sur la Seine).
7. **héros déprédateurs de sept montagnes :** Romains.
8. **d'autres héros brigands :** allusion à l'invasion franque.

Chapitre X

Le temps, qui change tout, en avait fait une ville dont la moitié était très noble et très agréable, l'autre un peu grossière et ridicule : c'était l'emblème de ses habitants. Il y avait dans son enceinte environ cent mille personnes au moins qui n'avaient rien à faire qu'à jouer et à se divertir. Ce peuple d'oisifs jugeait des arts que les autres cultivaient. Ils ne savaient rien de ce qui se passait à la cour ; quoiqu'elle ne fût qu'à quatre petits milles d'eux[1], il semblait qu'elle ne fût à six cents milles au moins. La douceur de la société[2], la gaieté, la frivolité[3] étaient leur importante et leur unique affaire[4] ; on les gouvernait comme des enfants à qui l'on prodigue des jouets pour les empêcher de crier. Si on leur parlait des horreurs qui avaient, deux siècles auparavant, désolé leur patrie[5], et des temps épouvantables où la moitié de la nation avait massacré l'autre pour des sophismes[6], ils disaient qu'en effet cela n'était pas bien, et puis ils se mettaient à rire et à chanter des vaudevilles[7].

Plus les oisifs étaient polis, plaisants et aimables, plus on observait un triste contraste entre eux et des compagnies d'occupés.

Il était, parmi ces occupés, ou qui prétendaient l'être, une troupe de sombres fanatiques[8], moitié absurdes, moitié fripons[9], dont le seul aspect contristait[10] la terre, et qui l'auraient bouleversée[11], s'ils l'avaient pu, pour se donner un peu de crédit[12] ; mais la nation des oisifs, en dansant et en chantant, les faisait rentrer dans leurs cavernes, comme les oiseaux obligent les chats-huants[13] à se replonger dans les trous des masures.

notes

1. à quatre petits milles d'eux : à Versailles.
2. société : compagnie.
3. frivolité : légèreté.
4. affaire : préoccupation.
5. Les guerres de Religion, qui avaient opposé catholiques et protestants au XVIe siècle.
6. sophismes : arguments faux malgré une apparence de vérité, souvent soutenus avec mauvaise foi.
7. vaudevilles : chansons populaires et moqueuses, du type des chansons à boire, qu'on improvisait souvent sur un air à la mode.
8. fanatiques : qui respectent aveuglément la religion jusqu'à la déraison. Il s'agit ici des jansénistes.
9. fripons : malhonnêtes.
10. contristait : affligeait.
11. bouleversée : ravagée, détruite.
12. crédit : pouvoir.
13. chats-huants : sortes de chouettes.

D'autres occupés[1], en plus petit nombre, étaient les conservateurs d'anciens usages barbares contre lesquels la nature effrayée réclamait[2] à haute voix ; ils ne consultaient que leurs registres rongés des vers. S'ils y voyaient une coutume insensée et horrible, ils la regardaient comme une loi sacrée. C'est par cette lâche habitude de n'oser penser par eux-mêmes, et de puiser leurs idées dans les débris[3] des temps où l'on ne pensait pas, que, dans la ville des plaisirs, il était encore des mœurs atroces. C'est par cette raison qu'il n'y avait nulle proportion entre les délits et les peines[4]. On faisait quelquefois souffrir mille morts à un innocent pour lui faire avouer un crime qu'il n'avait pas commis[5].

On punissait une étourderie de jeune homme[6] comme on aurait puni un empoisonnement ou un parricide[7]. Les oisifs en poussaient des cris perçants, et le lendemain ils n'y pensaient plus, et ne parlaient que de modes nouvelles.

Ce peuple avait vu s'écouler un siècle entier pendant lequel les beaux-arts s'élevèrent à un degré de perfection qu'on n'aurait jamais osé espérer ; les étrangers venaient alors, comme à Babylone, admirer les grands monuments d'architecture, les prodiges des jardins, les sublimes efforts[8] de la sculpture et de la peinture. Ils étaient enchantés d'une musique qui allait à l'âme sans étonner[9] les oreilles.

La vraie poésie, c'est-à-dire celle qui est naturelle et harmonieuse, celle qui parle au cœur autant qu'à l'esprit, ne fut connue de la nation que dans cet heureux siècle. De nouveaux genres

notes

1. D'autres occupés : les magistrats, les gens de justice.
2. réclamait : contestait.
3. débris : vestiges.
4. Le jurisconsulte italien Beccaria demandait dans son ouvrage *Des délits et des peines*, traduit en français en 1765, d'adapter les peines aux délits commis. L'idée eut un grand retentissement et reçut l'appui de Voltaire.
5. Allusion à la question, c'est-à-dire la torture, légalement pratiquée, même sur de simples suspects, et à des affaires célèbres comme l'affaire Calas, dans laquelle Voltaire s'est personnellement impliqué.
6. Allusion au jeune chevalier de La Barre, torturé puis exécuté en 1766 pour avoir gardé son chapeau au passage d'une procession religieuse et chanté des chansons sacrilèges (information rapportée par Voltaire lui-même dans l'article « Torture » de son *Dictionnaire philosophique*).
7. parricide : meurtre de son père.
8. efforts : réalisations.
9. étonner : frapper comme par un coup de tonnerre.

d'éloquence[1] déployèrent des beautés sublimes. Les théâtres surtout retentirent de chefs-d'œuvre[2] dont aucun peuple n'approcha jamais. Enfin le bon goût se répandit dans toutes les 1845 professions, au point qu'il y eut de bons écrivains même chez les druides[3].

Tant de lauriers[4], qui avaient levé leurs têtes jusqu'aux nues, se séchèrent bientôt dans une terre épuisée. Il n'en resta qu'un très petit nombre dont les feuilles étaient d'un vert pâle et mourant. 1850 La décadence fut produite par la facilité de faire et par la paresse de bien faire, par la satiété[5] du beau et par le goût du bizarre[6]. La vanité protégea des artistes qui ramenaient les temps de la barbarie ; et cette même vanité, en persécutant les talents véritables, les força de quitter leur patrie[7] ; les frelons[8] firent disparaître 1855 les abeilles.

Presque plus de véritables arts, presque plus de génie[9] ; le mérite consistait à raisonner à tort et à travers sur le mérite du siècle passé : le barbouilleur des murs d'un cabaret critiquait savamment les tableaux des grands peintres ; les barbouilleurs de 1860 papier défiguraient les ouvrages des grands écrivains. L'ignorance et le mauvais goût avaient d'autres barbouilleurs[10] à leurs gages[11] ; on répétait les mêmes choses dans cent volumes sous des titres différents. Tout était ou dictionnaire ou brochure[12]. Un gazetier

notes

1. éloquence : art du discours. Il s'agit ici de l'éloquence religieuse comme celle de Bossuet, par exemple.
2. chefs-d'œuvre : les tragédies classiques, comme celles de Racine que Voltaire admirait beaucoup.
3. Voltaire fait allusion à des ecclésiastiques comme Bossuet, Fénelon, Bourdaloue, Massillon ou le cardinal de Retz.
4. lauriers : gloires, succès. Voltaire admire le siècle de Louis XIV, auquel il a consacré un ouvrage.
5. satiété : fait d'avoir quelque chose à volonté et donc de ne plus le désirer.
6. bizarre : ici, ce qui s'écarte de la norme classique.
7. Voltaire, après 1760, est hostile aux nouvelles tendances des lettres et des arts. Il y voit une décadence et lui-même s'installe à Ferney, à la frontière suisse.
8. Allusion à Élie Fréron (1718-1776), critique littéraire, ennemi de Voltaire que celui-ci attaque sans cesse et désigne sous le nom de « M. Frelon » dans sa comédie *L'Écossaise*.
9. génie : créativité.
10. barbouilleurs : mauvais écrivains ou mauvais peintres.
11. gages : services.
12. brochures : textes courts, souvent de propagande, au XVIIIe siècle.

druide[1] écrivait deux fois par semaine les annales[2] obscures de
1865 quelques énergumènes[3] ignorés de la nation, et de prodiges célestes opérés dans des galetas[4] par de petits gueux et de petites gueuses[5] ; d'autres ex-druides, vêtus de noir[6], prêts de mourir de colère et de faim, se plaignaient dans cent écrits qu'on ne leur permît plus de tromper les hommes, et qu'on laissât ce droit à des
1870 boucs vêtus de gris[7]. Quelques archi-druides[8] imprimaient des libelles[9] diffamatoires[10].

Amazan ne savait rien de tout cela ; et, quand il l'aurait su[11], il ne s'en serait guère embarrassé, n'ayant la tête remplie que de la princesse de Babylone, du roi de l'Égypte, et de son serment
1875 inviolable de mépriser toutes les coquetteries[12] des dames, dans quelque pays que le chagrin conduisît ses pas.

Toute la populace[13] légère, ignorante, et toujours poussant à l'excès cette curiosité naturelle au genre humain, s'empressa longtemps autour de ses licornes ; les femmes, plus sensées,
1880 forcèrent les portes de son hôtel pour contempler sa personne.

Il témoigna d'abord à son hôte quelque désir d'aller à la cour ; mais des oisifs de bonne compagnie, qui se trouvèrent là par hasard, lui dirent que ce n'était plus la mode, que les temps étaient bien changés, et qu'il n'y avait plus de plaisirs qu'à la ville. Il fut
1885 invité le soir même à souper par une dame dont l'esprit et les talents étaient connus hors de sa patrie[14], et qui avait voyagé dans

notes

1. Un gazetier est une personne qui écrit une gazette, c'est-à-dire une revue périodique qui rapporte des nouvelles. Il est fait allusion ici aux *Nouvelles ecclésiastiques*, journal janséniste qui raconte les miracles effectués par des jansénistes, souvent réfugiés dans des greniers pour échapper à la police.
2. **annales** : récits d'événements.
3. **énergumènes** : au sens propre de « personnes possédées du démon ». Les prétendus miracles étaient opérés par des jansénistes convulsionnaires.
4. **galetas** : greniers.
5. Allusion à l'affaire des convulsionnaires de Saint-Médard en 1729 et 1732.
6. **ex-druides, vêtus de noir** : les jésuites chassés de France.
7. **boucs vêtus de gris** : les capucins, religieux de l'ordre de Saint-François. « Boucs » car ils ont traditionnellement une barbe.
8. **archi-druides** : évêques. Allusion aux évêques qui ont rédigé des textes hostiles aux philosophes des Lumières.
9. **libelles** : écrits courts et injurieux ; ici, au sens propre de « petits livres ».
10. **diffamatoires** : qui portent atteinte à la réputation de quelqu'un.
11. **quand il l'aurait su** : même s'il l'avait su.
12. **coquetteries** : avances.
13. **populace** : petit peuple.
14. Il s'agit de Mme Geoffrin qui tenait un salon réputé dans toute l'Europe.

quelques pays où Amazan avait passé[1]. Il goûta[2] fort cette dame et la société[3] rassemblée chez elle. La liberté y était décente[4], la gaieté n'y était point bruyante, la science n'y avait rien de
1890 rebutant, et l'esprit rien d'apprêté. Il vit que le nom de bonne compagnie n'est pas un vain nom[5], quoiqu'il soit souvent usurpé[6]. Le lendemain il dîna dans une société non moins aimable, mais beaucoup plus voluptueuse[7]. Plus il fut satisfait des convives, plus on fut content de lui. Il sentait son âme s'amollir et
1895 se dissoudre comme les aromates de son pays se fondent doucement à un feu modéré, et s'exhalent en parfums délicieux.

Après le dîner, on le mena à un spectacle enchanteur, condamné par les druides parce qu'il leur enlevait les auditeurs dont ils étaient les plus jaloux. Ce spectacle était un composé de
1900 vers agréables, de chants délicieux, de danses qui exprimaient les mouvements de l'âme, et de perspectives qui charmaient les yeux en les trompant. Ce genre de plaisir, qui rassemblait tant de genres, n'était connu que sous un nom étranger : il s'appelait *Opéra*, ce qui signifiait autrefois dans la langue des sept montagnes
1905 *travail*, *soin*, *occupation*, *industrie*, *entreprise*, *besogne*, *affaire*[8]. Cette affaire l'enchanta. Une fille surtout le charma par sa voix mélodieuse et par les grâces qui l'accompagnaient : cette fille d'*affaire*[9], après le spectacle, lui fut présentée par ses nouveaux amis. Il lui fit présent d'une poignée de diamants. Elle en fut si reconnaissante
1910 qu'elle ne put le quitter du reste du jour. Il soupa avec elle, et, pendant le repas, il oublia sa sobriété ; et, après le repas, il oublia son serment d'être toujours insensible à la beauté, et inexorable[10] aux tendres coquetteries. Quel exemple de la faiblesse humaine !

notes

1. En 1766, Mme Geoffrin avait fait un voyage triomphal à Vienne, en Pologne et en Russie.
2. goûta : apprécia la compagnie.
3. société : gens.
4. décente : avec une certaine retenue très convenable.
5. vain nom : nom sans signification.
6. usurpé : utilisé à tort.
7. voluptueuse : portée aux plaisirs charnels.
8. Le recours au latin permet de multiplier les sens du mot de manière humoristique et de jouer sur celui du mot *affaire* qui, au XVIIIe siècle, désigne aussi une relation amoureuse.
9. fille d'*affaire* : femme aux mœurs légères.
10. inexorable : réfractaire.

La belle princesse de Babylone arrivait alors avec le phénix, sa femme de chambre Irla, et ses deux cents cavaliers gangarides montés sur leurs licornes. Il fallut attendre assez longtemps pour qu'on ouvrît les portes[1]. Elle demanda d'abord si le plus beau des hommes, le plus courageux, le plus spirituel et le plus fidèle, était encore dans cette ville. Les magistrats[2] virent bien qu'elle voulait parler d'Amazan. Elle se fit conduire à son hôtel ; elle entra, le cœur palpitant d'amour : toute son âme était pénétrée de l'inexprimable joie de revoir enfin dans son amant le modèle de la constance. Rien ne put l'empêcher d'entrer dans sa chambre ; les rideaux étaient ouverts ; elle vit le bel Amazan dormant entre les bras d'une jolie brune. Ils avaient tous deux un très grand besoin de repos.

Formosante jeta un cri de douleur qui retentit dans toute la maison, mais qui ne put éveiller ni son cousin ni la fille d'*affaire*. Elle tomba pâmée[3] entre les bras d'Irla. Dès qu'elle eut repris ses sens, elle sortit de cette chambre fatale avec une douleur mêlée de rage. Irla s'informa quelle était cette jeune demoiselle qui passait des heures si douces avec le bel Amazan. On lui dit que c'était une fille d'*affaire* fort complaisante, qui joignait à ses talents celui de chanter avec assez de grâce. « Ô juste ciel, ô puissant Orosmade ! s'écriait la belle princesse de Babylone tout en pleurs, par qui suis-je trahie, et pour qui ! Ainsi donc celui qui a refusé pour moi tant de princesses m'abandonne pour une farceuse[4] des Gaules ! Non, je ne pourrai survivre à cet affront[5].

– Madame, lui dit Irla, voilà comme sont faits tous les jeunes gens d'un bout du monde à l'autre : fussent-ils amoureux d'une beauté descendue du ciel, ils lui feraient, dans de certains moments, des infidélités pour une servante de cabaret.

notes

1. **les portes** : il s'agit des portes de la ville, Paris étant, à cette époque, entouré de fortifications.
2. Au XVIIIe siècle, le mot de *magistrats* n'a pas exclusivement un sens juridique mais s'applique à tous ceux qui travaillent dans l'administration publique.
3. **pâmée** : évanouie.
4. **farceuse** : comédienne qui joue dans des farces ; le mot désigne ici l'opéra.
5. **affront** : offense publique.

– C'en est fait[1], dit la princesse, je ne le reverrai de ma vie ; partons dans l'instant même, et qu'on attelle mes licornes. » Le phénix la conjura d'attendre au moins qu'Amazan fût éveillé, et qu'il pût lui parler. « Il ne le mérite pas, dit la princesse ; vous m'offenseriez cruellement : il croirait que je vous ai prié de lui faire des reproches, et que je veux me raccommoder avec lui. Si vous m'aimez, n'ajoutez pas cette injure[2] à l'injure qu'il m'a faite. » Le phénix, qui après tout devait la vie à la fille du roi de Babylone, ne put lui désobéir. Elle repartit avec tout son monde. « Où allons-nous, madame ? lui demandait Irla. – Je n'en sais rien, répondait la princesse ; nous prendrons le premier chemin que nous trouverons : pourvu que je fuie Amazan pour jamais, je suis contente. »

Le phénix, qui était plus sage que Formosante, parce qu'il était sans passion, la consolait en chemin ; il lui remontrait[3] avec douceur qu'il était triste de se punir pour les fautes d'un autre ; qu'Amazan lui avait donné des preuves assez éclatantes et assez nombreuses de fidélité pour qu'elle pût lui pardonner de s'être oublié[4] un moment ; que c'était un juste à qui la grâce d'Orosmade avait manqué[5] ; qu'il n'en serait que plus constant désormais dans l'amour et dans la vertu ; que le désir d'expier[6] sa faute le mettrait au-dessus de lui-même[7] ; qu'elle n'en serait que plus heureuse ; que plusieurs grandes princesses avant elle avaient pardonné de semblables écarts, et s'en étaient bien trouvées ; il lui en rapportait des exemples, et il possédait tellement l'art de conter que le cœur de Formosante fut enfin plus calme et plus paisible ; elle aurait voulu n'être point si tôt partie ; elle trouvait que ses licornes allaient trop vite, mais elle n'osait revenir sur ses pas ; combattue[8] entre l'envie de pardonner et celle de montrer sa

notes

1. **C'en est fait** : c'est décidé.
2. **injure** : offense grave.
3. **remontrait** : démontrait.
4. **s'être oublié** : d'avoir oublié son serment.
5. Parodie d'un jugement du janséniste Nicole sur le personnage de Phèdre dans la tragédie de Racine : « *Une juste à qui la grâce a manqué.* »
6. **expier** : racheter.
7. **le mettrait au-dessus de lui-même** : lui permettrait de se surpasser.
8. **combattue** : tiraillée.

colère, entre son amour et sa vanité[1], elle laissait aller ses licornes ; elle courait le monde selon la prédiction de l'oracle de son père.

Amazan, à son réveil, apprend l'arrivée et le départ de Formo-
1975 sante et du phénix ; il apprend le désespoir et le courroux[2] de la princesse ; on lui dit qu'elle a juré de ne lui pardonner jamais. « Il ne me reste plus, s'écria-t-il, qu'à la suivre et à me tuer à ses pieds. »

Ses amis de la bonne compagnie des oisifs accoururent au bruit[3]
1980 de cette aventure ; tous lui remontrèrent qu'il valait infiniment mieux demeurer avec eux ; que rien n'était comparable à la douce vie qu'ils menaient dans le sein des arts et d'une volupté tranquille[4] et délicate ; que plusieurs étrangers et des rois mêmes avaient préféré ce repos, si agréablement occupé et si enchanteur,
1985 à leur patrie et à leur trône ; que d'ailleurs sa voiture était brisée, et qu'un sellier[5] lui en faisait une à la nouvelle mode ; que le meilleur tailleur de la ville lui avait déjà coupé une douzaine d'habits du dernier goût[6] ; que les dames les plus spirituelles[7] et les plus aimables de la ville, chez qui on jouait très bien la comédie,
1990 avaient retenu chacune leur jour pour lui donner des fêtes. La fille d'*affaire*, pendant ce temps-là, prenait son chocolat[8] à sa toilette[9], riait, chantait, et faisait des agaceries[10] au bel Amazan, qui s'aperçut enfin qu'elle n'avait pas le sens d'un oison[11].

Comme la sincérité, la cordialité[12], la franchise, ainsi que la
1995 magnanimité[13] et le courage composaient le caractère de ce grand prince, il avait conté ses malheurs et ses voyages à ses amis ; ils savaient qu'il était cousin issu de germain de la princesse ; ils

notes

1. **vanité** : orgueil.
2. **courroux** : colère.
3. **bruit** : retentissement.
4. **tranquille** : stable, que rien ne vient perturber.
5. **sellier** : personne qui travaille le cuir dont on fait les selles des chevaux, les coussins et les garnitures des voitures.
6. **du dernier goût** : à la dernière mode.
7. **spirituelles** : vives d'esprit et amusantes.
8. D'introduction encore assez récente à l'époque de Voltaire, le chocolat est une boisson à la mode.
9. **à sa toilette** : devant le meuble où étaient disposés les objets nécessaires à la toilette et à la parure.
10. **faisait des agaceries** : provoquait.
11. **qu'elle n'avait pas le sens d'un oison** : qu'elle était bête comme une (jeune) oie.
12. **cordialité** : sentiment qui vient du cœur.
13. **magnanimité** : grandeur d'âme, bonté.

étaient informés du baiser funeste donné par elle au roi d'Égypte. « On se pardonne, lui dirent-ils, ces petites frasques[1] entre
2000 parents, sans quoi il faudrait passer sa vie dans d'éternelles querelles. » Rien n'ébranla son dessein de courir après Formosante ; mais, sa voiture n'étant pas prête, il fut obligé de passer trois jours parmi les oisifs dans les fêtes et dans les plaisirs ; enfin il prit congé d'eux en les embrassant, en leur faisant accepter les
2005 diamants de son pays les mieux montés, en leur recommandant d'être toujours légers et frivoles, puisqu'ils n'en étaient que plus aimables et plus heureux. « Les Germains, disait-il, sont les vieillards de l'Europe ; les peuples d'Albion sont les hommes faits[2] ; les habitants de la Gaule sont les enfants, et j'aime à jouer
2010 avec eux. »

XI

Ses guides n'eurent pas de peine à suivre la route de la princesse ; on ne parlait que d'elle et de son gros oiseau. Tous les habitants étaient encore dans l'enthousiasme de l'admiration. Les peuples de la Dalmatie et de la Marche d'Ancône éprouvèrent
2015 depuis une surprise moins délicieuse quand ils virent une maison voler dans les airs[3] ; les bords de la Loire, de la Dordogne, de la Garonne, de la Gironde retentissaient encore d'acclamations.

Quand Amazan fut au pied des Pyrénées, les magistrats et les druides du pays lui firent danser malgré lui un tambourin[4] ; mais
2020 sitôt qu'il eut franchi les Pyrénées, il ne vit plus de gaieté et de joie. S'il entendit quelques chansons de loin en loin, elles étaient toutes sur un ton triste : les habitants marchaient gravement avec

notes

1. frasques : infidélités.
2. faits : accomplis, arrivés à maturité.
3. Allusion à une légende médiévale selon laquelle la maison de la Vierge, la *Santa Casa*, aurait été transportée dans les airs de Palestine en Dalmatie et, de là, à Ancône en Italie.
4. Amazan est au Pays basque où, selon Voltaire, tout le monde, même les magistrats et les prêtres, participe à des danses populaires, au son du tambourin.

des grains enfilés[1] et un poignard à leur ceinture. La nation, vêtue de noir, semblait être en deuil. Si les domestiques d'Amazan 2025 interrogeaient les passants, ceux-ci répondaient par signes ; si on entrait dans une hôtellerie, le maître de la maison enseignait aux gens en trois paroles qu'il n'y avait rien dans la maison, et qu'on pouvait envoyer chercher à quelques milles les choses dont on avait un besoin pressant.

2030 Quand on demandait à ces silenciaires[2] s'ils avaient vu passer la belle princesse de Babylone, ils répondaient avec moins de brièveté : « Nous l'avons vue, elle n'est pas si belle : il n'y a de beau que les teints basanés[3] ; elle étale une gorge d'albâtre[4] qui est la chose du monde la plus dégoûtante, et qu'on ne connaît 2035 presque point dans nos climats. »

Amazan avançait vers la province arrosée du Bétis[5]. Il ne s'était pas écoulé plus de douze mille années depuis que ce pays avait été découvert par les Tyriens[6], vers le même temps qu'ils firent la découverte de la grande île Atlantide, submergée quelques siècles 2040 après. Les Tyriens cultivèrent la Bétique, que les naturels du pays[7] laissaient en friche, prétendant qu'ils ne devaient se mêler de rien, et que c'était aux Gaulois leurs voisins à venir cultiver leurs terres. Les Tyriens avaient amené avec eux des Palestins[8], qui, dès ce temps-là, couraient dans tous les climats, pour peu qu'il y eût de 2045 l'argent à gagner. Ces Palestins, en prêtant sur gages à cinquante pour cent, avaient attiré à eux presque toutes les richesses du pays[9]. Cela fit croire aux peuples de la Bétique que les Palestins

notes

1. **grains enfilés :** chapelets, objets religieux où des perles, que l'on fait glisser entre ses doigts en priant, sont enfilées par séries de dix.
2. **silenciaires :** ceux qui, dans la Rome antique, faisaient observer le silence aux esclaves. Le mot s'appliquait aussi aux religieux qui avaient fait vœu de silence.
3. **basanés :** qui ont pris une couleur brune par l'action du soleil.
4. **gorge d'albâtre :** décolleté à la peau très blanche.
5. **Bétis :** nom latin du Guadalquivir qui a donné son nom à la province de Bétique (à peu près l'Andalousie).
6. **Tyriens :** les Romains et les Carthaginois, descendants des Tyriens.
7. **les naturels du pays :** les habitants originaires du pays.
8. **Palestins :** Juifs.
9. Pendant longtemps, la religion chrétienne a interdit le prêt d'argent, raison pour laquelle les juifs furent souvent chargés de cette activité – ce qui contribua à l'antisémitisme.

étaient sorciers[1] ; et tous ceux qui étaient accusés de magie étaient brûlés sans miséricorde[2] par une compagnie de druides qu'on appelait *les rechercheurs*[3], ou *les anthropokaies*[4]. Ces prêtres les revêtaient d'abord d'un habit de masque[5], s'emparaient de leurs biens, et récitaient dévotement[6] les propres prières des Palestins, tandis qu'on les cuisait à petit feu *por l'amor de Dios*.

La princesse de Babylone avait mis pied à terre dans la ville qu'on appela depuis *Sevilla*[7]. Son dessein était de s'embarquer sur le Bétis pour retourner par Tyr à Babylone revoir le roi Bélus son père, et oublier, si elle pouvait, son infidèle amant, ou bien le demander en mariage. Elle fit venir chez elle deux Palestins qui faisaient toutes les affaires de la cour. Ils devaient lui fournir trois vaisseaux. Le phénix fit avec eux tous les arrangements nécessaires, et convint du prix après avoir un peu disputé[8].

L'hôtesse était fort dévote, et son mari, non moins dévot, était familier[9], c'est-à-dire espion des druides rechercheurs anthropokaies ; il ne manqua pas de les avertir qu'il avait dans sa maison une sorcière et deux Palestins qui faisaient un pacte avec le diable, déguisé en gros oiseau doré. Les rechercheurs, apprenant que la dame avait une prodigieuse quantité de diamants, la jugèrent incontinent sorcière ; ils attendirent la nuit pour enfermer les deux cents cavaliers et les licornes, qui dormaient dans de vastes écuries : car les rechercheurs sont poltrons.

Après avoir bien barricadé les portes, ils se saisirent de la princesse et d'Irla ; mais ils ne purent prendre le phénix, qui s'envola à tire-d'aile : il se doutait bien qu'il trouverait Amazan sur le chemin des Gaules à Sevilla.

notes

1. Allusion au tribunal religieux de l'Inquisition qui condamnait les juifs au bûcher pour sorcellerie.
2. **miséricorde** : pitié (les chrétiens se réclament de cette vertu).
3. ***rechercheurs*** : traduction du mot *inquisiteurs*, « qui font une enquête ».
4. ***anthropokaies*** : mot forgé par Voltaire à partir du grec et qui veut dire « brûleurs d'hommes ».
5. **habit de masque** : déguisement. Les victimes de l'Inquisition devaient, en effet, revêtir un costume particulier pour aller au bûcher (*cf.* chap. VI de *Candide*).
6. **dévotement** : religieusement.
7. ***Sevilla*** : Séville, en Andalousie.
8. **disputé** : négocié.
9. **familier** : nom donné en Italie aux membres de l'Inquisition chargés d'arrêter les accusés.

2075 Il le rencontra sur la frontière de la Bétique, et lui apprit le désastre[1] de la princesse. Amazan ne put parler : il était trop saisi[2], trop en fureur. Il s'arme d'une cuirasse d'acier damasquinée[3] d'or, d'une lance de douze pieds, de deux javelots, et d'une épée tranchante, appelée *la fulminante*[4], qui pouvait fendre d'un seul 2080 coup des arbres, des rochers et des druides ; il couvre sa belle tête d'un casque d'or ombragé de plumes de héron et d'autruche. C'était l'ancienne armure de Magog[5], dont sa sœur Aldée lui avait fait présent dans son voyage en Scythie ; le peu de suivants qui l'accompagnaient montent comme lui chacun sur sa licorne.

2085 Amazan, en embrassant son cher phénix, ne lui dit que ces tristes paroles : « Je suis coupable ; si je n'avais pas couché avec une fille d'*affaire* dans la ville des oisifs, la belle princesse de Babylone ne serait pas dans cet état épouvantable ; courons aux anthropokaies. »

2090 Il entre bientôt dans Sevilla : quinze cents alguazils[6] gardaient les portes de l'enclos où les deux cents Gangarides et leurs licornes étaient renfermés sans avoir à manger ; tout était préparé pour le sacrifice qu'on allait faire de la princesse de Babylone, de sa femme de chambre Irla, et des deux riches Palestins.

2095 Le grand anthropokaie, entouré de ses petits anthropokaies, était déjà sur son tribunal sacré ; une foule de Sévillois portant des grains enfilés à leurs ceintures joignaient les deux mains sans dire un mot, et l'on amenait la belle princesse, Irla, et les deux Palestins, les mains liées derrière le dos et vêtus d'un habit de 2100 masque[7].

Le phénix entre par une lucarne dans la prison où les Gangarides commençaient déjà à enfoncer les portes. L'invincible

notes

1. **désastre** : malheur très grave.
2. **saisi** : violemment surpris.
3. **damasquinée** : se dit d'un métal incrusté de fils d'or ou d'argent qui forment un dessin.
4. ***la fulminante*** : au sens propre, « qui lance la foudre ». Ce nom inscrit le récit dans la tradition de l'épopée.
5. Dans la Bible, Magog peuple le pays des Scythes de sa descendance. Dans l'*Apocalypse*, il représente les nations païennes qui entourent Satan dans un dernier combat contre la cité de Dieu. Amazan va bien livrer combat contre le fanatisme religieux.
6. **alguazils** : policiers espagnols.
7. **habit de masque** : costume rituel.

Amazan les brisait en dehors. Ils sortent tout armés, tous sur leurs licornes ; Amazan se met à leur tête. Il n'eut pas de peine à renverser les alguazils, les familiers, les prêtres anthropokaies ; chaque licorne en perçait des douzaines à la fois. La fulminante d'Amazan coupait en deux tous ceux qu'il rencontrait ; le peuple fuyait en manteau noir et en fraise[1] sale, toujours tenant à la main ses grains bénits *por l'amor de Dios*.

Amazan saisit de sa main le grand rechercheur sur son tribunal, et le jette sur le bûcher qui était préparé à quarante pas ; il y jeta aussi les autres petits rechercheurs l'un après l'autre. Il se prosterne ensuite aux pieds de Formosante. « Ah ! que vous êtes aimable, dit-elle, et que je vous adorerais si vous ne m'aviez pas fait une infidélité avec une fille d'*affaire* ! »

Tandis qu'Amazan faisait sa paix avec la princesse, tandis que ses Gangarides entassaient dans le bûcher les corps de tous les anthropokaies, et que les flammes s'élevaient jusqu'aux nues, Amazan vit de loin comme une armée qui venait à lui. Un vieux monarque[2], la couronne en tête[3], s'avançait sur un char traîné par huit mules attelées avec des cordes[4] ; cent autres chars suivaient. Ils étaient accompagnés de graves personnages en manteau noir et en fraise, montés sur de très beaux chevaux ; une multitude de gens à pied suivait en cheveux gras et en silence.

D'abord Amazan fit ranger autour de lui ses Gangarides, et s'avança, la lance en arrêt. Dès que le roi l'aperçut, il ôta sa couronne, descendit de son char, embrassa l'étrier d'Amazan, et lui dit : « Homme envoyé de Dieu, vous êtes le vengeur du genre humain, le libérateur de ma patrie, mon protecteur. Ces monstres sacrés[5] dont vous avez purgé[6] la terre étaient mes maîtres au nom

notes

1. **fraise :** collerette blanche et plissée qui n'est plus à la mode à l'époque de Voltaire.
2. **Un vieux monarque :** il s'agit de Charles III, roi d'Espagne de 1759 à 1788, qui incarna le despotisme éclairé. Il réduisit les pouvoirs de l'Inquisition et expulsa les jésuites en 1767. Voltaire correspondait avec son ministre Aranda et le recevait à Ferney.
3. **en tête :** sur la tête.
4. Cet attelage montre la pauvreté de la monarchie espagnole.
5. **monstres sacrés :** désigne ici des hommes rendus inhumains par la religion.
6. **purgé :** délivré.

du *Vieux des sept montagnes* ; j'étais forcé de souffrir[1] leur puissance criminelle. Mon peuple m'aurait abandonné si j'avais voulu seulement modérer leurs abominables atrocités. D'aujourd'hui je respire, je règne, et je vous le dois. »

2135 Ensuite il baisa respectueusement la main de Formosante, et la supplia de vouloir bien monter avec Amazan, Irla, et le phénix, dans son carrosse à huit mules. Les deux Palestins, banquiers de la cour, encore prosternés à terre de frayeur et de reconnaissance, se relevèrent, et la troupe des licornes suivit le roi de la Bétique dans 2140 son palais.

Comme la dignité du roi d'un peuple grave exigeait que ses mules allassent au petit pas, Amazan et Formosante eurent le temps de lui conter leurs aventures. Il entretint aussi le phénix ; il l'admira et le baisa cent fois. Il comprit combien les peuples 2145 d'Occident, qui mangeaient les animaux, et qui n'entendaient plus leur langage, étaient ignorants, brutaux et barbares ; que les seuls Gangarides avaient conservé la nature et la dignité primitive[2] de l'homme ; mais il convenait surtout que les plus barbares des mortels étaient ces rechercheurs anthropokaies, dont Amazan 2150 venait de purger le monde. Il ne cessait de le bénir et de le remercier. La belle Formosante oubliait déjà l'aventure de la fille d'*affaire*, et n'avait l'âme remplie que de la valeur du héros qui lui avait sauvé la vie. Amazan, instruit de l'innocence du baiser donné au roi d'Égypte, et de la résurrection du phénix, goûtait 2155 une joie pure, et était enivré du plus violent amour.

On dîna au palais, et on y fit assez mauvaise chère[3]. Les cuisiniers de la Bétique étaient les plus mauvais de l'Europe. Amazan conseilla d'en faire venir des Gaules. Les musiciens du roi exécutèrent pendant le repas cet air célèbre qu'on appela dans 2160 la suite des siècles *Les Folies d'Espagne*[4]. Après le repas on parla d'affaires.

notes

1. **souffrir** : supporter.
2. **primitive** : originelle.
3. **on y fit mauvaise chère** : on mangea mal.
4. ***Les Folies d'Espagne*** : air célèbre du XVIIIe siècle.

Chapitre XI

Le roi demanda au bel Amazan, à la belle Formosante et au beau phénix ce qu'ils prétendaient devenir. « Pour moi, dit Amazan, mon intention est de retourner à Babylone, dont je suis
2165 l'héritier présomptif[1], et de demander à mon oncle Bélus ma cousine issue de germaine, l'incomparable Formosante, à moins qu'elle n'aime mieux vivre avec moi chez les Gangarides.

– Mon dessein, dit la princesse, est assurément de ne jamais me séparer de mon cousin issu de germain. Mais je crois qu'il
2170 convient que je me rende auprès du roi mon père, d'autant plus qu'il ne m'a donné permission que d'aller en pèlerinage à Bassora, et que j'ai couru le monde. – Pour moi, dit le phénix, je suivrai partout ces deux tendres et généreux[2] amants.

– Vous avez raison, dit le roi de la Bétique ; mais le retour à
2175 Babylone n'est pas si aisé que vous le pensez. Je sais tous les jours des nouvelles de ce pays-là par les vaisseaux tyriens, et par mes banquiers palestins, qui sont en correspondance avec tous les peuples de la terre. Tout est en armes vers l'Euphrate et le Nil. Le roi de Scythie redemande l'héritage de sa femme, à la tête de trois
2180 cent mille guerriers tous à cheval. Le roi d'Égypte et le roi des Indes désolent[3] aussi les bords du Tigre et de l'Euphrate, chacun à la tête de trois cent mille hommes, pour se venger de ce qu'on s'est moqué d'eux. Pendant que le roi d'Égypte est hors de son pays, son ennemi le roi d'Éthiopie ravage l'Égypte avec trois cent
2185 mille hommes, et le roi de Babylone n'a encore que[4] six cent mille hommes sur pied pour se défendre.

« Je vous avoue, continua le roi, que, lorsque j'entends parler de ces prodigieuses armées que l'Orient vomit de son sein[5], et de leur étonnante magnificence[6] ; quand je les compare à nos petits
2190 corps[7] de vingt à trente mille soldats, qu'il est si difficile de vêtir et de nourrir, je suis tenté de croire que l'Orient a été fait bien

notes

1. **héritier présomptif** : personne qui, du vivant de quelqu'un, est désigné pour lui succéder.
2. **généreux** : nobles.
3. **désolent** : ravagent.
4. **n'a encore que** : n'a plus que.
5. **vomit de son sein** : engendre.
6. **magnificence** : richesse.
7. **corps** : troupes.

longtemps avant l'Occident. Il semble que nous soyons sortis avant-hier du chaos[1], et hier de la barbarie.

– Sire, dit Amazan, les derniers venus l'emportent quelques fois sur ceux qui sont entrés les premiers dans la carrière[2]. On pense dans mon pays que l'homme est originaire de l'Inde[3], mais je n'en ai aucune certitude.

– Et vous, dit le roi de la Bétique au phénix, qu'en pensez-vous ? – Sire, répondit le phénix, je suis encore trop jeune pour être instruit de l'Antiquité. Je n'ai vécu qu'environ vingt-sept mille ans ; mais mon père, qui avait vécu cinq fois cet âge, me disait qu'il avait appris de son père que les contrées de l'Orient avaient toujours été plus peuplées et plus riches que les autres. Il tenait de ses ancêtres que les générations de tous les animaux avaient commencé sur les bords du Gange. Pour moi, je n'ai pas la vanité d'être de cette opinion. Je ne puis croire que les renards d'Albion, les marmottes des Alpes et les loups de la Gaule viennent de mon pays ; de même que je ne crois pas que les sapins et les chênes de vos contrées descendent des palmiers et des cocotiers des Indes[4].

– Mais d'où venons-nous donc ? dit le roi. – Je n'en sais rien[5], dit le phénix ; je voudrais seulement savoir où la belle princesse de Babylone et mon cher ami Amazan pourront aller. – Je doute fort, repartit le roi, qu'avec ses deux cents licornes il soit en état de percer à travers tant d'armées de trois cent mille hommes chacune. – Pourquoi non ? », dit Amazan.

Le roi de la Bétique sentit le sublime[6] du *Pourquoi non* ; mais il crut que le sublime seul ne suffisait pas contre des armées innombrables. « Je vous conseille, dit-il, d'aller trouver le roi

notes

1. chaos : état du monde avant sa création par Dieu.
2. sont entrés [...] carrière : ont commencé.
3. Voltaire a émis l'hypothèse de l'origine indienne de l'humanité dans son *Essai sur les mœurs*.
4. Dans ce même ouvrage, Voltaire postule l'antériorité de l'Orient sur l'Occident, « *berceau de tous les arts et qui a tout donné à l'Occident* ».
5. Le phénix, porte-parole de Voltaire, repousse les questions métaphysiques.
6. sublime : grandeur.

2220 d'Éthiopie ; je suis en relation avec ce prince noir par le moyen de mes Palestins. Je vous donnerai des lettres pour lui. Puisqu'il est l'ennemi du roi d'Égypte, il sera trop heureux d'être fortifié par votre alliance. Je puis vous aider de deux mille hommes très sobres[1] et très braves ; il ne tiendra qu'à vous d'en engager autant
2225 chez les peuples qui demeurent, ou plutôt qui sautent[2] au pied des Pyrénées, et qu'on appelle *Vasques* ou *Vascons*[3]. Envoyez un de vos guerriers sur une licorne avec quelques diamants : il n'y a point de Vascon qui ne quitte le castel[4], c'est-à-dire la chaumière de son père, pour vous servir. Ils sont infatigables, courageux et
2230 plaisants[5] ; vous en serez très satisfait. En attendant qu'ils soient arrivés, nous vous donnerons des fêtes et nous vous préparerons des vaisseaux. Je ne puis trop reconnaître le service que vous m'avez rendu. »

Amazan jouissait du bonheur d'avoir retrouvé Formosante, et
2235 de goûter en paix dans sa conversation tous les charmes de l'amour réconcilié, qui valent presque ceux de l'amour naissant.

Bientôt une troupe fière et joyeuse de Vascons arriva en dansant un tambourin ; l'autre troupe fière et sérieuse de Bétiquois était prête. Le vieux roi tanné[6] embrassa tendrement les
2240 deux amants ; il fit charger leurs vaisseaux d'armes, de lits, de jeux d'échecs, d'habits noirs, de golilles[7], d'oignons, de moutons, de poules, de farine et de beaucoup d'ail, en leur souhaitant une heureuse traversée, un amour constant et des victoires.

La flotte aborda le rivage où l'on dit que tant de siècles après la
2245 Phénicienne Didon[8], sœur d'un Pygmalion, épouse d'un Sichée, ayant quitté cette ville de Tyr, vint fonder la superbe ville de

notes

1. **sobres** : modérés.
2. **qui sautent** : allusion aux danses au rythme du tambourin.
3. ***Vasques* ou *Vascons*** : Basques.
4. **castel** : petit château.
5. **plaisants** : drôles.
6. **tanné** : à la peau brunie.
7. **golilles** : sortes de fraises, de collerettes portées en Espagne.
8. Didon, reine de Carthage dont les aventures sont racontées par Virgile dans l'*Énéide*.

Carthage, en coupant un cuir de bœuf en lanières[1], selon le témoignage des plus graves auteurs de l'Antiquité, lesquels n'ont jamais conté de fables, et selon les professeurs qui ont écrit pour
2250 les petits garçons[2] ; quoique après tout il n'y ait jamais eu personne à Tyr qui se soit appelé Pygmalion[3], ou Didon, ou Sichée[4], qui sont des noms entièrement grecs, et quoique enfin il n'y eût point de roi à Tyr en ces temps-là.

La superbe Carthage n'était point encore un port de mer ; il n'y
2255 avait là que quelques Numides[5] qui faisaient sécher des poissons au soleil. On côtoya la Byzacène[6] et les Syrtes[7], les bords fertiles où furent depuis Cyrène[8] et la grande Chersonèse[9].

Enfin on arriva vers la première embouchure du fleuve sacré du Nil. C'est à l'extrémité de cette terre fertile que le port de
2260 Canope[10] recevait déjà les vaisseaux de toutes les nations commerçantes, sans qu'on sût si le dieu Canope avait fondé le port, ou si les habitants avaient fabriqué le dieu, ni si l'étoile Canope avait donné son nom à la ville, ou si la ville avait donné le sien à l'étoile. Tout ce qu'on en savait, c'est que la ville et
2265 l'étoile étaient fort anciennes, et c'est tout ce qu'on peut savoir de l'origine des choses[11], de quelque nature qu'elles puissent être.

Ce fut là que le roi d'Éthiopie, ayant ravagé toute l'Égypte, vit débarquer l'invincible Amazan et l'adorable[12] Formosante. Il prit l'un pour le dieu des combats, et l'autre pour la déesse de la

notes

1. Selon la légende, Didon, débarquant sur la côte tunisienne, obtint du roi l'étendue du territoire que pourrait couvrir une peau de bœuf. Elle découpa la peau en lanières et entoura la superficie de ce qui allait devenir Carthage.
2. L'un des professeurs visés est Charles Rollin (1661-1741), recteur de l'université de Paris, dont l'*Histoire ancienne* faisait une très large place aux récits légendaires.
3. Pygmalion : sculpteur qui s'éprit de Galatée, la statue qu'il avait créée et à laquelle Vénus donna vie.
4. Sichée : époux de Didon.
5. Numides : habitants de la Numidie entre le pays de Carthage et la Mauritanie.
6. la Byzacène : la côte tunisienne au nord du golfe de Gabès, près de la ville actuelle de Sfax. Les voyageurs longent la côte jusqu'au delta du Nil.
7. les Syrtes : nom de deux golfes, l'un sur la côte de Tripoli, l'autre sur celle de Tunis.
8. Cyrène : ville grecque (aujourd'hui en Libye).
9. la grande Chersonèse : nom donné par les Grecs à quatre presqu'îles mais aucune ne se trouve sur cet itinéraire.
10. Canope : nom d'une étoile et d'un port au nord-est d'Alexandrie. En revanche, on ne connaît pas de dieu Canope.
11. Nouvelle pique contre la métaphysique.
12. adorable : digne d'être adorée comme une déesse.

2270 beauté. Amazan lui présenta la lettre de recommandation d'Espagne. Le roi d'Éthiopie donna d'abord des fêtes admirables, suivant la coutume indispensable des temps héroïques ; ensuite on parla d'aller exterminer les trois cent mille hommes du roi d'Égypte, les trois cent mille de l'empereur des Indes, et les trois 2275 cent mille du grand kan des Scythes, qui assiégeaient l'immense, l'orgueilleuse, la voluptueuse ville de Babylone.

Les deux mille Espagnols qu'Amazan avait amenés avec lui dirent qu'ils n'avaient que faire du roi d'Éthiopie pour secourir Babylone ; que c'était assez que leur roi leur eût ordonné d'aller 2280 la délivrer ; qu'il suffisait d'eux pour cette expédition.

Les Vascons dirent qu'ils en avaient bien fait d'autres ; qu'ils battraient tout seuls les Égyptiens, les Indiens et les Scythes, et qu'ils ne voulaient marcher avec les Espagnols qu'à condition que ceux-ci seraient à l'arrière-garde[1].

2285 Les deux cents Gangarides se mirent à rire des prétentions de leurs alliés, et ils soutinrent qu'avec cent licornes seulement ils feraient fuir tous les rois de la terre. La belle Formosante les apaisa par sa prudence et par ses discours enchanteurs. Amazan présenta au monarque noir ses Gangarides, ses licornes, les Espagnols, les 2290 Vascons, et son bel oiseau.

Tout fut prêt bientôt pour marcher par Memphis, par Héliopolis, par Arsinoé, par Pétra, par Artémite, par Sora, par Apamée[2], pour aller attaquer les trois rois, et pour faire cette guerre mémorable devant laquelle toutes les guerres que les 2295 hommes ont faites[3] depuis n'ont été que des combats de coqs et de cailles.

Chacun sait comment le roi d'Éthiopie devint amoureux de la belle Formosante, et comment il la surprit au lit, lorsqu'un doux

notes

1. **seraient à l'arrière-garde :** marcheraient derrière.
2. Itinéraire fantaisiste. Memphis, Héliopolis et Arsinoé sont des villes d'Égypte ; Pétra, dans l'actuelle Jordanie, est un point de passage des caravanes entre la mer Rouge et la mer Morte ; Artémite et Sora ne sont pas identifiées ; quant à Apamée, plusieurs villes portent ce nom et il peut s'agir de celle qui se trouve en Syrie.
3. Les éditions contrôlées par Voltaire portaient « *ont fait* ».

sommeil fermait ses longues paupières. On se souvient
2300 qu'Amazan, témoin de ce spectacle, crut voir le jour et la nuit couchant ensemble. On n'ignore pas qu'Amazan, indigné de l'affront, tira soudain sa fulminante, qu'il coupa la tête perverse[1] du nègre[2] insolent[3], et qu'il chassa tous les Éthiopiens d'Égypte. Ces prodiges ne sont-ils pas écrits dans le livre des chroniques
2305 d'Égypte[4] ? La renommée a publié[5] de ses cent bouches[6] les victoires qu'il remporta sur les trois rois avec ses Espagnols, ses Vascons et ses licornes. Il rendit la belle Formosante à son père ; il délivra toute la suite de sa maîtresse[7], que le roi d'Égypte avait réduite en esclavage. Le grand kan des Scythes se déclara son
2310 vassal, et son mariage avec la princesse Aldée fut confirmé. L'invincible et généreux Amazan, reconnu pour héritier du royaume de Babylone, entra dans la ville en triomphe avec le phénix, en présence de cent rois tributaires[8]. La fête de son mariage surpassa en tout celle que le roi Bélus avait donnée. On
2315 servit à table le bœuf Apis rôti. Le roi d'Égypte et celui des Indes donnèrent à boire aux deux époux, et ces noces furent célébrées par cinq cents grands poètes de Babylone.

Ô Muses[9] ! qu'on invoque toujours au commencement de son ouvrage, je ne vous implore qu'à la fin. C'est en vain qu'on me
2320 reproche de dire grâces sans avoir dit *benedicite*[10]. Muses ! vous n'en serez pas moins mes protectrices. Empêchez que des continuateurs téméraires[11] ne gâtent par leurs fables[12] les vérités que j'ai enseignées aux mortels dans ce fidèle récit, ainsi qu'ils ont osé

notes

1. **perverse** : portée à faire le mal.
2. **nègre** : mot péjoratif, le seul employé au XVIIIe siècle pour désigner les Noirs.
3. **insolent** : qui insulte par son audace.
4. Parodie des *Nombres*, dans l'Ancien Testament, qui renvoient à un livre inconnu comme le sont les chroniques d'Égypte.
5. **publié** : fait connaître.
6. **ses cent bouches** : l'une des représentations allégoriques possibles de la Renommée.
7. La suite de Formosante avait été abandonnée lors de la fuite de celle-ci pour échapper au roi d'Égypte.
8. **rois tributaires** : rois soumis à un souverain qui leur est supérieur.
9. **muses** : déesses qui président aux arts de l'esprit, comme l'éloquence, la poésie héroïque, la tragédie...
10. **grâces, *benedicite*** : les premières sont dites par les chrétiens à la fin du repas et le second au début.
11. Au XVIIIe siècle, il était fréquent qu'une œuvre soit continuée par des faussaires.
12. **fables** : mensonges.

Chapitre XI

falsifier *Candide, L'Ingénu*, et les chastes aventures de la chaste Jeanne[1], qu'un ex-capucin[2] a défigurées par des vers dignes des capucins, dans des éditions bataves. Qu'ils ne fassent pas ce tort à mon typographe[3], chargé d'une nombreuse famille, et qui possède à peine de quoi avoir des caractères, du papier et de l'encre.

Ô muses ! imposez silence au détestable Coger[4], professeur de bavarderie au collège Mazarin, qui n'a pas été content des discours moraux de Bélisaire[5] et de l'empereur Justinien, et qui a écrit de vilains libelles diffamatoires contre ces deux grands hommes[6].

Mettez un bâillon au pédant[7] Larcher[8], qui, sans savoir un mot de l'ancien babylonien, sans avoir voyagé comme moi sur les bords de l'Euphrate et du Tigre, a eu l'imprudence de soutenir que la belle Formosante, fille du plus grand roi du monde, et la princesse Aldée, et toutes les femmes de cette respectable cour allaient coucher avec tous les palefreniers[9] de l'Asie pour de l'argent, dans le grand temple de Babylone, par principe de religion. Ce libertin[10] de collège, votre ennemi et celui de la pudeur, accuse les belles Égyptiennes de Mendès[11] de n'avoir aimé que des boucs, se proposant en secret, par cet exemple, de faire un tour en Égypte pour avoir enfin de bonnes aventures[12].

notes

1. On avait fait des suites aux contes de Voltaire *Candide* et *L'Ingénu* et à sa tragédie consacrée à Jeanne d'Arc, *La Pucelle*.
2. **un ex-capucin** : un certain abbé de La Clau qui fit paraître à Amsterdam en 1755 une édition pirate de *La Pucelle*.
3. **typographe** : imprimeur.
4. **Coger** : professeur d'éloquence célèbre à l'époque de Voltaire et défenseur du christianisme.
5. Bélisaire (v. 500-565), général byzantin qui s'illustra sous Justinien en vainquant les Perses et en reconquérant l'Afrique, entre autres glorieux faits d'armes.
6. Coger avait rédigé en 1767 un *Examen du Bélisaire de M. Marmontel*.
7. **pédant** : faussement savant.
8. **Larcher** : helléniste, en vérité très savant et plutôt favorable aux philosophes, qui avait relevé les erreurs commises par Voltaire dans son *Supplément à la philosophie de l'Histoire* (1767). L'écrivain lui avait vivement répondu et la polémique avait porté sur la prostitution sacrée dans la Perse ancienne, la pédérastie chez les Anciens et la bestialité dans l'Égypte antique.
9. **palefreniers** : garçons d'écurie.
10. **libertin** : partisan de la plus grande liberté sexuelle.
11. **Mendès** : ville du delta du Nil. Hérodote associe à cette ville une prostitution rituelle.
12. **bonnes aventures** : aventures galantes.

passage analysé

Comme il ne connaît pas plus le moderne[1] que l'antique, il insinue, dans l'espérance de s'introduire auprès de quelque vieille[2], que notre incomparable Ninon, à l'âge de quatre-vingts ans, coucha avec l'abbé Gédoin, de l'Académie française et de
2350 celle des inscriptions et belles-lettres. Il n'a jamais entendu parler de l'abbé de Châteauneuf, qu'il prend pour l'abbé Gédoin. Il ne connaît pas plus Ninon que les filles de Babylone[3].

Muses, filles du ciel, votre ennemi Larcher fait plus : il se répand en éloges sur la pédérastie[4] ; il ose dire que tous les
2355 bambins de mon pays sont sujets à cette infamie. Il croit se sauver en augmentant le nombre des coupables[5].

Nobles et chastes muses, qui détestez également le pédantisme et la pédérastie, protégez-moi contre maître Larcher !

Et vous, maître Aliboron[6], dit Fréron[7], ci-devant soi-disant
2360 jésuite, vous dont le Parnasse[8] est tantôt à Bicêtre et tantôt au cabaret du coin ; vous à qui l'on a rendu tant de justice sur tous les théâtres de l'Europe dans l'honnête[9] comédie de *L'Écossaise*[10] ; vous, digne fils du prêtre Desfontaines[11], qui naquîtes de ses amours avec un de ces beaux enfants qui portent un fer et un
2365 bandeau comme le fils de Vénus[12], et qui s'élancent comme lui dans les airs, quoiqu'ils n'aillent jamais qu'au haut des chemi-

notes

1. **le moderne** : l'époque récente.
2. **s'introduire [...] vieille** : séduire une vieille femme.
3. Allusion à Ninon de Lenclos (1620-1705), célèbre pour sa beauté, son esprit et la liberté de ses mœurs jusqu'à un âge avancé. Larcher mentionne un rendez-vous galant qu'elle aurait fixé à l'âge de 80 ans à l'abbé Gédoin, alors qu'en réalité elle n'avait que 60 ans lorsqu'elle proposa ses charmes à l'abbé de Châteauneuf.
4. **pédérastie** : pédophilie.
5. Attaque contre Larcher totalement injustifiée mais qui témoigne de la violence des querelles littéraires au XVIIIe siècle.
6. **Aliboron** : nom de l'âne chez La Fontaine ; « *maître Aliboron* » signifie donc « le plus grand des ânes » !
7. Fréron (1718-1776), journaliste et critique célèbre du XVIIIe siècle, l'une des cibles privilégiées de Voltaire car ennemi des philosophes. Il ne fut jamais jésuite, ne séjourna pas à Bicêtre, prison infâmante, mais fut embastillé comme de nombreux hommes de lettres de son temps, dont Voltaire lui-même.
8. **Parnasse** : mont situé en Grèce, résidence des Muses et donc lieu par excellence de la poésie.
9. **honnête** : de bon goût.
10. ***L'Écossaise*** : comédie de Voltaire, dans laquelle Fréron est incarné par un personnage odieux du nom de Frelon.
11. **Desfontaines** : prêtre emprisonné pour avoir abusé d'un petit ramoneur. Il fut libéré sur l'intervention de Voltaire.
12. Description de la tenue de travail des ramoneurs.

Chapitre XI

nées ; mon cher Aliboron, pour qui j'ai toujours eu tant de tendresse, et qui m'avez fait rire un mois de suite du temps de cette *Écossaise*, je vous recommande ma princesse de Babylone ; dites-en bien du mal afin qu'on la lise.

Je ne vous oublierai point ici, gazetier ecclésiastique, illustre orateur des convulsionnaires, père de l'Église fondée par l'abbé Bécherand[1] et par Abraham Chaumeix[2], ne manquez pas de dire dans vos feuilles[3], aussi pieuses[4] qu'éloquentes et sensées, que la *Princesse de Babylone* est hérétique[5], déiste[6] et athée[7]. Tâchez surtout d'engager le sieur Riballier[8] à faire condamner la *Princesse de Babylone* par la Sorbonne ; vous ferez grand plaisir à mon libraire[9], à qui j'ai donné cette petite histoire pour ses étrennes.

notes

1. L'abbé Bécherand fut l'un des premiers jansénistes convulsionnaires. De 1727 à 1732, après des miracles qui se seraient produits au cimetière de Saint-Médard à Paris et à la suite de persécutions contre eux, les fanatiques jansénistes entraient dans de véritables états d'hystérie et de convulsions. Bécherand, étant boiteux, prétendait allonger sa jambe infirme en dansant chaque jour sur la tombe du diacre Pâris, censé accomplir des miracles.
2. Abraham Chaumeix (1725-1773), autre janséniste, ennemi des philosophes, auteur d'un ouvrage contre l'*Encyclopédie*.
3. feuilles : journaux.
4. pieuses : respectueuses de la religion.
5. hérétique : contraire au dogme catholique.
6. déiste : qui admet l'existence de Dieu sans reconnaître de religion révélée ni de dogme.
7. athée : qui ne reconnaît pas l'existence de Dieu.
8. Riballier : docteur de la faculté de théologie de la Sorbonne qui avait censuré de nombreux ouvrages des philosophes.
9. libraire : imprimeur.

Règlement de comptes

Lecture analytique de l'extrait, p. 154, l. 2318, à p. 157, l. 2378.

Le conte vient de se terminer au pas de charge : en quelques lignes, le dénouement efface les péripéties passées, remet les choses à leur place, et, à la manière des contes de fées, le conte philosophique se clôt sur le mariage des héros. Point de dégradation de l'héroïne comme dans *Candide*. Aucune perte de beauté ou de prestige qui permettrait de délivrer la leçon du sage bonheur, modeste et modéré, chère à l'auteur. Dans une ultime glose* sur le conte, Voltaire, à l'image des *« cinq cents grands poètes de Babylone »* venus célébrer la noce, s'adresse aux Muses. Mais point d'attendrissement sur la fin heureuse des personnages, pas de larmes versées sur un univers utopique et donc inaccessible.

En huit paragraphes assassins, Voltaire change radicalement de sujet et, en son nom propre, règle ses comptes avec ses contemporains. On passe donc du merveilleux* oriental, en un temps aussi éloigné que vague, à l'actualité française sans doute quelque peu diabolisée. Le conte sert aussi à Voltaire de prétexte à une dénonciation malicieuse des institutions, de la société et des mœurs du XVIIIe siècle, ne se privant pas, parfois, d'attaques renvoyant à des anecdotes précises.

Cet ajout au conte, que constitue notre extrait, reprend cette veine en l'amplifiant : le texte devient ouvertement polémique et Voltaire règle ses comptes de manière jubilatoire, célébrant à sa façon la toute-puissance du philosophe en 1767. Et si l'écrivain se présente en victime qui plaide son innocence, avant tout il accuse et attaque, faisant feu de tout bois dans un feu d'artifice final drôle et sans pitié, donné à la gloire du philosophe militant.

* *Cf.* Lexique.

Extrait, p. 155, l. 2318, à p. 157, l. 2378.

La défense

❶ Étudiez l'énonciation*. Montrez que l'extrait proposé est en rupture avec le récit qui précède.
❷ Par quels procédés Voltaire s'adresse-t-il aux Muses ? Quel est l'effet produit ?
❸ En quoi le rôle attribué aux Muses permet-il de présenter Voltaire comme une victime ?
❹ De quoi l'auteur se prétend-il victime ? Quelle autre personne inclut-il dans sa défense ? Pourquoi ?
❺ À quels moments Voltaire a-t-il recours au registre pathétique ? Pourquoi ?

Une attaque en règle

❻ De quelle manière progresse le texte ? Quel est l'effet produit ?
❼ Pourquoi le texte a-t-il des allures de règlement de comptes ? Quel est l'effet de tous les noms cités ? En vous référant au lexique (p. 222), dites quel nom porte ce type d'arguments.
❽ Relevez le vocabulaire péjoratif. Quel est son rôle ?
❾ Relevez aussi le lexique laudatif*. Son rôle est-il différent ? Comment appelle-t-on cette figure de style ? Quel registre fonde-t-elle ?
❿ Par quels autres moyens Voltaire ridiculise-t-il ses adversaires ?
⓫ De quoi, selon Voltaire, ses adversaires se sont-ils rendus coupables envers lui ?
⓬ Quels reproches plus généraux leur adresse-t-il ?
⓭ Relevez les passages où Voltaire frise la calomnie.

* Cf. Lexique.

Le triomphe du philosophe : rira bien qui rira le dernier

⑭ En quoi ce final est-il une provocation ?
⑮ Voltaire est-il vraiment la victime qu'il prétend être ? En quoi une telle diatribe* montre-t-elle, au contraire, son assurance ?
⑯ Relevez les allusions à la religion et commentez-les.
⑰ De quelle manière ce texte rejoint-il d'autres aspects des critiques des philosophes des Lumières ?
⑱ Comment Voltaire fait-il ici son propre éloge ? Quels compliments s'adresse-t-il ?
⑲ Trouvez des indices, des procédés d'expression qui montrent que Voltaire s'amuse en écrivant ce texte ?

Arrestation de Voltaire à Francfort en 1753, tableau de Jules Girardet.

* *Cf.* Lexique.

Polémiques

Lectures croisées et travaux d'écriture

La diatribe* finale de *La Princesse de Babylone* n'est pas la seule du genre dans l'œuvre de Voltaire. Doté de beaucoup d'esprit, d'une grande énergie combative, d'une plume alerte et le plus souvent géniale, l'écrivain-philosophe a multiplié les polémiques dans son œuvre. Mais l'écriture polémique où des écrivains, conformément à l'étymologie du mot, partent en guerre pour défendre leurs idées n'est pas un genre nouveau au XVIIIe siècle, siècle, par excellence, de débats d'idées. Le siècle classique, par exemple, pourtant si stable, avait connu deux grandes querelles : celle du *Cid* et celle, fameuse, opposant les Anciens, défenseurs de la nécessité de s'inspirer de l'Antiquité gréco-romaine, aux Modernes, soucieux de trouver de nouvelles sources d'inspiration. Les progrès de la liberté d'expression ont permis l'évolution et la prolifération du registre polémique. Aujourd'hui, ses enjeux ne se limitent pas à la seule littérature, loin de là : la polémique est devenue politique. Sa valeur historique se mesure au sujet abordé, au talent de ses auteurs et au plaisir des lecteurs qu'il s'agit de séduire et souvent d'amuser dans le but de les persuader du bien-fondé de leur thèse.

Texte A : Extrait du chapitre XI de *La Princesse de Babylone* de Voltaire (p. 154, l. 2318, à p. 157, l. 2378)

Texte B : Voltaire, *Traité sur la tolérance*

***Rédigé à l'occasion de l'affaire Calas, le* Traité sur la tolérance *montre sans conteste l'engagement de Voltaire par les mots et par l'action. En vingt-cinq chapitres, d'une grande diversité de registres, Voltaire dénonce les dangers et les abus de l'intolérance. Dans le texte qui suit, le philosophe s'en prend aux jésuites, ses cibles favorites depuis qu'ils avaient contribué à faire interdire l'*Encyclopédie.**

* *Cf.* Lexique.

Lettre écrite au jésuite Le Tellier[1] par un bénéficier[2] le 6 mai 1714

Mon Révérend Père,

J'obéis aux ordres que Votre Révérence m'a donnés de lui présenter les moyens les plus propres de délivrer Jésus et sa Compagnie[3] de leurs ennemis. Je crois qu'il ne reste plus que cinq cent mille huguenots dans le royaume, quelques-uns disent un million, d'autres quinze cent mille ; mais en quelque nombre qu'ils soient, voici mon avis, que je soumets très humblement au vôtre, comme je le dois.

1° Il est aisé d'attraper en un jour tous les prédicants[4] et de les pendre tous à la fois dans une même place, non seulement pour l'édification publique, mais pour la beauté du spectacle.

2° Je ferais assassiner dans leur lit tous les pères et mères, parce que, si on les tuait dans les rues, cela pourrait causer quelque tumulte ; plusieurs même pourraient se sauver, ce qu'il faut éviter sur toute chose. Cette exécution est un corollaire nécessaire de nos principes : car, s'il faut tuer un hérétique, comme tant de grands théologiens le prouvent, il est évident qu'il faut les tuer tous.

3° Je marierais le lendemain toutes les filles à de bons catholiques, attendu qu'il ne faut pas dépeupler trop l'État après la dernière guerre ; mais à l'égard des garçons de quatorze et quinze ans, déjà imbus de mauvais principes, qu'on ne peut se flatter de détruire, mon opinion est qu'il faut les châtrer tous, afin que cette engeance[5] ne soit jamais reproduite. Pour les autres petits garçons, ils seront élevés dans vos collèges, et on les fouettera jusqu'à ce qu'ils sachent par cœur les ouvrages de Sanchez et de Molina[6].

4° Je pense, sauf correction, qu'il en faut faire autant à tous les luthériens[7] d'Alsace, attendu que, dans l'année 1704, j'aperçus deux vieilles de ce pays-là qui riaient le jour de la bataille d'Hochstedt[8].

Voltaire, *Traité sur la tolérance*, extrait du chapitre XVIII, 1763.

1. Michel Le Tellier (1643-1719), jésuite et confesseur de Louis XIV. Il est à l'origine des mesures prises contre les protestants. **2. bénéficier :** possesseur d'un bénéfice ecclésiastique, c'est-à-dire de biens et de revenus attachés à une fonction dans une église. **3.** Transposition burlesque* du nom de l'ordre des Jésuites : la Compagnie de Jésus. **4. prédicants :** ministres

* *Cf.* Lexique.

du culte protestant. **5. engeance** : ensemble de personnes méprisables. **6. Sanchez, Molina** : jésuites espagnols. **7. luthériens** : protestants qui suivent la doctrine de Luther.
8. Hochstedt : défaite française.

Texte C : Théophile Gautier, *Histoire du romantisme*

Le 25 février 1830, on donne pour la première fois le drame romantique de Victor Hugo :* Hernani. *Ce nouveau genre théâtral rompait, par ses audaces, avec les règles du théâtre classique et avec celles de la versification. Dans le public, admirateurs du théâtre classique, de Corneille, Racine ou Voltaire, et jeunes écrivains romantiques, venus soutenir la pièce de Victor Hugo, s'affrontent. Théophile Gautier, qui assista à la représentation vêtu d'un voyant* « gilet rouge » *destiné à scandaliser le bourgeois, retrace les souvenirs de cette soirée où l'on se battit pour un enjambement audacieux.

Oui, nous[1] les[2] regardâmes avec un sang-froid parfait toutes ces larves du passé et de la routine, tous ces ennemis de l'art, de l'idéal, de la liberté et de la poésie, qui cherchaient de leurs débiles mains tremblotantes à tenir fermée la porte de l'avenir ; et nous sentions dans notre cœur un sauvage désir d'enlever leur scalp avec notre tomahawk pour en orner notre ceinture ; mais à cette lutte, nous eussions couru le risque de cueillir moins de chevelures que de perruques ; car si elle raillait l'école moderne sur ses cheveux, l'école classique, en revanche, étalait au balcon et à la galerie du Théâtre-Français une collection de têtes chauves pareille au chapelet des crânes de la comtesse Dourga. Cela sautait si fort aux yeux, qu'à l'aspect de ces moignons glabres[3] sortant de leurs cols triangulaires avec des tons couleur de chair et de beurre rance, malveillant malgré leur apparence paterne[4], un jeune sculpteur de beaucoup d'esprit et de talent, célèbre depuis, dont les mots valent les statues, s'écria au milieu d'un tumulte : « À la guillotine, les genoux ! » [...]
Cependant, le lustre descendait lentement du plafond avec sa triple couronne de gaz et son scintillement prismatique ; la rampe montait traçant entre le monde idéal et le monde réel sa démarcation lumineuse. Les candélabres s'allumaient aux avant-scènes, et la salle s'emplissait peu à peu. Les portes des loges s'ouvraient et se fermaient avec fracas. Sur le rebord de velours, posant leurs bouquets et leurs lorgnettes, les femmes s'installaient comme pour une longue séance, donnant du jeu aux épaulettes de leur corsage décolleté, s'asseyant bien au milieu de leurs jupes. Quoiqu'on ait reproché à notre école l'amour du laid, nous devons avouer que les belles, jeunes et jolies femmes furent chaudement applaudies de cette jeunesse ardente, ce qui fut trouvé de la dernière inconvenance et

du dernier mauvais goût par les vieilles et les laides. Les applaudies se cachèrent derrière leurs bouquets avec un sourire qui pardonnait.
L'orchestre et le balcon étaient pavés de crânes académiques et classiques. Une rumeur d'orage grondait sourdement dans la salle ; il était temps que la toile se levât ; on en serait peut-être venu aux mains avant la pièce, tant l'animosité était grande de part et d'autre. Enfin les trois coups retentirent. Le rideau se replia lentement sur lui-même, et l'on vit, dans une chambre à coucher du seizième siècle, éclairée par une petite lampe, doña Josepha Duarte, vieille en noir, avec le corps de sa jupe cousu de jais, à la mode d'Isabelle la Catholique, écoutant les coups que doit frapper à la porte secrète un galant attendu par sa maîtresse :
Serait-ce déjà lui ? C'est bien à l'escalier
Dérobé.
La querelle était déjà engagée. Ce mot rejeté sans façon à l'autre vers, cet enjambement audacieux, impertinent même, semblait un spadassin[5] de profession, allant donner une pichenette sur le nez du classicisme pour le provoquer en duel.

Théophile Gautier, *Histoire du romantisme*, récit de la réception d'*Hernani*, 1874.

1. nous : les jeunes romantiques, dont Gautier, Nerval, etc. **2. les** : la bourgeoisie hostile au théâtre romantique. **3. moignons glabres** : crânes chauves. **4. paterne** : bienveillante. **5. spadassin** : tueur à gages (littéraire et vieilli).

Texte D : « Protestation contre la tour de M. Eiffel », article paru dans *Le Temps* du 14 février 1887

La tour Eiffel, commandée à l'occasion de l'Exposition Universelle de 1889, devait être la vitrine du savoir-faire français. Cette tour métallique de trois cents mètres de hauteur avait beau être le plus haut monument du monde, Eiffel lui-même eut beau insister sur son caractère esthétique*, le projet fut d'abord violemment dénigré par les artistes de l'époque. Cependant, plébiscitée par le public dès sa présentation à l'Exposition, elle est aujourd'hui encore l'un des plus célèbres monuments français.

Nous venons, écrivains, peintres, sculpteurs, architectes amateurs, passionnés de la beauté, jusqu'ici intacte, de Paris, protester de toutes nos forces, de toute notre indignation, au nom du goût français méconnu, au nom de l'art et de l'histoire français menacés, contre l'érection, en plein cœur de notre capitale, de l'inutile et monstrueuse tour Eiffel, que la malignité publique, souvent empreinte de bon sens et d'esprit de justice, a déjà baptisé du nom de « Tour de Babel ».

* *Cf.* Lexique

Sans tomber dans l'exaltation du chauvinisme, nous avons le droit de proclamer bien haut que Paris est la ville sans rivale dans le monde. Au-dessus de ses rues, de ses boulevards élargis, du milieu de ses magnifiques promenades, surgissent les plus nobles monuments que le genre humain ait enfantés. L'âme de la France, créatrice de chefs-d'œuvre, resplendit parmi cette floraison auguste de pierre. L'Italie, l'Allemagne, les Flandres, si fières à juste titre de leur héritage artistique, ne possèdent rien qui soit comparable au nôtre, et de tous les coins de l'univers Paris attire les curiosités et les admirations.
Allons-nous donc laisser profaner tout cela ? La ville de Paris va-t-elle donc s'associer plus longtemps aux baroques, aux mercantiles imaginations d'un constructeur de machines pour s'enlaidir irréparablement et se déshonorer ?
Car la tour Eiffel, dont la commerciale Amérique elle-même ne voudrait pas, c'est, n'en doutez point, le déshonneur de Paris. Chacun le sent, chacun le dit, chacun s'en afflige profondément et nous ne sommes qu'un faible écho de l'opinion universelle, si légitimement alarmée. Enfin, lorsque les étrangers viendront visiter notre exposition, ils s'écrieront, étonnés : « Quoi ! c'est cette horreur que les Français ont trouvée pour nous donner une idée de leur goût si fort vanté ? » Et ils auront raison de se moquer de nous parce que le Paris des gothiques sublimes, le Paris de Jean Goujon, de Germain Pilon, de Puget, de Rude, de Barye[1], etc. sera devenu le Paris de M. Eiffel.
Il suffit d'ailleurs, pour se rendre compte de ce que nous avançons, de se figurer un instant une tour vertigineusement ridicule dominant Paris, ainsi qu'une gigantesque cheminée d'usine, écrasant de sa masse barbare Notre-Dame, la Sainte-Chapelle, le dôme des Invalides, l'Arc de Triomphe, tous nos monuments humiliés, toutes nos architectures rapetissées, qui disparaîtront dans ce rêve stupéfiant. Et pendant vingt ans nous verrons s'allonger comme une tache d'encre l'ombre odieuse de l'odieuse colonne de tôle boulonnée...

« Protestation contre la tour de M. Eiffel »,
extrait de l'article paru dans *Le Temps* du 14 février 1887.

1. **Jean Goujon, [...] de Barye** : sculpteurs français de divers siècles.

Texte E : Émile Zola, « J'accuse... ! »

En décembre 1894, Alfred Dreyfus, jeune officier juif, est jugé pour haute trahison. Il est condamné à la déportation perpétuelle et à la dégradation militaire. Quatre ans plus tard, le célèbre romancier Émile Zola clame

l'innocence du condamné dans une lettre légendaire intitulée « J'accuse... ! » et dont la conclusion est proposée ici. L'article donne le signal d'un déchaînement des passions qui enflamme et divise la France : dreyfusards contre antidreyfusards, combattants de la justice contre partisans de l'armée, adeptes des Lumières contre nationalistes et antisémites. Le coup de tonnerre de Zola manqua de faire exploser la République.

Telle est donc la simple vérité, Monsieur le Président, et elle est effroyable. Elle restera pour votre présidence une souillure. Je me doute bien que vous n'avez aucun pouvoir en cette affaire, que vous êtes le prisonnier de la Constitution et de votre entourage. Vous n'en avez pas moins un devoir d'homme, auquel vous songerez, et que vous remplirez. Ce n'est pas, d'ailleurs, que je désespère le moins du monde du triomphe. Je le répète avec une certitude plus véhémente : la vérité est en marche, et rien ne l'arrêtera. C'est d'aujourd'hui seulement que l'affaire commence, puisque aujourd'hui seulement les positions sont nettes : d'une part, les coupables qui ne veulent pas que la lumière se fasse ; de l'autre, les justiciers qui donneront leur vie pour qu'elle soit faite. Quand on enferme la vérité sous terre, elle s'y amasse, elle y prend une force telle d'explosion, que, le jour où elle éclate, elle fait tout sauter avec elle. On verra bien si l'on ne vient pas de préparer, pour plus tard, le plus retentissant des désastres.

*
* *

Mais cette lettre est longue, Monsieur le Président, et il est temps de conclure.

J'accuse le lieutenant-colonel du Paty de Clam d'avoir été l'ouvrier diabolique de l'erreur judiciaire, en inconscient, je veux le croire, et d'avoir ensuite défendu son œuvre néfaste, depuis trois ans, par les machinations les plus saugrenues et les plus coupables.

J'accuse le général Mercier de s'être rendu complice, tout au moins par la faiblesse d'esprit, d'une des plus grandes iniquités du siècle.

J'accuse le général Billot d'avoir eu entre les mains les preuves certaines de l'innocence de Dreyfus et de les avoir étouffées, de s'être rendu coupable de ce crime de lèse-humanité et de lèse-justice, dans un but politique et pour sauver l'état-major compromis.

J'accuse le général de Boisdeffre et le général Gonse de s'être rendus complices du même crime, l'un sans doute par passion cléricale, l'autre peut-être par cet esprit de corps qui fait des bureaux de la guerre l'arche sainte, inattaquable.

J'accuse le général de Pellieux et le commandant Ravary d'avoir fait une enquête scélérate, j'entends par là une enquête de la plus monstrueuse partialité, dont nous avons, dans le rapport du second, un impérissable monument de naïve audace.

J'accuse les trois experts en écritures, les sieurs Belhomme, Varinard et Couard, d'avoir fait des rapports mensongers et frauduleux, à moins qu'un examen médical ne les déclare atteints d'une maladie de la vue et du jugement.

J'accuse les bureaux de la guerre d'avoir mené dans la presse, particulièrement dans *L'Éclair* et dans *L'Écho de Paris*, une campagne abominable, pour égarer l'opinion et couvrir leur faute.

J'accuse enfin le premier conseil de guerre d'avoir violé le droit, en condamnant un accusé sur une pièce restée secrète, et j'accuse le second conseil de guerre d'avoir couvert cette illégalité, par ordre, en commettant à son tour le crime d'acquitter sciemment un coupable.

En portant des accusations, je n'ignore pas que je me mets sous le coup des articles 30 et 31 de la loi sur la presse du 29 juillet 1881, qui punit les délits de diffamation. Et c'est volontairement que je m'expose.

Quant aux gens que j'accuse, je ne les connais pas, je ne les ai jamais vus, je n'ai contre eux ni rancune ni haine. Ils ne sont pour moi que des entités, des esprits de malfaisance sociale. Et l'acte que j'accomplis ici n'est qu'un moyen révolutionnaire pour hâter l'explosion de la vérité et de la justice.

Je n'ai qu'une passion, celle de la lumière, au nom de l'humanité qui a tant souffert et qui a droit au bonheur. Ma protestation enflammée n'est que le cri de mon âme. Qu'on ose donc me traduire en cour d'assises et que l'enquête ait lieu au grand jour !

J'attends.

Veuillez agréer, Monsieur le Président, l'assurance de mon profond respect.

Émile Zola, « J'accuse... ! », extrait de la lettre adressée au président de la République Félix Faure et publiée par *L'Aurore*, le 13 janvier 1898.

Document : « Les Romantiques à la représentation d'*Hernani* », gravure sur bois de Gérard d'après un dessin de Stop (1825-1899)

Louis-Morel Retz, après une formation de juriste, commença une carrière classique de peintre mais s'illustra surtout dans la caricature sous le nom de Stop. Celle qui est reproduite ici représente d'illustres romantiques, que l'on peut s'amuser à reconnaître.

Corpus

Texte A : Extrait du chapitre XI de *La Princesse de Babylone* de Voltaire (p. 154, l. 2318, à p. 157, l. 2378).

Texte B : Extrait du chapitre XVIII du *Traité sur la tolérance* de Voltaire (pp. 161-163).

Texte C : Extrait de l'*Histoire du romantisme* de Théophile Gautier (pp. 163-164).

Texte D : « Protestation contre la tour de M. Eiffel », extrait de l'article paru dans *Le Temps* (pp. 164-165).

Texte E : Extrait de « J'accuse... ! » d'Émile Zola (pp. 165-167).

Document : « Les Romantiques à la représentation d'*Hernani* », d'après un dessin de Stop (pp. 167-168).

Examen des textes et de l'image

❶ Sur quoi repose l'ironie* du texte de Voltaire (texte B) ?
❷ Quels clans s'opposent dans le texte de Gautier (texte C) ? Lequel soutient l'auteur ? Relevez les marques de jugement qui justifient votre réponse.
❸ Quels champs lexicaux* s'opposent dans le texte des artistes contre la tour Eiffel (texte D) ? Pourquoi ?
❹ En quoi le texte d'Émile Zola est-il un défi (texte E) ?
❺ Quels sont les moyens de la caricature (document) ?
❻ Rapprochez le document iconographique du texte de Théophile Gautier (texte C). La représentation des jeunes romantiques correspond-elle à l'image qu'en donne le texte ?

Travaux d'écriture

Question préliminaire

Quelles sont les principales armes stylistiques utilisées dans les textes du corpus pour gagner ces combats de plume ?

Commentaire

Vous ferez le commentaire de l'extrait du chapitre XI de *La Princesse de Babylone* de Voltaire (texte A).

Dissertation

Les polémiques sont-elles, à votre avis, destinées à rester dans l'histoire littéraire ou dans l'Histoire ? Vous répondrez de manière organisée, en vous appuyant sur les documents du corpus et sur votre culture personnelle.

Écriture d'invention

À la manière de la protestation contre la tour Eiffel (texte D), écrivez un article pour un journal dans lequel vous exprimez nettement votre avis dans une polémique sur un sujet littéraire, artistique, ou lié à l'urbanisme ou au sport.

* *Cf.* Lexique.

Micromégas – La Princesse de Babylone : bilan de première lecture

Sur *Micromégas*

❶ Quelle est la taille approximative de Micromégas ?
❷ Pourquoi est-il banni de son pays ?
❸ Sur quelle planète rencontre-t-il le savant qui va voyager avec lui ?
❹ Quelle première impression leur produit la Terre ?
❺ Quel être vivant voient-ils en premier lieu ?
❻ Qui sont les hommes qu'ils finissent par découvrir ?
❼ De quelle manière les impressionnent-ils ?
❽ Comment est nommée la Terre dans le conte ?
❾ Quel cadeau Micromégas laisse-t-il aux hommes ?

Sur *La Princesse de Babylone*

❿ Dans quel lieu commence l'action et où se termine-t-elle ?
⓫ Qu'est-ce qui caractérise la princesse Formosante ?
⓬ Comment le roi Bélus, son père, veut-il départager ses prétendants ?
⓭ Forcé de partir, que laisse le jeune inconnu en cadeau à Formosante ?
⓮ Quelles sont les caractéristiques du pays des Gangarides ?
⓯ Pourquoi Amazan fuit-il les pays dans lesquels il est reçu ?
⓰ Quels pays apparaissent comme des modèles politiques ?
⓱ Comment se manifestent les ravages de la religion en Italie et en Espagne ?

Dossier Bibliolycée

Voltaire : un écrivain en mouvement

Voltaire, né sous le règne de Louis XIV et mort onze ans avant la Révolution, a vécu une période fondamentale de l'histoire des idées, qu'il contribua lui-même à façonner par son abondante production littéraire et par son action. Poète et dramaturge que nous ne lisons presque plus, il triomphe aujourd'hui grâce à ses contes philosophiques dont il répugnait à s'avouer l'auteur. À son époque, il brilla dans tous les genres et côtoya la plupart des grands esprits que comptait l'Europe éclairée. Le volume de sa correspondance (plus de dix mille lettres) et sa réputation, à la fin de sa vie, d'*« aubergiste de l'Europe »* témoignent d'une influence inédite pour un homme de lettres. Personnalité complexe, il fut à la fois courtisan et frondeur, classique dans ses goûts et audacieux dans ses idées, conseiller des princes et défenseur des condamnés mais toujours fidèle à la mission qu'il s'était fixée : dénoncer toutes les formes d'injustice – surtout le fanatisme – et éclairer ; écrire et agir.

La jeunesse et l'affranchissement

François-Marie Arouet est né à Paris le 21 novembre 1694 (Voltaire a prétendu être né le 20 février) dans une famille aisée – le père est notaire royal et receveur des épices – qui a fait sa fortune en quelques générations de travail acharné. Sa mère meurt quand il a 7 ans. Il ne se rapproche pas pour autant de son père qui s'efforcera toujours de corriger ce cadet turbulent. Au contraire, Voltaire le rejette, se prétendant l'enfant illégitime de M. de Rochebrune et transformant, en 1718, le nom d'Arouet par l'anagramme Voltaire – AROVET L(e) I(eune).

Voltaire fait ses études chez les jésuites, à l'excellent collège Louis-le-Grand, où il se montre brillant et noue des amitiés avec des aristocrates qui occuperont plus tard de hautes fonctions. Il aime l'étude, sa mémoire est infatigable et son ambition est d'éblouir le siècle. Pour y parvenir, il refuse la soutane des jésuites et la robe de son père : il n'étudiera pas le droit, il sera écrivain.

Dès l'âge de 12 ans, il fait des rimes et parle de sa future tragédie. Adolescent, lorsqu'il n'est pas récompensé à un concours de poésie, il compose une satire* qu'il reniera. Mais c'est un début : toute sa vie, il composera des écrits satiriques, anonymes et qu'il récusera car ils lui semblaient compromettre la dignité de l'écrivain philosophe.

La naissance d'un poète

Trop turbulent, Voltaire est éloigné de la capitale mais, s'il vagabonde, c'est de château en château, reçu par la grande aristocratie. Son talent et son art de plaire, constitué d'un subtil dosage de flatterie et d'impertinence, font merveille. Travailleur infatigable, libertin, hostile depuis toujours à la piété, admiré des grands, il poursuit le rêve de devenir le plus grand écrivain de son siècle. Un premier pas est fait dans ce sens en 1718 quand la Comédie-Française donne sa tragédie *Œdipe*. Jusqu'à la dernière de ses tragédies, *Irène*, jouée sur la même scène en 1778, le triomphe de M. de Voltaire, grand poète, ne se démentira pas.

En 1728, le succès de son épopée* à la gloire d'Henri IV, *La Henriade*, fait de lui le grand poète épique français ! Pourtant, si Voltaire a des idées neuves en matière de religion (il est déiste, croyant en l'existence d'un dieu unique et pour lequel aucun rite ni aucun dogme n'est requis), il reste fidèle aux règles

* *Cf.* Lexique.

classiques en matière de théâtre et ses tragédies (*Zaïre*, *La Mort de César*, *Mahomet*, *Mérope*...) ne lui survivront pas. À Diderot, Beaumarchais ou Marivaux la postérité théâtrale.

La naissance du philosophe

Algarades

Voltaire ne peut et ne veut tenir sa plume, qui ne manque d'ailleurs pas d'agilité. Des vers satiriques contre le Régent lui valent d'être emprisonné à la Bastille de mai 1716 à avril 1717. Ses incartades et son impertinence, comme l'altercation avec le chevalier de Rohan-Chabot en 1726 (« [Je suis] *un homme qui ne traîne pas un grand nom, mais qui honore le nom qu'il porte* »), lui apportent parfois des coups de bâton, châtiment du laquais, ce qui montre bien que son statut est fragile : trop nouvellement accueilli par l'aristocratie, il reste aux yeux de l'autorité un roturier suspect, et ce statut ne protège pas ses comportements qualifiés de « *folies* » par ses contemporains.

L'Angleterre

Voltaire, favorable au rapprochement franco-anglais, part donc en Angleterre en 1726. Sans argent, il y reste trente mois ; flattant le roi George II, il obtient une pension, mais il organise également une vente de *La Henriade* par souscription et trempe sans doute dans des affaires financières louches. Lors de ce séjour, Voltaire apprécie la monarchie parlementaire, la tolérance et l'esprit d'entreprise du pays. Il apprend d'arrache-pied la langue et son premier grand ouvrage, les *Lettres anglaises* (c'est-à-dire les *Lettres philosophiques*), paraît d'abord en anglais en 1733.

Biographie

Mme du Châtelet

De retour à Paris en 1729, Voltaire est repris par le tourbillon de l'écriture, des mots d'esprit, de l'argent à faire fructifier. D'ailleurs, Voltaire, qui n'a jamais confondu morale et finance, aura toujours besoin de beaucoup d'argent et mourra immensément riche.

En 1733, il rencontre Émilie du Châtelet, femme extrêmement intelligente et instruite, qui essaie de s'introduire dans le domaine exclusivement masculin des sciences et de la philosophie. Il devient son amant. Les *Lettres philosophiques*, qui paraissent en français l'année suivante, sont condamnées au feu et Voltaire est contraint à l'exil loin de Paris : Cirey, le château lorrain de Mme du Châtelet, sera son refuge. Il y séjourne pendant dix ans.

En femme libre, Mme du Châtelet fait des allers-retours entre Paris et Cirey et trompe Voltaire qui n'est pas jaloux le moins du monde. Voltaire est toujours « *heureux* », selon le mot de Roland Barthes (*Voltaire, le dernier des écrivains heureux*, Actualité littéraire, 1958). Puis Mme du Châtelet choisit de s'installer à Cirey et de se livrer, aux côtés de son écrivain, qu'elle entend aussi protéger de ses démons, à une vie intellectuelle intense. Voltaire approfondit alors son initiation à la philosophie et aux sciences sans oublier les belles lettres. Comme toujours, il se montre très productif : son premier conte philosophique, *Zadig*, date de 1747.

Cette même année, Voltaire, un temps en faveur à la cour de Versailles, est disgracié et doit se réfugier, avec Mme du Châtelet, à la cour du roi de Pologne Stanislas, à Lunéville. Mais sa compagne meurt en septembre 1749, en donnant le jour à l'enfant de sa dernière passion : le médiocre poète Saint-

Lambert. Anéanti et furieux, Voltaire rentre à Paris. En janvier 1750, sa nièce, Mme Denis, s'installe chez lui et ne le quittera plus.

Le conseiller des rois

Fortune

Si Voltaire est devenu très riche, ce n'est pas des bénéfices de ses nombreux ouvrages, qu'il laisse d'ailleurs souvent à ses protégés, mais de ses spéculations financières, qui font de lui un écrivain libre d'écrire et de vivre sur un grand pied : ainsi naît une conception nouvelle de l'écrivain, libéré des contraintes du mécénat.

Versailles

Voltaire a eu du mal à s'introduire à la cour de Versailles : il est jugé trop dangereux, trop anticlérical surtout. Mais le contrôle qu'exerce sur lui le cardinal Fleury, ministre du roi, par le biais de la censure, est plus menaçant qu'effectif, ce qui permet de donner la mesure du talent de l'écrivain. Cependant, à la suite d'une mission auprès de Frédéric II de Prusse avec qui il entretient une correspondance, Voltaire est accueilli à la Cour et est nommé, entre autres gratifications, historiographe du roi, puis il entre à l'Académie française en 1746. Mais Louis XV ne l'aime guère et, en 1750, Voltaire part pour Berlin rejoindre Frédéric II. Il y reste jusqu'en 1753.
Si Voltaire a toujours eu besoin de la compagnie des grands, ce fut sans doute par goût des intrigues, par fascination et besoin de reconnaissance officielle, mais aussi et surtout afin d'obtenir la protection indispensable pour publier.

Postdam

Frédéric II, monarque intelligent et cultivé, figure du « despote éclairé* », a multiplié les efforts pour que Voltaire vienne s'installer auprès de lui et les autorités françaises, qui n'ont jamais vu le parti qu'elles pouvaient tirer des Lumières, n'ont pas cherché à le retenir.
Frédéric II et Voltaire ont communiqué pendant quarante-deux ans (environ quinze mille lettres ont été conservées), dans une relation passionnée et orageuse mais éprise de vérité, d'humanité, de tolérance et de bonheur. C'est le temps des soupers philosophiques dans lesquels Voltaire étincelle. En 1751, il achève *Le Siècle de Louis XIV* et publie l'année suivante *Micromégas.* Pourtant, le philosophe multiplie insolences et indiscipline. Le 22 janvier 1751, le monarque se demande si, « *à l'âge de cinquante-six ans, on ne pourra pas le rendre, sinon raisonnable, du moins, moins fripon* ». Le divorce est consommé lors du traquenard que Frédéric II tend à Voltaire à Francfort, le 31 mai 1753, suite à la publication d'un pamphlet* de son protégé. Le philosophe est emprisonné. Pourtant, de retour en France, à Colmar, Voltaire reprendra sa correspondance avec le monarque.

Le roi Voltaire

En mars 1755, Voltaire s'installe aux *Délices*, près de Genève, et, fin 1758, il achète le domaine de Ferney, en pays français de Gex. « *Après avoir vécu chez les rois, je me suis fait roi chez moi* », écrit-il. Et durant la vingtaine d'années qu'il lui reste à vivre, Voltaire va réaliser tout ce que ne fait pas habituellement un homme de lettres et achever ainsi de construire sa légende.

* *Cf.* Lexique.

Lisbonne

Bouleversé par le tremblement de terre de Lisbonne, qui fait environ trente mille morts, Voltaire s'interroge sur la question du mal et celle de la Providence et écrit en 1756 deux cent cinquante alexandrins qui vont donner à la catastrophe une ampleur européenne. C'est l'occasion d'un débat avec Rousseau, qu'il déteste. Le poème fait scandale parce qu'il renvoie toutes les idéologies des Lumières (théologie, matérialisme*, optimisme) à une même incertitude béante. En 1759, il obtient un vif succès avec *Candide* qui donne, avec un brio inégalable, la version comique de l'échec des philosophies consolantes.

Les affaires

C'est aussi le temps des affaires, dont l'affaire Calas, qui éclate en 1762 et qui touche au conflit religieux de l'époque (le protestant Calas est injustement accusé d'avoir tué son fils parce que celui-ci voulait se convertir au catholicisme). Voltaire alerte l'Europe entière. Il ne se montre plus courtisan mais, au contraire, n'a de cesse de se battre pour réclamer la justice et mobiliser l'opinion publique sur de nouvelles valeurs. Jean Calas est réhabilité en 1765. Voltaire renouvellera de telles actions pour le chevalier de La Barre et d'autres encore.

Voltaire devient une sorte de saint laïc, apôtre de la tolérance. Jean Goldzink définit ainsi la tolérance voltairienne : « *Le respect des superstitions du voisin, sous l'arbitrage d'un État fort et éclairé, qui favorise le commerce des marchandises et des idées* » (*Voltaire : la légende de saint Arouet*, « Découvertes Gallimard », Gallimard, 1989). Mme Suard, l'une de ses admiratrices, venue en pèlerinage à Ferney, n'hésite pas à dire qu'il est « *le bienfaiteur du monde entier qui lui devrait de ne plus être souillé par les horreurs du fanatisme* ». La légende est en marche. Et si Voltaire signe, depuis 1762, ses lettres de *Ecrelinf* (pour « *Écrasons l'infâme* »), c'est qu'il s'est mis en tête de

* *Cf.* Lexique.

remplacer le christianisme fanatique par la religion naturelle. C'est le combat de la fin de sa vie, période pendant laquelle il ne cesse d'écrire, dont les célèbres *Traité sur la tolérance* (1763) et *Dictionnaire philosophique* (1764).

Le patriarche de Ferney

Voltaire, à 65 ans, s'est découvert une nouvelle vocation : propriétaire terrien et seigneur de village. Il va transformer Ferney en village modèle d'agriculture et de civilisation. Toujours enthousiaste et créatif, il fait venir de la main-d'œuvre et implante sur ses terrains de nombreuses industries (montres, bas de soie, tuilerie...). Tout prospère.
Poussé par Mme Denis, Voltaire revient à Paris, vingt ans plus tard, en février 1778. Il reçoit à cette occasion l'hommage de l'Académie française et la foule le porte en triomphe jusqu'à la Comédie-Française. Néanmoins, ce sacre exaspère les dévots qui lui feront les plus grandes difficultés pour le laisser mourir chrétiennement le 30 mai 1778. Le 11 juillet 1791, un immense cortège escorte ses cendres au Panthéon.

Entre croissance et premières crises

La fin du règne du Roi-Soleil (1685-1715)

La crise de l'Ancien Régime a commencé à la fin du règne de Louis XIV, marqué par la menace de la famine et par les persécutions religieuses dont font l'objet les jansénistes et surtout les protestants après la révocation de l'édit de Nantes en 1685. Par ailleurs, de 1689 à 1697 puis de 1702 à 1713, la France est en guerre contre des coalitions européennes menées par l'Autriche puis par l'Angleterre. La maîtrise des empires coloniaux est en jeu. En effet, à la fin du XVIIe siècle, les revenus de la terre ne sont plus l'unique source de richesse : des fortunes très importantes se sont constituées grâce au commerce avec l'Amérique et l'Orient. Une classe de nouveaux riches commence à contester à la noblesse une suprématie sociale que Louis XIV s'était déjà efforcé d'abaisser.

La Régence (1715-1723)

L'intérieur

Après la mort de Louis XIV en 1715, la régence est confiée à son neveu Philippe II d'Orléans. S'amorce le déclin de la monarchie. Les grands seigneurs, muselés par le défunt roi, reprennent leurs privilèges et leur liberté dans une atmosphère de luxe et de plaisirs, dont les *Fêtes galantes* de Watteau donnent une idée. L'absolutisme est contesté par le Parlement, composé des magistrats de la noblesse de robe. Au déséquilibre financier de l'État,

le système de Law doit apporter une solution. Ce système, fondé sur le crédit et l'émission de papier-monnaie, est l'œuvre du financier écossais John Law, alors contrôleur des Finances en France. La banque qu'il crée à Paris en 1716 fait faillite quatre ans plus tard et la situation se révèle alors catastrophique pour de nombreux particuliers qui ont fait confiance à l'État. Néanmoins l'inflation permet de relancer l'économie.
Par ailleurs, les persécutions religieuses diminuent et protestants et jansénistes, en cultivant la vertu et le travail, contribuent à l'expansion économique du pays.

L'extérieur

Le Régent choisit la détente sur le front extérieur et la France se rapproche des nations capitalistes, libérales et protestantes, comme l'Angleterre et la Hollande. Voltaire, qui séjourne en Angleterre, fait connaître à Paris l'image d'un royaume où l'on trouve davantage de liberté et d'égalité qu'en France. Il en profite aussi pour « importer » Shakespeare et, avec l'aide de Mme du Châtelet, vulgariser Newton en Europe.

L'Europe de 1750

Le « despotisme éclairé* »

À partir de 1750 environ, apparaît un nouveau style de gouvernement, davantage orienté vers le bonheur des sujets : c'est le « despotisme éclairé » qui prend forme chez les souverains des peuples d'Italie, d'Espagne, du Portugal, d'Allemagne et de Russie. Se crée dans ces États un nouvel ordre, plus rationnel et moins tourné vers les fastes de la Cour princière ou de l'Église catholique. Mais le « despotisme éclairé » se heurta au blocage des forces conservatrices quand il voulut aller trop loin dans les réformes.

* *Cf.* Lexique.

De nouveaux goûts

À cette modification des pratiques politiques correspond une évolution du goût dans l'art. Jusqu'en 1750, on reste fidèle au style rococo, hérité du baroque et tout en courbes. La découverte de nouvelles ruines romaines (Pompéi, par exemple) conduit à un style épuré, néoclassique, seul digne, croit-on, d'un gouvernement actif et centralisé.
Dans le domaine musical, l'Allemagne et l'Autriche dominent l'Europe grâce au génie de Jean-Sébastien Bach, puis de Mozart à la fin du siècle.

La révolution industrielle

Elle naît en Angleterre et se caractérise par un vaste développement du fer et du charbon. À la fin du XVIIIe siècle, un Anglais consomme dix kilos de fer quand un Français n'en consomme que deux. L'Angleterre constitue alors un modèle à un triple niveau : elle offre une certaine tolérance religieuse, un régime libéral et parlementaire, et voit éclore la révolution industrielle. Elle jette ainsi les fondements d'un empire universel, propre à disséminer la langue anglaise dans le monde entier.

Le règne de Louis XV (1723-1774)

Paix, prospérité et réformes

La paix et la prospérité relatives caractérisent le long et calme ministère du cardinal Fleury, anti-belliciste et proanglais. Les épidémies et les famines diminuent et la France devient le pays le plus peuplé d'Europe. Mais les progrès de l'agriculture ne profitent qu'aux plus riches propriétaires terriens, les seuls à ne pas être écrasés par les impôts levés par l'État et l'Église. Dans les années 1750, les physiocrates, économistes et philosophes qui ont fondé leur doctrine sur le respect des lois naturelles et qui

donnent la prépondérance à l'agriculture, proposent la disparition des contraintes de la féodalité et la liberté des échanges commerciaux de province à province. Mais les réformes qu'ils suggèrent sont freinées par les seigneurs qui refusent la remise en question de leurs droits.
Cependant, même si les misérables se comptent encore par millions, une partie non négligeable de la population se hisse au niveau de la classe moyenne et s'arrache ainsi à la pauvreté et à l'arriération culturelle.
Par ailleurs, l'État monarchique doit mener une double lutte : contre les ambitions des aristocrates et contre toutes les dissidences religieuses et intellectuelles. L'affaire Calas, dans laquelle Voltaire s'est engagé, sera un exemple du fanatisme catholique de l'époque et de l'injustice flagrante et quotidienne.
Dans le même temps, la politique de prestige menée par l'État ne peut éviter le discrédit du régime qui accumule les défaites militaires et diplomatiques. En 1763, le traité de Paris, qui met fin à la guerre de Sept Ans, assure le triomphe de l'Angleterre en Amérique et aux Indes.
À partir de 1770, les dernières réformes du règne de Louis XV modernisent la justice et abolissent la vénalité des offices (jusqu'alors, un juge ou un officier quelconque, en France, pouvait léguer son poste de service public à son fils ou le vendre à une tierce personne, à condition que celle-ci détienne un minimum de compétences). Une sorte de « despotisme éclairé* » semble donc triompher en France, malgré l'impopularité du monarque qui meurt en 1774.

Vers la Révolution

À l'avènement du jeune et peu capable Louis XVI, une redoutable crise de régime menace la monarchie française.

* *Cf.* Lexique.

L'Ancien Régime est fondé sur le privilège et l'inégalité des droits : la féodalité règle tous les rapports sociaux et la noblesse tient son pouvoir de sa naissance. Cependant, au XVIIIe siècle, certains bourgeois s'enrichissent considérablement et l'argent devient peu à peu le modèle des relations sociales. Le travail et le mérite personnel, au même titre que la naissance, sont désormais les fondements de la réussite.
La bourgeoisie remet donc en cause les privilèges, les pouvoirs politiques, les institutions religieuses qui la tiennent à l'écart alors qu'elle fait la démonstration de son dynamisme sur le terrain économique. Par son désir de changement et sa remise en cause du pouvoir établi, elle trouve des alliés dans le peuple des villes et des campagnes. La noblesse, quant à elle, est intellectuellement ouverte aux idées nouvelles mais socialement trop conservatrice pour les assumer pleinement. Déchirée par trop de contradictions, elle ne peut résister à l'avènement des valeurs et du pouvoir de la bourgeoisie.

Le contexte culturel : le Siècle des lumières

Au XVIIIe siècle, vie sociale, politique et littérature sont intimement liées.

Salons et cafés

La Cour cesse d'être le centre du pays ; d'autres lieux d'échanges intellectuels apparaissent. Les salons, d'abord littéraires et mondains, deviennent peu à peu philosophiques. Ils sont tenus par des femmes, tels « la Cour de Sceaux » de Mme de Lambert ou « le Bureau de l'esprit » de Mme de Tencin. Le salon de Mme du Deffand accueille, comme celui de Mme Geoffrin, les encyclopédistes. Grands seigneurs et philosophes progressistes partagent le plaisir de la conversation. Dans les cafés, on échange nouvelles et idées ou on joue aux échecs, comme Rousseau et Diderot.

Être écrivain au XVIIIe siècle

Les écrivains, au XVIIIe siècle, ne constituent pas un groupe social homogène : certains appartiennent à la noblesse, comme Montesquieu, d'autres au clergé, comme Prévost, mais la plupart proviennent du tiers état et de la province. Comment se faire, dès lors, une place ? Car écrivain n'est pas *« un état »*, comme l'avait dit M. Arouet à son fils. Même si ce dernier a eu la chance d'obtenir des pensions royales, il a surtout fait fortune par d'habiles spéculations financières. Mais beaucoup d'écrivains, moins doués pour les affaires, ont dû vivre du mécénat, du journalisme ou d'une activité parallèle plus ou moins lucrative : ainsi Rousseau sera-t-il tour à tour valet, secrétaire, musicien... Jusqu'à la reconnaissance juridique de l'homme de lettres, par un arrêt de 1749 définissant la propriété littéraire, et la création de la Société des auteurs dramatiques par Beaumarchais en 1777, les auteurs n'ont aucun droit sur leur œuvre et dépendent des « libraires-éditeurs ». Voltaire, qui vit très largement et de manière indépendante, invente ainsi un nouveau statut de l'écrivain.

Publier au XVIIIe siècle

Sa fortune ne met pourtant pas Voltaire à l'abri de la censure. On ne publie pas librement au XVIIIe siècle : il faut obtenir un « privilège » ou une « permission » que délivre un censeur qui vérifie la conformité de l'ouvrage aux normes religieuses, politiques ou morales. Auteurs et éditeurs multiplient les ruses pour échapper à ce système liberticide. Les ouvrages les plus audacieux sont publiés à l'étranger et particulièrement en Hollande, pays plus tolérant. La clandestinité des écrits donne lieu à quantité de trafics, de contrefaçons, parfois très lucratifs. La prison ou l'exil peuvent être la punition des auteurs de textes jugés trop critiques : Voltaire connut les deux. Cependant, des protecteurs puissants et éclairés peuvent soutenir les philosophes, comme Frédéric II, bien sûr, mais aussi le cardinal Fleury qui saura parfois fermer les yeux.

La diffusion des textes

Au XVIIIe siècle, malgré toutes ces difficultés, la production littéraire est en plein essor : les ouvrages scientifiques se multiplient et le roman triomphe. Cependant, les livres restent coûteux et trois Français sur quatre ne savent pas lire : c'est la raison pour laquelle les livres ne sont pas publiés à plus de mille exemplaires. L'*Encyclopédie*, dont l'édition originale s'est vendue à quatre mille exemplaires, témoigne de l'appétit de connaissances de l'époque. On construit aussi de plus en plus de théâtres qui accueillent les genres classiques de la tragédie et de la comédie mais aussi les nouveaux genres « bourgeois ». La prédominance de la prose tout au long du siècle assure la diffusion des idées des Lumières, tandis que les journaux périodiques participent au débat d'idées.

L'essor des sciences

Au XVIIIe siècle, les sciences connaissent un essor sans précédent et entretiennent d'étroits rapports avec la philosophie des Lumières. En effet, la démarche scientifique, bâtie sur l'observation, l'expérimentation et le raisonnement, sert de modèle à d'autres types de réflexion. Au siècle de Voltaire, la distinction entre les différents domaines de la connaissance n'est pas aussi marquée qu'aujourd'hui : les scientifiques sont souvent un peu écrivains et vice versa. D'Alembert (1717-1783), illustre collaborateur de Diderot dans l'*Encyclopédie*, témoigne de cet esprit universel. L'esprit scientifique détrône peu à peu la métaphysique*, et plutôt que de s'intéresser au « pourquoi » des choses on se contente du « comment ». Voltaire ne cesse de répéter ce principe.

Ce sont les sciences de la nature, moins abstraites que les mathématiques, qui sont surtout appréciées et qui suscitent un véritable engouement, tout comme leurs applications concrètes : l'électricité, le magnétisme, le paratonnerre, les vols en ballon font ainsi l'objet de véritables modes.

Sous l'influence de Mme du Châtelet, Voltaire s'intéresse beaucoup aux sciences et expose en vers le système de Newton. Dans *Micromégas*, il évoque les découvertes de son temps en astronomie et fait référence à des travaux précis de scientifiques comme Derham ou Wolff. En affirmant que le globe terrestre est « *plat aux Pôles* », il se range du côté de Newton dans la querelle qui l'a longuement opposé aux partisans de Cassini qui pensaient que la Terre était ovale. Il utilise aussi largement le voyage de Maupertuis en Laponie en 1736 et fait allusion aux travaux de plusieurs naturalistes. Voltaire, par le biais du conte et conformément à la mission des Lumières, essaie de vulgariser les découvertes scientifiques les plus récentes.

L'esprit philosophique

L'honnête homme représentait l'idéal humain du XVIIe siècle ; le philosophe des Lumières lui succède au XVIIIe siècle, portant un regard neuf sur toute chose qu'il examine avec un esprit critique. L'esprit philosophique des Lumières (métaphore* trouvée par Montesquieu) se caractérise par une entière confiance dans la raison humaine et par le rejet des superstitions. Les philosophes remettent en question les dogmes chrétiens et les principes métaphysiques. Ils plaident en faveur de la liberté individuelle et de la liberté d'expression et rejettent le fanatisme et l'intolérance, qu'elle soit religieuse ou raciale. Du

* *Cf.* Lexique.

point de vue politique, même s'ils ne conçoivent pas d'autres systèmes que la monarchie, ils dénoncent l'absolutisme au profit d'un régime plus modéré, dont l'Angleterre constitue un modèle. L'*Encyclopédie*, monumental ouvrage collectif dirigé par Diderot, témoigne de cette soif de connaissances et de progrès ainsi que du désir d'une société meilleure et plus juste.

Le cosmopolitisme et la place de l'art

La France a un véritable rayonnement culturel au XVIIIe siècle et sert de modèle à l'Europe tout entière dans les domaines de la littérature, des arts, des modes, de l'élégance et de l'esprit. Voltaire, entreprise de communication à lui tout seul, joue un rôle important dans cette diffusion. Les idées des philosophes intéressent certains souverains (les « despotes éclairés* »). Frédéric II de Prusse n'est d'ailleurs pas le seul à attirer un philosophe français à ses côtés, puisque Catherine II de Russie invite à son tour Diderot à sa Cour. On assiste ainsi à la naissance de l'esprit cosmopolite.

Les arts suivent le mouvement des idées en manifestant l'attrait pour le plaisir et la liberté dès la Régence, avant que tout le siècle ne rende un culte aux modèles grecs et romains, synonymes de « vertu ». Les philosophes s'intéressent aux arts : Diderot, dans ses *Salons*, livre les premiers écrits critiques sur la peinture, tandis que Rousseau prend parti dans le débat qui oppose la musique française à la musique italienne... Voltaire, pourtant passionné de théâtre, ne s'intéresse que peu à la vie artistique de son temps : resté, pour le goût, un homme du siècle précédent, il passera aussi à côté de l'éveil de la sensibilité dont Rousseau est le génial précurseur.

* *Cf.* Lexique.

Voltaire en son temps

	Vie et œuvre de Voltaire	Événements historiques et culturels
1694	Naissance de François-Marie Arouet.	*Dictionnaire de la langue française* par l'Académie.
1704	Entre au collège des jésuites à Louis-le-Grand.	Traduction et publication des *Mille et Une Nuits* par Galland (→ 1717).
1713	Voltaire à La Haye comme secrétaire de l'ambassadeur de France.	
1715		Mort de Louis XIV. Régence de Philippe d'Orléans.
1716	Vers satiriques contre le Régent. Est emprisonné à la Bastille.	Law fonde la Banque générale mais son système fait faillite en 1720.
1717		Watteau, *L'Embarquement pour Cythère*.
1718	*Œdipe* (tragédie), grand succès. Prend le nom de Voltaire, anagramme d'Arouet.	
1719		Defoe, *Robinson Crusoé*.
1721		Montesquieu, *Lettres persanes*. Bach, *Six Concertos brandebourgeois*.
1722		Sacre de Louis XV. Mise au point du microscope binoculaire.
1725		Marivaux, *L'Île des esclaves*. Vivaldi, *Les Quatre Saisons*.
1726	Bâtonné par ordre du chevalier de Rohan. Nouvel emprisonnement à la Bastille. Exil consenti à Londres.	Début du ministère Fleury. Swift, *Les Voyages de Gulliver*.
1728	Première édition de *La Henriade* (épopée sur les guerres de Religion et Henri IV).	Chardin, *La Raie*.
1729	Retour en France.	
1730		Marivaux, *Le Jeu de l'amour et du hasard*.
1731	Publie l'*Histoire de Charles XII*.	L'abbé Prévost, *Manon Lescaut*.
1732	Triomphe de *Zaïre* (tragédie).	
1733	Rencontre avec Mme du Châtelet. *Lettres philosophiques* (publication en anglais puis en français en 1734).	Guerre de Succession de Pologne (→ 1738). Paix de Vienne. Découverte de l'électricité positive et négative par DuFay. Pope, *Essai sur l'homme*.

	Vie et œuvre de Voltaire	Événements historiques et culturels
1734	Menacé d'arrestation, se réfugie à Cirey, en Lorraine, chez Mme du Châtelet.	
1736	Début de la correspondance avec Frédéric de Prusse. *Le Mondain* (poésie).	Travaux de Maupertuis sur la mesure du globe terrestre.
1737	*Éléments de la philosophie de Newton.*	Marivaux, *Les Fausses Confidences.*
1740	Rencontre Frédéric II, devenu roi de Prusse.	Boucher, *Le Triomphe de Vénus.* Guerre de Succession d'Autriche (→ 1748).
1742		Travaux mathématiques d'Euler.
1743	Voltaire accomplit une mission secrète à Berlin. Période de faveur à la cour de France (→ 1746). *Mahomet*, *Mérope* (théâtre).	Entrée des frères d'Argenson, amis de Voltaire, au ministère. Portraits de La Tour.
1744		Guerre coloniale avec l'Angleterre.
1745	Est nommé historiographe du roi. *Essai sur les mœurs.*	Bataille de Fontenoy. Mme de Pompadour, favorite.
1746	Est reçu à l'Académie.	
1747	*Zadig* (conte philosophique). Séjour à la cour de Stanislas, à Lunéville.	
1748	*Le Monde comme il va* (conte philosophique). *Sémiramis* (tragédie).	Paix d'Aix-la-Chapelle. Montesquieu, *De l'esprit des lois.* Fouilles de Pompéi. Suppression des galères.
1749	Mort de Mme du Châtelet. *Nanine* (théâtre).	Diderot, *Lettre sur les aveugles.* Bach, *L'Art de la fugue.* Buffon, *Histoire naturelle* (→ 1789).
1750	Installation de Mme Denis auprès de Voltaire. Interdit de séjour en France. Séjour à la cour de Frédéric II de Prusse.	Rousseau, *Discours sur les sciences et les arts.* Exploitation du charbon au Creusot.
1751	*Le Siècle de Louis XIV.*	Publication du tome I de l'*Encyclopédie.*
1752	*Micromégas.* Querelle avec Maupertuis.	

	Vie et œuvre de Voltaire	Événements historiques et culturels
1753	Brouille avec Frédéric II. Quitte la Prusse, est arrêté à Francfort puis s'installe en Alsace.	
1755	Achète la propriété des *Délices* près de Genève et s'y installe avec Mme Denis.	Rousseau, *Discours sur l'inégalité*. Novembre : tremblement de terre de Lisbonne. Chardin, *Le Gobelet d'argent*. Greuze, *Le Père de famille*.
1756	Intervention de Voltaire en faveur de l'amiral anglais Byng. *Essai sur les mœurs et l'esprit des nations.* *Poème sur le désastre de Lisbonne.*	Début de la guerre de Sept Ans.
1757		Scandale de l'article « Genève » de l'*Encyclopédie*. Campagne contre les philosophes.
1758	Installation dans son domaine de Ferney, à la frontière suisse.	
1759	*Candide.* Campagne de pamphlets contre les ennemis des philosophes.	
1760		Diderot, *La Religieuse*. Palissot, *Les Philosophes* (comédie satirique).
1761		Rousseau, *La Nouvelle Héloïse*.
1762	Affaire Calas (→ 1765).	Rousseau, *Émile* et *Le Contrat social*. Diderot, *Le Neveu de Rameau*. Catherine II au pouvoir en Russie.
1763	*Traité sur la tolérance.*	Fin de la guerre de Sept Ans : la France perd le Canada et l'Inde.
1764	*Jeannot et Colin.* *Dictionnaire philosophique.*	Expulsion des jésuites. Construction du Panthéon (→ 1790).
1765	Réhabilitation de Calas.	Machine à vapeur de Watt.
1766		Exécution du chevalier de La Barre. Fragonard, *L'Escarpolette*.
1767	*L'Ingénu. Les Scythes* (tragédie).	
1768	*Relation de la mort du chevalier de La Barre* et *La Princesse de Babylone*.	
1769		Diderot, *Le Rêve de D'Alembert*.

	Vie et œuvre de Voltaire	Événements historiques et culturels
1770	Voltaire commence à publier les *Questions sur l'« Encyclopédie »* (9 volumes).	D'Holbach, *Le Système de la nature*.
1772		Publication des derniers volumes de l'*Encyclopédie*.
1774		Avènement de Louis XVI. Goethe, *Les Souffrances du jeune Werther*.
1775	L'éditeur Cramer publie ses *Œuvres complètes* : édition dite « encadrée », la dernière parue du vivant de Voltaire et sous son contrôle.	Beaumarchais, *Le Barbier de Séville*. Ledoux, début des salines d'Arc-et-Senans.
1776		Indépendance des États-Unis.
1778	Retour triomphal à Paris en février. *Irène* (tragédie). Décède le 30 mai.	Mort de Rousseau.
1779	Malgré la censure, Beaumarchais mène à bien une édition complète de l'œuvre de Voltaire (dite « édition de Kehl », 70 vol., → 1789).	
1782		Rousseau, *Les Confessions* (posth.). Laclos, *Les Liaisons dangereuses*.
1784		Mort de Diderot. Beaumarchais, *Le Mariage de Figaro*. David, *Le Serment des Horace*.
1787		Mozart, *Don Giovanni*.
1789		Révolution française.
1791	Transfert de ses cendres au Panthéon.	Mozart, *La Flûte enchantée*.
1793		Exécution de Louis XVI.

Structure des deux contes

La Princesse de Babylone

Le conte est bâti sur le ressort suivant, décrit au chapitre VI : « *La princesse de Babylone avec le phénix le* [Amazan] *suivait partout à la piste, et ne le manquait jamais que d'un jour ou deux, sans que l'un se lassât de courir, et sans que l'autre perdît un moment à le suivre.* »

CHAP. ET LIEUX	ACTIONS	PERSONNAGES	FONCTIONS
I La cour du roi Bélus à Babylone.	• Le roi souhaite marier sa fille. • Trois rois, multipliant les signes de richesse et de puissance, prétendent à sa main. • Un concours comportant des épreuves insurmontables (bander l'arc de Nembrod, affronter un terrible lion) doit les départager. • Apparition d'un bel inconnu. • Échec des rois à la première épreuve, réussite modeste du jeune homme. • L'inconnu séduit toute l'assistance et particulièrement Formosante grâce à un madrigal. • Les rois fomentent un complot contre Bélus. • Seul le roi des Scythes se bat contre l'« *énorme lion* ». Il est sauvé par l'inconnu. • Ce dernier fait un cadeau somptueux à Formosante, présenté par un oiseau merveilleux*. • Départ de l'inconnu, rappelé par un messager. Il laisse en cadeau à Formosante son oiseau.	• Tous les personnages importants sont présents : – les héros : Formosante et Amazan ; – le phénix ; – le roi Bélus ; – les rois prétendants ; • La foule des figurants est immense et montre la puissance des personnages principaux.	• Ce chapitre est l'un des plus longs. • Il a une valeur d'exposition et met en place la situation initiale : une histoire d'amour s'ébauche mais elle est interrompue. • Le registre est entièrement celui du merveilleux féerique et aucune époque n'est mentionnée (on sait seulement que le royaume existe depuis « *trente mille ans* »). • Ce passage, loin d'être statique, comme l'est ordinairement une exposition, comporte une foule d'actions qui annonce le rythme du conte.

* *Cf.* Lexique.

CHAP. ET LIEUX	ACTIONS	PERSONNAGES	FONCTIONS
II La cour de Bélus.	• Tout le monde s'interroge sur l'identité du jeune inconnu. • Aucun prétendant n'ayant réussi les épreuves, Bélus se demande à qui donner sa fille en mariage. • Consultation de l'oracle : Formosante doit courir le monde.	• Les mêmes. • Présentation d'Aldée, la cousine de Formosante.	• Une situation de crise. • Le départ de Formosante est rendu vraisemblable. • C'est un chapitre intermédiaire : il est court.
III La cour de Bélus.	• Un festin est donné. L'oiseau émerveille l'assistance. • Formosante rêve à son bel amoureux. • Les rois d'Égypte et des Indes durcissent leur complot. • Naissance d'une idylle entre le roi des Scythes et Aldée. • Révélation de l'usurpation du trône par Bélus. • Le roi des Scythes décide d'enlever Aldée et de la venger. • L'oiseau révèle sa capacité à parler ainsi que l'identité de l'inconnu. Il évoque son pays, celui des Gangarides. • L'amour de Formosante redouble.	• Les mêmes mais deux couples passent au premier plan : Aldée et le roi des Scythes, d'abord, puis le phénix, substitut d'Amazan, et Formosante.	• Ce chapitre est celui des révélations ; ainsi il met en place plusieurs intrigues : – celle d'Aldée et du roi des Scythes ; – l'histoire et le rôle du phénix ; – le désir de Formosante de partir à la recherche d'Amazan ; – la présentation du pays utopique des Gangarides.

CHAP. ET LIEUX	ACTIONS	PERSONNAGES	FONCTIONS
IV • Le royaume de Bélus. • On suit rapidement l'itinéraire de tous ceux qui ont quitté, pour une raison ou une autre, le royaume de Bélus. • Hôtellerie sur le chemin de Bassora, but du pèlerinage. • L'Arabie heureuse où doit renaître le phénix. • Le pays des Gangarides.	• Bélus annonce à sa fille qu'elle doit partir en pèlerinage. • Nouveau dîner d'apparat où le roi d'Égypte, ivre, tue le phénix. • En mourant, ce dernier révèle à Formosante comment le faire revivre. • Douleur de Formosante qui se venge sur les cadeaux du roi d'Égypte. • Le roi des Scythes enlève Aldée. • Le roi d'Égypte et le roi des Scythes partent, bien décidés à se venger par la guerre. • Départ de Formosante. • Bélus apprend l'enlèvement d'Aldée et fait lever une armée contre les Scythes. • Le roi d'Égypte et Formosante se retrouvent par hasard à l'une des étapes de leurs voyages respectifs. • Le roi d'Égypte veut abuser d'elle mais la princesse trouve un stratagème et s'enfuit. • Formosante obéit aux dernières volontés de l'oiseau. Celui-ci renaît. • Arrivée au pays des Gangarides. • Sur un malentendu (il croit Formosante éprise du roi d'Égypte), Amazan a fui son pays. • La princesse décide de se lancer à sa poursuite.	• Apparaît la suivante de Formosante, Irla, qui a un rôle d'adjuvant. • Le phénix ressuscité devient de nouveau un interlocuteur. • Intervention d'un nouveau personnage : la mère d'Amazan.	• Le plus long chapitre avec une multitude d'actions et de nombreux déplacements. • Un passage descriptif : « *la maison d'Amazan* ». • Des dialogues, dont celui mélodramatique entre Formosante et la mère d'Amazan. • De nombreux éléments de merveilleux* comme le « *canapé volant* ». • Du romanesque* (thèmes du déguisement, de la déception amoureuse). • Un malentendu fondateur car il réactive l'action : Formosante ne trouvant pas Amazan dans son pays est obligée de poursuivre ses recherches. • Ce sont donc deux déceptions amoureuses qui sont à l'origine du voyage initiatique. • Le nombre de personnages se resserre.

* *Cf.* Lexique.

CHAP. ET LIEUX	ACTIONS	PERSONNAGES	FONCTIONS
V • Cambalu, « *la capitale de la Chine* », atteinte en moins de huit jours. • La Scythie. • Le pays des Cimmériens.	• La Princesse est reçue à la Cour. • Elle apprend qu'Amazan est parti car il a reçu les avances d'une grande dame et n'a pas voulu être infidèle à Formosante. • Départ pour la Scythie. Retrouvailles avec Aldée qui révèle qu'Amazan est son frère. • Départ pour le pays des Cimmériens.	• Formosante. • Le phénix. • L'empereur de Chine. • Aldée, devenue reine.	• Début du conte philosophique à proprement parler : la Chine est présentée comme un pays de tolérance et de raison. • Ce chapitre amorce la structure répétitive des suivants : suite de rendez-vous manqués. • Fuite en avant d'Amazan, victime de son succès auprès des femmes. • À chaque fois, un objet, une lettre témoigne du passage d'Amazan et de ses sentiments pour Formosante. • Le voyage de la Chine à la Scythie fait l'objet d'une ellipse* : ce qui intéresse Voltaire, ce ne sont pas les modalités du déplacement, mais ce qui va être découvert dans chacun des pays visités.
VI • « *L'empire des Cimmériens* ». • La Scandinavie. • Le pays des Sarmates. • La Germanie.	• Formosante est reçue au palais. • Trop tard : Amazan a fui. • Départ pour la Scandinavie.	• Formosante et sa suite. • « *Un des principaux officiers* » du pays. • Amazan.	• Présentation de l'impératrice en despote éclairé : elle recherche la tolérance et la paix. • Exposé de la perfection politique des monarchies du Nord, pays de « *la liberté de penser* ». • Changement bref de point de vue* narratif : chez les Sarmates, c'est Amazan que l'on suit.

CHAP. ET LIEUX	ACTIONS	PERSONNAGES	FONCTIONS
VII Pays-Bas (Batavie).	• Nouvelle rencontre avec Amazan, manquée de peu. • Départ d'Amazan pour l'Angleterre. • Formosante immobilisée huit jours aux Pays-Bas, par suite d'un vent contraire. Désespoir et lecture.	• Amazan brièvement puis Formosante, le phénix et Irla.	• Retour au point de vue* d'Amazan. • La distance entre les deux personnages se resserre. • Le destin, sous la forme du vent, permet à Amazan de garder son avance, faute de quoi le récit serait interrompu prématurément.
VIII *« Sur le chemin de la capitale d'Albion »*.	• Rencontre avec un lord anglais qui offre l'hospitalité à Amazan. • Le jeune Gangaride plaît à la maîtresse de maison. Nouveau refus du jeune homme. • Départ pour Rome en passant par la Batavie.	• Amazan. • Le lord. • La femme de celui-ci.	• Exposé plutôt long *(« Cette conversation fut longue »)* de l'histoire de l'Angleterre que Voltaire connaît bien. L'exemple de ce pays montre que les institutions et les hommes sont perfectibles. • Parodie* d'aventures romanesques* : les deux amants se croisent en mer. • Pour la première fois, le point de vue de la princesse est abandonné.
IX • Pays-Bas : visite « *éclair* ». • Venise. • Rome.	• Amazan dédaigne les courtisanes vénitiennes. • Arrivée décevante à Rome et au Vatican. • Rencontre avec un castrat. • Rencontre avec des religieux qui lui font des avances. • Fuite.	• Amazan. • Un «*ardent*» qui lui fait visiter Rome. • Des « *violets* ».	• Découverte de la corruption de Venise et surtout de Rome. • Le pape est présenté comme un imposteur féroce. • Le chapitre satirique le plus violent.

* *Cf.* Lexique.

CHAP. ET LIEUX	ACTIONS	PERSONNAGES	FONCTIONS
X Paris.	• Amazan découvre divers aspects de la vie parisienne mais reste obnubilé par Formosante dont il se croit trahi : « *n'ayant la tête remplie que de la princesse de Babylone, du roi d'Égypte* [...] ». • Opéra. • Amazan oublie son serment et passe la nuit avec une « *fille d'*affaire ». • Formosante retrouve enfin Amazan : il est endormi dans les bras d'une courtisane. Elle s'enfuit, désespérée. • Il part à sa recherche.	• Amazan. • La « *fille d'*affaire ». • Formosante.	• Description satirique des mœurs parisiennes. • Dénonciation du système judiciaire français. • Réflexions sur l'art : éloge du classicisme. • Intervention malicieuse du narrateur (ces interventions sont rares) : « *Quel exemple de la faiblesse humaine !* » • L'ordre des poursuivants s'inverse, le coupable voulant rattraper l'autre pour s'expliquer et se faire pardonner : désormais, c'est Amazan qui part à la recherche de Formosante.
XI • De Paris aux Pyrénées. • Espagne (province du Bétis). • Séville. • Carthage. • Canope en Égypte. • Babylone.	• Formosante et Irla sont arrêtées par l'Inquisition pour être brûlées comme sorcières. • Le phénix part retrouver Amazan pour l'informer de la situation. • Amazan arrive à Séville, sauve *in extremis* Formosante et débarrasse la ville des Inquisiteurs en les faisant brûler. • Réconciliation. • Remerciements du roi d'Espagne. • Tous veulent revenir à Babylone qui est attaquée par les armées des prétendants éconduits. • Bataille des Gangarides, aidés des Espagnols, pour délivrer Babylone. • Mariage des héros. • Les ennemis sont pardonnés.	• Amazan. • Formosante. • Irla. • Le phénix. • Amazan, de nouveau. • Des personnages secondaires (?) terrifiants : les Inquisiteurs et la foule. • Le roi d'Espagne. • Tous les personnages du chapitre I.	• Dénonciation des horreurs de l'Inquisition. • Un chapitre qui joue sur le suspense. • Un dénouement animé : deux batailles, un voyage, un mariage. • L'*happy end* des contes de fées. • Une construction cyclique avec le retour au point géographique de départ : l'ordre est rétabli. • Triomphe de l'amour et de la morale. • Diatribe* finale de Voltaire : après la démonstration du conteur et du philosophe, un dernier geste de défi.

* *Cf.* Lexique.

Micromégas

Si l'on compare *Micromégas* à *La Princesse de Babylone*, la structure paraît infiniment plus simple et pas seulement parce que le conte est plus bref. Les événements y sont moins nombreux et le rythme épouse plutôt celui de la conversation ou du débat que celui de la cavalcade. Le nombre des personnages, également, est bien moindre et il n'y a pas de femme (sauf une, vite abandonnée et vite consolée : la « *maîtresse du Saturnien* »), donc pas d'intrigue amoureuse. *La Princesse* est un conte romanesque*, même s'il est parodique ; *Micromégas* est un texte viril. Pourtant, tous deux ont en commun d'être des récits de voyage.

Micromégas se découpe en sept chapitres qui, contrairement à ceux de *La Princesse de Babylone*, portent un titre. Le schéma narratif est le suivant :

• **Situation initiale :** un jeune géant « *de beaucoup d'esprit* », nommé Micromégas, habite sur la planète Sirius.

• **Élément perturbateur :** les recherches scientifiques qu'il mène et publie lui valent le bannissement.

• **Actions :**

– il part pour un voyage de « *globe en globe* », sur le modèle du voyage philosophique, car il veut s'instruire. L'action va donc se dérouler en plusieurs étapes qui, plus qu'à des changements de lieux, correspondent à des changements de points de vue, comme par l'effet d'une lunette optique ;

– la première escale est sur Saturne, où Micromégas se lie d'amitié avec le secrétaire de l'Académie de Saturne, de bonne taille lui aussi ;

– première conversation du conte : elle a lieu entre les deux hommes et porte sur la nature, les sens, la relativité, la variété de la création ;

* *Cf.* Lexique.

– les deux philosophes décident de continuer le voyage ensemble et progressent à travers le système solaire jusqu'à la Terre. Une date précise, « *le cinq juillet mil sept cent trente-sept* », vient rappeler au lecteur que, malgré les apparences, ce conte pourrait bien entretenir un rapport étroit avec la réalité ;
– les deux géants explorent rapidement la Terre et s'interrogent sur la possibilité qu'elle soit habitée ;
– découverte accidentelle d'êtres vivants. Les deux voyageurs capturent une baleine ;
– la découverte suivante est plus intéressante : « *une volée de philosophes* ». Observation de Micromégas ;
– mise au point d'un ingénieux instrument de fortune pour communiquer avec les hommes ;
– découverte du savoir scientifique des hommes malgré leur petitesse ;
– découverte de la barbarie infiniment grande des hommes ;
– dispute des hommes sur des sujets métaphysiques*.

• **Situation finale :** retour sur Saturne. Micromégas laisse en cadeau aux humains une sorte de « livre-lorgnette » qui permet de voir « *le bout des choses* ». Or les pages de ce livre sont blanches.

Le conte progresse un peu comme si l'on voyait à travers un télescope, par rapprochements successifs : il est évident que la Terre, puis les hommes sont le but du voyage et lui donnent son sens. Sens qui sera inscrit dans un objet plus petit encore : un livre et, pirouette lourde d'enseignement, un « *livre tout blanc* » qui renvoie les hommes et les géants à leur éternelle ignorance.
Enfin, le narrateur est très présent et organise le conte, donnant à voir, tel un marionnettiste, ce que précisément les personnages voient. Manière de créer une illusion d'optique.

* *Cf.* Lexique.

Micromégas

Publié en 1752, *Micromégas* reprend un récit intitulé *Relation du voyage de Monsieur le Baron de Gangan*, envoyé à Frédéric II en 1739 et dont le manuscrit n'a pas été retrouvé. On ne sait pas pourquoi Voltaire décide de le publier onze ans plus tard ; en tout cas, il choisit un titre plus court et plus adapté pour ce texte qu'il considère comme une « *fadaise philosophique* » qui délasse d'« *un travail sérieux* », comme les œuvres de Newton qu'il lit au même moment à Cirey. Un titre surtout plus sérieux, puisqu'il exige un rapide détour par le grec et revendique ainsi une ambition critique et philosophique. Cela suppose sans doute un important travail de réécriture du conte initial et un changement de statut : on est passé du divertissement mondain au texte de combat.

Les diverses allusions à l'actualité, comme la guerre entre la Russie et la Turquie (1736-1739) et la présence de Fontenelle, qui avait mal accueilli les *Éléments de la philosophie de Newton* (1737), devenu « *le nain* » de Saturne dans *Micromégas*, situent l'action vers 1737-1738.

Voltaire s'est inspiré de ses lectures et de ses réflexions dans les domaines scientifiques (particulièrement l'astronomie) et philosophiques. Il a aussi utilisé l'actualité littéraire, politique et mondaine qui parvenait jusqu'à Cirey et dont on aimait s'entretenir. Le philosophe reprend également le procédé de l'œil neuf, déjà utilisé par Montesquieu dans les *Lettres persanes* (1721) et par lui-même dans *Le Monde comme il va* (1748), il recommencera dans *L'Ingénu* en 1767. Enfin, il puise dans la tradition du voyage interplanétaire, alors très à la mode depuis *Un homme dans la Lune* de Godwin (1638), *L'Histoire comique des États et Empires de la Lune et de la République du Soleil* de

Cyrano de Bergerac (1657) et *Les Voyages de Gulliver* de Jonathan Swift (1726).
Micromégas est d'abord publié dans les *Œuvres* de Voltaire en 1751, puis, dès 1752, à part. Le conte est très rapidement traduit en plusieurs langues et connaît un succès immédiat et européen.

La Princesse de Babylone

L'Ingénu est à peine terminé, pas encore imprimé, que Voltaire a déjà commencé *La Princesse de Babylone*, ce qui témoigne une fois encore de la prodigieuse capacité de travail de son auteur et aussi de sa grande facilité à écrire. Dans leurs *Mémoires** *sur Voltaire*, Sébastien Longchamp et Jean-Louis Wagnières, qui furent les secrétaires de l'auteur, rapportent que « *quelquefois après le repas il lisait un conte ou un petit roman qu'il avait écrit exprès dans la journée* » pour divertir son entourage. On perçoit des échos de ce nouveau conte dans la correspondance de Voltaire dès avril 1767, où il fait plusieurs allusions à Babylone.
Une première rédaction est terminée avant novembre car, à cette date, l'énergique philosophe travaille à un autre conte : *L'Homme aux quarante écus*. Il est donc vraisemblable, comme il l'affirme dans la diatribe* finale, qu'il ait donné ce conte à son libraire « *pour ses étrennes* », soit fin décembre 1767 ou au début de janvier 1768.
Le conte paraît le 15 mars 1768 chez Cramer, sans indication d'origine, ni nom d'auteur. Voltaire n'a même pas pris la précaution de dire que le manuscrit original a été « trouvé ». Cependant, au chapitre VIII, il est fait mention qu'il s'agit d'une traduction et non d'une création, sans plus de précision.
En fait, après l'échec de sa tragédie *Les Scythes*, abandonnée au bout de quatre représentations, Voltaire s'est lancé dans une fantaisie orientale, ce qui explique peut-être une certaine légè-

* *Cf.* Lexique.

reté, s'inspirant du merveilleux* des *Mille et Une Nuits*, publiues au début du siècle dans une traduction d'Antoine Galland, mais aussi du *Roland furieux* de l'Arioste (1474-1533), vaste ouvrage de quarante mille vers, dont Voltaire connaissait certains passages par cœur et qui met en scène Roland, fidèle chevalier de Charlemagne, qui perd la raison et se met à errer de par le monde en apprenant que la jeune fille qu'il aime lui préfère un soldat sarrasin. À cet univers romanesque, Voltaire mêle les idées des Lumières mais les nombreuses références à l'actualité et le coup de griffe final suggèrent qu'il n'a peut-être pas voulu donner à sa *Princesse de Babylone* une dimension philosophique ambitieuse.

Contrairement à *Micromégas*, les chapitres de *La Princesse de Babylone* n'ont pas de titre. En octobre 1768, Lejay, un éditeur pirate, décide alors de remédier à cette absence en publiant un ouvrage intitulé *Voyages et Aventures d'une princesse babylonienne, pour servir de suite à ceux de Scarmentado, par un vieux philosophe qui ne radote pas toujours.* L'éditeur découpe différemment les chapitres, ajoute de longs titres et modifie le texte. En particulier, il supprime toutes les critiques dirigées vers le clergé, espérant sans doute une permission officielle de publier. Mais d'Argental, porte-parole de Voltaire, se dresse contre une telle publication dans une lettre au *Mercure de France.* La même année, on compte cinq autres éditions non falsifiées du texte qui n'obtient cependant pas le même succès que *Candide* ou *L'Ingénu*.

* *Cf.* Lexique.

L'invention du conte philosophique

Les philosophes des Lumières vont inventer des formes propres à mettre en scène la philosophie et à la vulgariser : ce seront le drame bourgeois, le dialogue et le conte philosophique, dont la paternité revient à Voltaire. Ce dernier méprisait ces fantaisies qu'il ne prenait pas au sérieux et écrivait pour divertir ses amis ou apaiser ses colères. Il lui fallut d'ailleurs attendre la soixantaine pour se piquer à un jeu qui soulevait en lui tant de réticences. Pourtant, soucieux, comme les classiques, dont il s'est toujours réclamé, de plaire tout en instruisant, il imagine une forme, très pédagogique et militante à la fois, pour faire passer ses idées, de sorte que, aujourd'hui, *conte philosophique* et *conte voltairien* sont souvent synonymes.

Aux sources du conte voltairien

Le genre du conte existe avant Voltaire mais ne s'est jamais aventuré sur le terrain (glissant) de la philosophie. Les dictionnaires de l'époque le définissent comme un récit qui raconte une histoire, et une histoire qui n'est pas vraie. Peu à peu, le conte vaut surtout pour un récit faux et fabuleux que l'usage confond avec le roman. Voltaire lui-même qualifiait ses contes de « romans ». La seule différence, au XVIIIe siècle, entre le conte et le roman, tous deux conçus pour amuser et non pour instruire, est une différence de longueur : le conte est bref. On reconnaît aussi au conte un agrément particulier dans l'écriture, sans que les dictionnaires définissent clairement en quoi consiste cet agrément, mais il est question de diversité, de piquant, et l'on comprend que Voltaire, naturellement si spirituel, ait été tenté d'explorer la veine du conte pour l'adapter à la philosophie.

Tout conte de l'époque des Lumières n'est pas pour autant philosophique. Voltaire, au début de sa carrière, écrit des « contes en vers » qui n'annoncent en rien *Micromégas* ni *La Princesse de Babylone.* Du reste, il faut attendre 1764 pour que Voltaire permette que soient publiés dans un même volume ses contes en vers et les autres. Jean-Marie Goulemot, dans *La Littérature des Lumières*, précise que *« le conte a d'abord été dédaigné par son auteur même, et que le conte voltairien de la maturité est le résultat d'essais et de tâtonnements. Tout s'est passé comme si Voltaire avait dû surmonter ses préjugés et laisser s'épanouir sous une forme littéraire son tempérament de conteur en prenant conscience des ressources philosophiques du genre »*.

La portée philosophique des contes de Voltaire

Deux récits de voyage critiques

Voltaire reprend dans ses contes les thèmes critiques chers aux philosophes des Lumières, particulièrement la critique de la religion dont il fait un combat personnel. Dans nos deux contes, l'écrivain utilise, comme il le fait souvent, la forme du récit de voyage, quoique de manière bien différente. En effet, cette forme favorise la confrontation des personnages à des situations et à des personnes très diverses qui vont leur permettre de faire en quelque sorte le tour des problèmes que pose le XVIIIe siècle. Généralement, le premier sentiment suscité par ces découvertes est l'étonnement (le mot revient souvent dans *Micromégas*), puis viennent l'observation et le raisonnement.

Mais la surprise est toujours bénéfique car elle remet en cause les idées auxquelles on était attaché. Ne peut être étonné que celui qui accepte de se défaire de ses certitudes, attitude de disponibilité philosophique, s'il en est.

Micromégas et le relativisme*

Dans *Micromégas*, Voltaire dénonce la métaphysique* qu'il oppose aux sciences, objectives et concrètes, et s'intéresse surtout au relativisme et à la place de l'homme dans l'univers : « *car nous autres, sur notre petit tas de boue, nous ne concevons rien au-delà de nos usages* » (chap. I). Alors que, selon la religion chrétienne, l'homme possède une nature exceptionnelle, Voltaire le défait de cette supériorité pour le replacer dans une chaîne infinie et encore inconnue d'êtres à travers l'univers. Du reste, le « *livre tout blanc* » qui doit permettre de voir « *le bout des choses* » semble dire que la seule attitude philosophique est la recherche permanente, toujours renouvelée, de la vérité. Ce n'est d'ailleurs pas un hasard si le verbe *douter* clôt le conte.

Les attaques de *La Princesse de Babylone*

Dans *La Princesse de Babylone*, se trouve aussi stigmatisé l'orgueil des hommes en la personne des rois, qui prétendent à la main de Formosante, et de Bélus lui-même, mais la cavalcade des héros en Asie et en Europe est l'occasion de multiples autres attaques. Car, si les noms des pays sont anciens, les faits observés sont bien contemporains de l'auteur. Voltaire, d'un pays à l'autre, tente de mesurer et de comparer le degré de barbarie des institutions et la folie des hommes. Si l'on classe les États européens du XVIIIe siècle, en matière de droits de l'homme, arrivent au premier rang les monarchies protestantes du Nord et la Russie de Catherine II et au dernier les monarchies de droit divin dominées par la papauté, comme l'Italie, ou l'Inquisition,

* *Cf.* Lexique.

comme l'Espagne. La France se situe entre ces extrêmes, ce qui rappelle au lecteur qu'il y a des choix à faire.
Ces différents systèmes sont mis en perspective par le pays imaginaire des Gangarides... Cette utopie doit inspirer les despotes éclairés* et rappelle les thèmes chers à Voltaire : la tolérance et une organisation politique et religieuse fondée sur la raison. À ce noble idéal, il faut ajouter les nombreux coups de griffe personnels et polémiques de Voltaire à ses adversaires littéraires.

L'apport de la littérature à la philosophie

Un *incipit** de conte traditionnel

Voltaire utilise souvent les formules d'ouverture caractéristiques des contes traditionnels *(« Dans une de ces planètes qui tournent autour de l'étoile nommée Sirius, **il y avait** un jeune homme de beaucoup d'esprit* [...] *»)*. Il a toujours recours à un appareil inaugural relativement développé, qui installe le conte dans l'exotisme *(« Le vieux Bélus, roi de Babylone »)* et/ou l'invraisemblance : Bélus possède une « *vaste maison de trois mille pas de façade qui* [s'élève] *jusqu'aux nues* » et Micromégas a « *huit lieues de haut* ». Tout cela est donc signifié au lecteur d'entrée de jeu, semblant l'avertir du caractère peu sérieux de ce qu'il s'apprête à lire. Pourtant, dans ce cadre de fantaisie, le fond est fait, pour l'essentiel, de références à l'actualité de Voltaire, et particulièrement aux idées des Lumières, que l'intrigue narrative ne sert qu'à introduire.

L'influence de la forme sur le fond

Un conte n'est pas un traité de philosophie et, par sa forme et sa brièveté, ne peut faire dans les multiples nuances, les

* *Cf.* Lexique.

concessions* ou les hypothèses prudentes d'un texte abstrait. C'est ainsi que la forme du conte infléchit la philosophie : tirés vers la caricature*, les différents points de vue prennent plus de force, deviennent plus lisibles, y compris au sens propre, et se radicalisent (ainsi Voltaire a écrit en 1734 un *Traité de métaphysique** que semble renier les refus de Micromégas). Dans *Micromégas* encore, le regard critique que porte ingénument le héros sur le monde facilite la dénonciation des croyances et des comportements au nom de la justice et de la raison. Plus répétitives dans le conte, les prises de position deviennent aussi plus pédagogiques.

À travers des situations et des personnages, Voltaire met en scène plusieurs points de vue et apporte plus de questions philosophiques que de réponses, comme en témoigne le « *livre tout blanc* » laissé aux hommes par Micromégas. Grand amateur de lanterne magique à Cirey, Voltaire se place en montreur de marionnettes qui met devant nos yeux des personnages qui s'animent et représentent des opinions différentes. En effet, et cela est particulièrement vrai dans *Micromégas*, les personnages ne se définissent pas en fonction de leur psychologie mais selon le point de vue philosophique qu'ils incarnent. Ainsi, l'enseignement philosophique de Voltaire ressemble-t-il à la maïeutique* antique. Mais les personnages valent aussi comme porte-parole d'une sagesse que l'écrivain a enfin atteinte.

L'entre-deux du conte philosophique

Le conte philosophique, formule du reste oxymorique*, installe le lecteur dans un entre-deux, suffisamment fantaisiste pour amuser et suffisamment réaliste pour faire réfléchir et aiguiser le sens critique. Dans *Le Taureau blanc* (chap. IX), Voltaire fait dire à la belle Amaside : « *Je veux qu'un conte soit fondé sur la vraisemblance*, et qu'il ne soit pas toujours semblable à un rêve. Je désire qu'il n'y ait rien de trivial ni d'extravagant. Je*

* *Cf.* Lexique.

voudrais surtout que, sous le voile de la fable, il laissât entrevoir aux yeux exercés une vérité fine qui échappe au vulgaire. » Ainsi Voltaire compte-t-il sur la complicité du lecteur. Dès lors, on ne sera pas étonné que le registre ironique prédomine et que le lecteur, piqué au jeu, soit conduit à prendre parti.

Les registres

Le registre ironique

L'ironie*, du grec *eironéia* (« interrogation »), doit amener le lecteur à s'interroger sur ce qui est dit. Pour cela, on lui fait entendre un message de manière implicite*, souvent en ayant recours à l'antiphrase*. C'est une manière spirituelle de rendre le lecteur complice et de le valoriser en lui posant une sorte de devinette qu'il résout sur le champ. Ce registre est omniprésent dans les contes et fréquent dans l'œuvre de Voltaire. Le « *livre tout blanc* » est ainsi une mise en abyme* antiphrastique* de tous les discours des philosophes qu'il renvoie dos à dos.

L'ironie peut aussi utiliser :

– des rapprochements inattendus : « *le secrétaire de l'Académie de Saturne* », caricature* de Fontenelle, fait de « *petits vers et de grands calculs* » ;

– des périphrases* : la maîtresse du Saturnien « *répar*[e] *par bien des agréments la petitesse de sa taille* » (chap. III) ; le pape devient, de manière savoureuse, « *le Vieux des sept montagnes* » dans *La Princesse de Babylone* (chap. VIII) ;

– des euphémismes* : « *messieurs les inquisiteurs* [trouvent] *quelques propositions* ***un peu dures*** » ;

– des zeugmas* : « *Les géomètres prennent leurs quarts de cercle* [...] *et des filles laponnes* » (chap. V de *Micromégas*) ;

– des oxymores* : « *barbares sédentaires* » (chap. VII de *Micromégas*) ;

* *Cf.* Lexique.

– des approximations : les « *ex-druides* », dans *La Princesse de Babylone*, désignent les jansénistes et la « *fille d'*affaire » une courtisane.

Voltaire peut aussi jouer sur un effet de chute* : dans *La Princesse de Babylone*, après que tout le monde s'est mis d'accord pour penser que la vie devrait être une éternelle fête, Voltaire conclut que « *cette excellente morale n'a jamais été démentie que par les faits* » (chap. I). Quelques passages cumulent d'ailleurs plusieurs procédés, comme au chapitre VI de *La Princesse de Babylone*, où Voltaire critique couvents et monastères : « *cette coutume était d'enterrer tout vivants, dans de vastes cachots, un nombre infini des deux sexes éternellement séparés l'un de l'autre* [...] ».

Le registre satirique

Au sens ancien, la satire* est un pot-pourri, un mélange. Le conte voltairien, en juxtaposant les pays et les époques, est bien tout cela mais il est aussi satirique au sens moderne quand il critique de manière virulente un ridicule, un défaut ou un vice. C'est le cas au début du chapitre II de *Micromégas* où Voltaire se moque du langage fleuri du Saturnien quand ce dernier tente de définir la nature par une image plus ridicule que pertinente : « *Elle est* [...] *comme une assemblée de blondes et de brunes dont les parures* [...]. » La satire se rapproche alors de la caricature*. Dans *Micromégas* encore, les travers des hommes sont représentés par les attitudes de « *la volée de philosophes* » (chap. VII : « *un raisonneur de la troupe, plus hardi que les autres* » ; « *l'un d'eux, plus franc que les autres* ») et, dans *La Princesse de Babylone*, ceux des rois font l'objet d'une plaisanterie assassine : « *on les appelait bergers parce qu'ils tondent de fort près leurs troupeaux* ». De même, au chapitre IX, se trouve dénoncée à demi-mot l'homosexualité des religieux, les « *violets* », qui entourent le pape.

* *Cf.* Lexique.

Le registre humoristique

Ce registre attire l'attention, sans méchanceté mais avec détachement, sur les aspects plaisants ou insolites de la réalité. On peut le décrire comme « *une acceptation consciente de la différence entre l'idéal et le réel, différence que l'on n'hésite pas à souligner, ce qui est une façon de s'en dégager* » (Bernard Dupriez, *Gradus, les procédés littéraires*, 10/18, 2003). L'ensemble de *Micromégas* repose sur ce procédé, ce qui est bien naturel pour un conte qui traite du relativisme* : ainsi, la Terre est-elle une « *petite fourmilière* », « *une taupinière* » peuplée de « *mites* » humaines. Ce raccourci animalier remet les hommes à leur juste place face au gigantisme du Sirien et du Saturnien, qui est l'occasion de multiples traits plaisants et fantaisistes (les « *deux montagnes que leurs gens leur apprêtèrent assez proprement* [pour] *déjeuner* »). L'humour peut aussi devenir burlesque*, comme à la fin du chapitre V de *Micromégas* ou dans *La Princesse de Babylone*, quand l'auteur compare la guerre que les prétendants éconduits veulent mener contre Bélus à la guerre de Troie : « *dans la querelle des Troyens il ne s'agissait que d'une vieille femme fort libertine qui s'était fait enlever deux fois, au lieu qu'ici il s'agissait de deux filles et d'un oiseau* ». Cette manière prétendument objective de voir les choses se révèle particulièrement réjouissante pour le lecteur.

Le registre parodique

Ce registre consiste à imiter de manière moqueuse. Voltaire ne s'en prive pas dans *La Princesse de Babylone*, parodie* de conte oriental et de conte de fées, où la perfection des héros (utilisation de nombreuses hyperboles*) rivalise avec les fastes de l'exotique Orient. La description du phénix rappelle, en effet, les contes de fées : « *Son cou rassemblait toutes les couleurs de l'iris, mais plus vives et plus brillantes. L'or en mille nuances éclatait sur son plumage.* » La litote* peut traduire chastement

* *Cf.* Lexique.

la naissance du sentiment amoureux (*« Ce petit madrigal ne fâcha point la princesse »*), comme dans les romans sentimentaux qu'on lisait beaucoup à l'époque de Voltaire. Les hyperboles* parodient également l'exaltation des sentiments amoureux, tels qu'ils sont présentés dans les romans (chap. IV : « *vous m'arrachez mon fils ; il ne pourra survivre à la douleur que lui a causée votre baiser donné au roi d'Égypte* »), et la destinée qui s'acharne sur les amants : « *Un vent funeste d'occident s'éleva tout à coup dans le moment même où le fidèle et malheureux Amazan mettait pied à terre en Albion.* » Dans un tout autre genre, la bataille finale, au chapitre XI, se présente aussi comme une parodie* d'épopée* (*« On n'ignore pas qu'Amazan, indigné de l'affront, tira soudain sa fulminante, qu'il coupa la tête perverse du nain insolent, et qu'il chassa tous les Éthiopiens d'Égypte »*), de même que le duel entre le roi des Scythes et l'énorme lion (chap. I : « *Les deux fiers champions se précipitent l'un contre l'autre d'une course rapide* »). Tout se passe finalement comme si Voltaire refondait dans le conte le matériau littéraire existant pour le mettre au service de la leçon philosophique.

Le registre polémique

Ce registre est utilisé par Voltaire quand il agresse ses adversaires. L'étonnante et audacieuse diatribe* finale de *La Princesse de Babylone*, qui utilise des arguments *ad hominem**, en donne l'exemple le plus spectaculaire, mais Blaise Pascal (chap. I) n'est pas épargné dans *Micromégas*, non plus que les « *historien*[s] » (chap. IV).

Tous ces registres sont assez proches les uns des autres et donnent la tonalité plaisante des deux contes. Ils servent aussi le projet pédagogique de Voltaire en invitant le lecteur à prendre de la distance et à rire avec lui.

* *Cf.* Lexique.

Les Lumières

La raison libératrice

Dès le XVIIIe siècle, on nomme le siècle de Voltaire « Siècle des lumières », même si d'autres mouvements, de moindre importance, ont pu y voir le jour. En tout cas, cela montre bien que les philosophes sont conscients du processus qu'ils ont engagé. Leur mouvement est européen et donne la priorité à la raison. C'est elle qui permet à l'individu de comprendre les phénomènes et d'exercer, le cas échéant, son esprit critique, soumettant ainsi à un examen critique les préjugés scientifiques ou religieux. Les Lumières sont donc un mouvement fondé sur un espoir de progrès de la civilisation et d'émancipation de l'homme. Voltaire en fait aussi une philosophie de l'action en s'engageant personnellement dans des affaires.

Les Lumières veulent rendre l'homme libre et responsable en lui rendant l'usage de sa raison, comme le rappelle le philosophe allemand Emmanuel Kant (1724-1804) : « *Aie le courage de te servir de ton propre entendement ! Voilà la devise des Lumières* » (Emmanuel Kant, *Qu'est-ce que les Lumières ?*, trad. de J.-M. Muglioni, Hatier, 2007). Il faut pour cela examiner avec bon sens et distance les différentes formes de dominations qui pèsent sur l'homme et la société : la religion, l'autorité politique, l'organisation économique et sociale, la privation de certaines libertés comme la liberté d'expression. En prenant conscience de ces injustices et en les combattant, l'homme sera plus heureux, pensent les philosophes des Lumières qui, par leurs œuvres, vont travailler à faire évoluer la réalité vers cet idéal. Dans l'*Encyclopédie*, Diderot, dans l'article « Éclectisme » – qui correspond à une philosophie de l'Antiquité –, donne une définition du philosophe des Lumières : « *L'éclectique est un philosophe qui, foulant aux pieds le préjugé, la tradition, l'ancienneté, le consentement universel, l'autorité, en un mot tout ce qui subjugue la foule des esprits, ose penser de lui-même, remonter aux principes généraux les plus clairs, les examiner, les discuter, n'admettre rien que sur le témoignage de son expérience et de sa raison.* » Or ces principes ne doivent pas seulement s'appliquer à l'élite des philosophes mais à tous les hommes. C'est pourquoi les philosophes des Lumières vont chercher des formes nouvelles pour vulgariser les débats et les diffuser.

La foi dans le progrès

Les philosophes croyant que l'on peut édifier un monde meilleur mettent le monde présent au centre de leurs préoccupations. Comment le réformer ? Leurs écrits s'engagent dans une lutte contre tous les aveuglements et, pour Voltaire, contre le fanatisme religieux particulièrement.
Leur réflexion est extrêmement influencée par les progrès de la science, dont ils tentent d'appliquer les méthodes d'observation et d'expérimentation au débat philosophique. D'autant que le XVIIIe siècle est marqué par des bouleversements scientifiques importants qui ébranlent les certitudes acquises de longue date : on accepte, par exemple, l'idée que l'univers est infini. Les nouveautés scientifiques et techniques passionnent la partie la plus éclairée de la population et des sociétés savantes se créent un peu partout, qui débattent des savoirs, organisent des concours pour aller plus loin dans la connaissance et vulgarisent les sciences. Les découvertes scientifiques contribuent aussi à remettre en question les dogmes religieux : si l'Église dévalorise l'homme, les philosophes des Lumières veulent lui prouver qu'au contraire tout individu est capable d'action et de perfectionnement moral.

La remise en cause de l'Ancien Régime

Chaque auteur va désormais de sa critique contre le pouvoir absolu du roi et son caractère de « droit divin », qui est contraire à la raison et à la tolérance. On rejette la vénalité des charges, les lettres de cachet, l'esclavage dans les colonies (avec toutefois des nuances importantes selon les auteurs), les inégalités sociales en France, l'absence de liberté d'expression. Les philosophes des Lumières œuvrent à la laïcisation du gouvernement et de la société mais ils ne sont pas entendus par Louis XV ni par Louis XVI qui n'ont pas vu, contrairement aux despotes éclairés*, le parti qu'ils pourraient tirer de leurs idées. Dans d'autres pays européens, l'écho des philosophes est considérable et l'on assiste à de profondes modernisations des États et à des tentatives d'amélioration du sort des peuples : cela passe, par exemple, par l'accroissement des libertés individuelles, la prise de distance par rapport au pouvoir du pape, la mise en place de l'enseignement obligatoire ou la condamnation de l'esclavage. La peine de mort est même supprimée en Autriche de 1781 à 1795.

La lutte contre le fanatisme religieux

Ce combat est fondamental car il est le préalable à bien des progrès, en particulier à l'installation de la tolérance. Pour les Lumières, plusieurs fois doivent pouvoir coexister, mais leurs pensées sont avant tout tournées vers la protection des protestants. Tous les philosophes n'entendent pas pour autant renoncer à l'idée de Dieu et ce serait une erreur de croire qu'ils sont majoritairement athées. Voltaire, qui lutte avec particulièrement de véhémence contre « *l'infâme* », nom qu'il donne aux forces cléricales, se dit déiste. Il pense que l'on peut déduire l'existence d'un être supérieur de l'organisation concertée du monde et il croit que cette foi en un dieu unique aurait précédé

* *Cf.* Lexique.

toutes les religions. Il convient donc d'y revenir mais sans dogmes et sans clergé.

Chacun des deux contes que nous publions va contribuer à exposer et diffuser ces éléments constitutifs de la philosophie des Lumières.

Micromégas

L'intérêt pour la science

L'ensemble du conte repose sur des questions scientifiques. Le contexte interplanétaire et la notion de voyage philosophique pour « *s'instruire* », comme le dit Micromégas, place d'emblée le texte dans un contexte scientifique, au sens large, de recherche de la connaissance. De plus, les chiffres et les mesures occupent une grande place dans le conte, même s'ils servent autant à la création d'un univers de fantaisie qu'à une réflexion sur les grandeurs : on indique tout de suite la taille de Micromégas, élément fondamental pour comprendre la suite et l'enjeu du conte ; les Terriens ne commencent à être estimés que lorsqu'ils font la preuve qu'ils savent mesurer et calculer. L'expédition de Maupertuis en Laponie (1736) est directement exploitée, puisque ses membres sont les interlocuteurs des géants. Enfin, l'écrivain multiplie les références aux travaux des scientifiques de son temps, les astronomes, comme Derham, les naturalistes hollandais qui ont découvert les spermatozoïdes et surtout le physicien Newton que Voltaire admire et traduit.

La question du relativisme*

La question des grandeurs est l'occasion d'une réflexion sur le relativisme. Les hommes, qui se croient supérieurs et sont, par exemple, immenses par rapport aux insectes, ne sont rien à côté

* *Cf.* Lexique.

du Sirien et du Saturnien. Est aussi posée la question de la chaîne de l'infiniment grand et de l'infiniment petit sur laquelle repose l'organisation de l'univers. Mais ce relativisme* des grandeurs nous invite à d'autres relativismes et donne une leçon de tolérance. Si nous prenons conscience de notre petitesse, peut-être saurons-nous éviter les fanatismes barbares et les guerres aux motifs dérisoires : « *Ni l'un ni l'autre n'a jamais vu ni ne verra jamais le petit coin de terre dont il s'agit* [pour lequel ils se battent], *et presque aucun de ces animaux qui s'égorgent mutuellement n'a jamais vu l'animal pour lequel ils s'égorgent* » (chap. VII). Le nom même du héros, Micromégas, suggère que ce qui paraît grand peut être petit, pour peu qu'on le considère d'un autre point de vue que le sien propre.

La dénonciation de la métaphysique*

Le projet de créer un « conte scientifique » est à lui seul une remise en cause de la métaphysique. Micromégas est le modèle du philosophe qui adopte la démarche des hommes de science : c'est d'abord un « *observateur* » (chap. VI), qui doute et dont les choses lui « *paraissent de grands mystères* » (chap. VI) ; ce n'est que dans un deuxième temps qu'il passe à l'expérimentation par la création d'un ingénieux instrument lui permettant d'entrer en communication avec les hommes. Le Sirien n'a donc pas de préjugés, contrairement à ceux qui se piquent de métaphysique. Voltaire montre aussi que la science réunit les hommes, qui sont tous d'accord quand il s'agit de calculs et de mesures, tandis que la métaphysique les divise : à la question de Micromégas sur la nature de l'âme, « *les philosophes parlèrent tous à la fois* [...] *ils furent tous de différents avis* » (chap. VII). Le « *livre tout blanc* » indique peut-être qu'il convient de se taire quand on ne sait pas.

* *Cf.* Lexique.

Attaques diverses

La première cible de la satire* voltairienne est l'orgueil des hommes qui croient tout savoir mais devraient se montrer modestes et ne pas recourir à des superstitions – religieuses, par exemple – pour expliquer ce que la science ne peut encore éclairer... Il règne sur Terre « *un peu de confusion* » (chap. IV), alors que tout est coupé « *au cordeau* » sur Saturne. Réduite aux dimensions d'un petit animal sous la lunette de Micromégas, la « *mite* » humaine doit se rendre compte qu'elle n'est qu'une partie infime de l'univers et a encore beaucoup à apprendre, et l'ethnocentrisme du disciple de saint Thomas ne suscite qu'un « *rire inextinguible* » de la part des voyageurs (chap. VII).
Un autre objet de la contestation est la guerre, ordonnée par des « *barbares sédentaires qui, du fond de leur cabinet, ordonnent, dans le temps de leur digestion, le massacre d'un million d'hommes, et qui ensuite en font remercier Dieu solennellement* » (chap. VII). Les responsabilités sont rétablies : les soldats qui risquent leur vie ne sont pas les coupables mais bien ceux qui gouvernent dans le confort et l'indifférence, la religion leur servant de caution morale.
Enfin, une flèche est lancée dans le début du texte contre la censure qui oblige Micromégas à l'exil, situation que Voltaire a plusieurs fois connue.

La Princesse de Babylone

On a d'entrée de jeu, lors de la fête organisée par Bélus, une idée des critiques dont le conte est parsemé : « *Les procès, les intrigues, la guerre, les disputes, qui consument la vie humaine, sont des choses absurdes et horribles* » (chap. I). En effet, des points très divers sont dénoncés au gré des étapes du voyage des héros.

* Cf. Lexique.

Les lois et les institutions

Le voyage en Europe et en Asie est l'occasion de découvrir divers fonctionnements politiques, problème qui est au cœur des préoccupations des philosophes. Ainsi le Cimmérien reproche à « *la plupart des législateurs* [...] *un génie étroit et despotique* [...] *chacun a regardé son peuple comme étant le seul sur Terre* » (chap. VI). La justice, telle qu'elle est pratiquée en France, est également dénoncée violemment : « *C'est par cette raison qu'il n'y avait nulle proportion entre les délits et les peines. On faisait quelquefois souffrir mille morts à un innocent pour lui faire avouer un crime qu'il n'avait pas commis* » (chap. X). On reconnaît là, évidemment, la transposition des affaires dans lesquelles Voltaire s'est engagé. Certains pays, en revanche, servent de modèle de tolérance : la Chine, la Russie, les royaumes du Nord et, depuis peu, l'Angleterre. Si le pays d'Amazan constitue un idéal utopique de civilisation, qui rend nécessairement insuffisantes les institutions réelles, même les plus progressistes, il n'en va pas de même du royaume de Bélus à Babylone. En effet, malgré tout l'amour qu'il lui porte, Bélus décide arbitrairement de marier sa fille ; il voudrait également lui interdire de voyager et consulte les oracles. De plus, c'est un usurpateur qui ne devrait pas être sur le trône. Il est aussi coupable de préjugés sociaux, puisqu'il hésite à donner sa fille à « *un berger* », fût-il pourvu de toutes les qualités possibles. Comme dans les *Lettres persanes* (1721) de Montesquieu, le royaume oriental n'est pas épargné par les dysfonctionnements et il est à craindre que les hommes ne soient partout les mêmes.

La dénonciation du fanatisme religieux

Sur ce point, Voltaire, comme à son habitude, ne ménage pas ses piques. Le fanatisme dans toute son horreur apparaît essentiellement lors des étapes italiennes et espagnoles. La toute-puissance du pape, entouré de religieux homosexuels, est réduite à des gestes ou des rites ridicules et absurdes et à une grande férocité. La terreur que font régner les inquisiteurs, « *anthropokaies* » coupables d'« *abominables atrocités* », est vivement critiquée : ils veulent brûler Formosante comme sorcière au seul motif qu'elle est riche, ce qui suggère davantage la cupidité que la foi. Voltaire stigmatise aussi les monastères, censés dépeupler l'humanité, les jansénistes (chap. X) et les querelles entre religieux. Mais est-ce mieux à Babylone ? Bélus ne fait rien sans consulter « *ses mages* » et le roi d'Égypte sans son « *grand aumônier* ». Voltaire rappelle à plusieurs reprises que le fanatisme est l'ennemi de la tolérance. La suite du roi d'Égypte, composée en partie d'eunuques, témoigne aussi d'un grave manquement aux droits de l'homme et annonce les castrats romains (chanteurs que l'on émasculait dès l'enfance pour qu'ils gardent leur voix de soprano). La Chine, présentée comme un modèle de tolérance, rejette les jésuites, cette « *troupe de bonzes étrangers qui étaient venus du fond de l'Occident, dans l'espoir insensé de forcer toute la Chine à penser comme eux* » (chap. V). Enfin, l'éloge de la liberté de publication en Hollande (fin du chapitre VII) renvoie à la censure, tout comme la diatribe* finale.

La critique de la guerre

Il y est fait allusion à plusieurs reprises, en particulier au sujet de l'histoire de l'Angleterre et de ses guerres civiles (chap. VIII : « *des siècles de férocité et d'anarchie* »). Au problème de succession à Babylone, le roi des Scythes répond immédiatement par la levée d'« *une armée de trois cent mille hommes* » (chap. III), bientôt imité par le roi d'Égypte et le roi des Indes (chap. IV). Là encore, la guerre paraît bien un phénomène universel, que certains pays ont la sagesse d'adoucir par la clémence accordée à l'ennemi.

* *Cf.* Lexique.

La satire* des mœurs

La critique porte sur la prostitution à Venise, les mœurs libertines et vénales de la « *fille d'*affaire » à Paris, la frivolité de toutes les femmes que rencontre Amazan et celle générale des Parisiens (chap. X : « *La douceur de la société, la gaieté, la frivolité étaient leur importante et leur unique affaire* »). L'illettrisme est mentionné avec le roi des Scythes qui ne sait « *ni lire ni écrire* » (chap. I) et la malhonnêteté du roi d'Égypte est stigmatisée. Les personnages importants dans la société sont critiqués au chapitre IV en la personne des convives de Bélus *(« C'étaient tous des gens fort mal assortis : rois, princes, ministres, pontifes, tous jaloux les uns des autres, tous pesant leurs paroles, tous embarrassés de leurs voisins et d'eux-mêmes »)* et bien rares sont ceux qui se conduisent conformément à la morale. Tous ces faits paraissent anecdotiques mais montrent que l'homme doit se perfectionner sur le plan individuel pour progresser collectivement.

Malgré tout, dans *La Princesse de Babylone*, Voltaire affirme sa confiance en un monde de progrès : « *Dès qu'elle fut en Scythie, elle* [Formosante] *vit plus que jamais combien les hommes et les gouvernements diffèrent, et différeront toujours jusqu'au temps où quelque peuple plus éclairé que les autres communiquera la lumière de proche en proche après mille siècles de ténèbres, et qu'il se trouvera dans des climats barbares des âmes héroïques qui auront la force et la persévérance de changer les brutes en hommes* » (chap. V).

* *Cf.* Lexique.

Lexique d'analyse littéraire

Abyme (Mise en –) Reproduction d'un ensemble en plus petit à l'intérieur de ce même ensemble-cadre (ex. : récit dans un récit).

***Ad hominem* (Argument –)** Argument dirigé contre une personne précise et que l'on nomme.

Antiphrase Figure de style qui, tout en exprimant le contraire de ce que pense le locuteur, ne laisse aucun doute sur son opinion véritable. C'est la figure clé de l'ironie.

Antiphrastique Voir *Antiphrase*.

Burlesque Comique exagéré reposant sur des situations extravagantes.

Caricature Portrait qui grossit les défauts d'une personne pour faire rire.

Chute Conclusion frappante d'un récit.

Concession Faire une concession, c'est admettre qu'un point de vue différent de celui qu'on expose puisse être défendu. Ce peut être le point de départ d'une contre-attaque.

Diatribe Critique violente, souvent sur un ton injurieux.

Discours Énoncé. On peut préciser le type de discours suivant son principe d'organisation : narration, description, argumentation, information, injonction.

Éclairé (Despote, despotisme –) Monarque qui s'efforce d'appliquer les idées des philosophes des Lumières.

Ellipse Omission d'au moins un élément dans une phrase ou dans un récit.

Énonciation La situation d'énonciation consiste à identifier le locuteur et le destinataire du message. Elle permet également de répondre aux questions « Où ? » et « Quand ? ».

Épître Pièce de vers adressée, comme une lettre, à quelqu'un.

Éponyme Dont le nom sert de titre à un texte.

Épopée Récit d'actions héroïques et souvent fondatrices d'une civilisation ou d'une société.

Esthétique Conception qu'une époque ou un mouvement littéraire ou artistique se fait de la beauté.

Euphémisme Atténuation du sens d'un mot par l'utilisation d'une périphrase, par exemple.

Euphonie Ensemble de sons (allitérations ou assonances, par exemple) qui produisent un effet harmonieux.

Fiction Ce qui est inventé dans une œuvre littéraire.

Glose Commentaire.

Hyperbole Emploi de formulations exagérées.

Implicite Sous-entendu. C'est le contraire d'*explicite*.

Incipit Premiers mots ou premières lignes d'un ouvrage.

Ironie Formulation moqueuse qui consiste à faire comprendre au destinataire le contraire de ce qu'on dit effectivement.

Laudatif Très élogieux.

Lexical (Champ –) Ensemble des mots qui, dans un texte, appartiennent par leur dénotation au même domaine.

Litote Figure de style consistant à dire le moins pour suggérer le plus.

Maïeutique Méthode par laquelle Socrate accouchait les esprits, suscitant par le dialogue des réflexions dont ses élèves ne se seraient pas crus capables.

Matérialisme Doctrine selon laquelle il n'existe pas d'autre substance que la matière.

Mémoires Au masculin pluriel, récit à la 1re personne d'événements ayant un intérêt historique.

Merveilleux Présence, dans un texte, du surnaturel qui ne surprend pas les héros.

Métaphore Figure de style qui consiste à employer des termes habituellement utilisés pour désigner une autre réalité que celle qu'on veut évoquer mais qui ont avec cette dernière des points de ressemblance.

Métaphysique Branche de la philosophie qui traite des problèmes ne pouvant pas se résoudre à l'aide de la raison et de l'expérience (l'existence de Dieu, par exemple).

Oxymore, oxymorique Alliance de deux mots de sens opposés.

Pamphlet Écrit violent qui attaque une personne ou une institution.

Parodie Imitation comique d'un genre ou d'un sujet sérieux.

Périphrase Utilisation de plusieurs mots pour produire un effet là où un seul suffirait.

Point de vue (ou focalisation) Choix d'un type de narration où la position du narrateur par rapport à ce qu'il rapporte est variable : il sait tout (focalisation zéro), ne sait que ce qu'il peut voir (focalisation externe) ou sait la même chose que ce que voit, pense et ressent un personnage (focalisation interne).

Relativisme Fait d'admettre que les choses n'existent que par rapport à d'autres.

Romanesque Désigne tout ce qui se rapporte au roman, mais aussi tout ce qui relève des stéréotypes du genre : intrigues amoureuses et aventures.

Satire Critique des mœurs ou des institutions.

Vraisemblance Fait de donner l'impression que ce que l'on raconte aurait pu se passer ainsi dans la réalité.

Zeugma Procédé qui consiste à coordonner deux éléments qui ne sont pas sur le même plan syntaxique.

Bibliographie

D'autres contes de Voltaire

- *Contes en vers et en prose,* « Classiques Garnier », Garnier, 1992-1993, deux volumes. Cette édition publie les contes chronologiquement.
- *Romans et Contes en vers et en prose,* Le Livre de Poche, « Classiques modernes », LGF, 1994.

Sur Voltaire

- Pascal Debailly, Jean-Jacques Robrieux et Jacques Van den Heuvel, *Le Rire de Voltaire*, coll. « Œuvres vives », éd. du Félin, 1994.
- Jean Goldzink, *Voltaire : la légende de saint Arouet,* coll. « Découvertes Gallimard », n° 65, Gallimard, 1989.
- Jean-Marie Goulemot, André Magnan et Didier Masseau, *Inventaire Voltaire*, coll. « Quarto », Gallimard, 1995.
- René Pomeau, *Voltaire,* coll. « Écrivains de toujours », Le Seuil, 1955, rééd. 1994.
- Jacques Van den Heuvel, *Voltaire dans ses contes*, Armand Colin, 1967 ; Slatkine reprints, 1999.

Sur le Siècle des lumières

- Jean-Marie Goulemot, *La Littérature des Lumières en toutes lettres*, Armand Colin, 2005.

Imprimé en Italie par «La Tipografica Varese S.p.A.»
Dépôt légal : Septembre 2014 - Édition 05
16/9696/2